Québec : hier et aujourd'hui

Centre d'Études canadiennes françaises
McGill University

Québec:

Comité de rédaction

Président:

Choix et présentation des textes:

Vocabulaire:

Conseiller technique:

Coordonnatrice:

1967   The Macmillan Company

hier et aujourd'hui

Laurier L. LaPierre
Professeur d'histoire, McGill University et
Directeur Centre d'Études canadiennes-françaises

Raymond Turcotte
Professeur de littérature
Collège Sainte-Marie et Université de Montréal

Louis Daigneau
Professeur d'histoire
École régionale de Chambly

Jacques Girard
Coordonnateur des cours de langues
École régionale Duvernay

Louis P. Girard
Professeur de langues
La Commission des écoles catholiques de Montréal

Jean Ethier-Blais
Professeur de littérature française et canadienne-française
McGill University

Suzanne G. Côté
Rédactrice
Centre d'Études canadiennes-françaises

of Canada Limited   Toronto

9/7.14
Q 3

Library of Congress Catalogue Card No. 67-21948

Printed in Canada by the T. H. Best Printing Company Limited
for The Macmillan Company of Canada Limited,
70 Bond Street, Toronto

McGill University, le passé et l'avenir

Avant-propos

Consciente de sa situation unique au sein de la plus grande ville de langue française après Paris, McGill University veut servir les intérêts de la communauté québécoise ainsi que ceux du Canada tout entier en favorisant les rapports entre les deux principaux groupes culturels qui forment ce grand pays.

C'est à cet effet que fut créé, en 1963, le Centre d'Études canadiennes-françaises dont le principal objectif est de faire mieux connaître le Canada français aux éléments anglophones du Canada.

Dans un mémoire présenté à la Commission Royale d'Enquête sur le Bilinguisme et le Biculturalisme, McGill University déclare que "la présence d'un bilinguisme et d'un biculturalisme approfondit la connaissance de deux cultures et permet à l'homme de s'améliorer et de s'élever intellectuellement."[1]

Il est donc approprié que le Centre d'Études canadiennes-françaises de McGill University publie l'anthologie *Québec: hier et aujourd'hui*, qui sera mise à la disposition des étudiants des « high schools » et des universités de langue anglaise au Canada.

Le Canada de demain sera tel que la jeunesse canadienne actuelle, d'un océan à l'autre du pays, le façonnera.

---

[1] *Mémoire présenté par McGill University à la Commission royale d'enquête sur le bilinguisme et le biculturalisme le 1er mars 1965,* McGill University Press, Montreal, 1965. Page 52.

Nous espérons que cet ouvrage sera un instrument de travail utile pour la jeunesse anglophone canadienne, et qu'il lui permettra de mieux comprendre le Canada français.

Le Recteur et Vice-Chancelier,

H. Rocke Robertson

Préface

Dans le Québec d'aujourd'hui, une société nouvelle s'édifie. Elle s'efforce d'atteindre en même temps deux objectifs indissolubles: sur le plan individuel, un niveau de vie convenable pour chaque citoyen, et, sur le plan collectif, l'affirmation nationale.

Le Québec moderne est sûr de lui et s'est pleinement engagé dans la réalisation de ces objectifs. Il est également persuadé que l'avenir du Canada entier, et le sien, reposeront non pas sur une séparation sans issue ou une dépendance humiliante, mais sur l'interdépendance harmonieuse des valeurs culturelles propres aux divers groupes ethniques qui habitent notre vaste pays.

On aurait tort de croire que les transformations profondes qui marquent depuis quelques années l'évolution du Québec ne sont que la poussée éphémère d'un nationalisme exacerbé et superficiel, ou qu'elle puisse dégénérer en confusion sans précédent.

Bien au contraire, dans quelques années on se rendra compte que, par son action et ses attitudes actuelles, le Québec aura donné un nouvel aspect à l'ensemble de notre pays et qu'il lui aura ouvert d'autres horizons.

Nous félicitons le Centre d'Études canadiennes-françaises de McGill University de l'initiative heureuse qu'il a eue en publiant cette anthologie, *Québec: hier et aujourd'hui*, à l'usage des jeunes anglophones de l'Ontario et du reste du Canada. Cet ouvrage contribuera certainement à faire mieux connaître et comprendre le Québec aux étudiants des autres provinces. La jeunesse canadienne actuelle est l'espoir de demain, et elle est appelée à jouer dans notre pays un rôle de plus en plus actif.

Dans les années qui viennent, il est essentiel que, partout au Canada, on ait une image du Québec qui soit conforme à la réalité. Il importe que le Québec nouveau soit de mieux en mieux compris et qu'il soit accepté tel qu'il est.

L'unité canadienne ne sera en effet authentique et durable que si elle est fondée sur la compréhension réciproque et le respect intégral des droits et des aspirations du Canada français, dont le Québec est le point d'appui.

Jean Lesage

Table des matières

Arts

Lettres

Culture et folklore

Deuxième Partie
Vie sociale et économique

Troisième Partie
Vie politique et nationale

Politique

Constitution

Nationalisme

Survivance

Première Partie

Vie intellectuelle et artistique

Introduction

Depuis quelques années, le Québec connaît un essor culturel remarquable. Mais il est aussi aux prises avec le problème de sa propre maturation. Il est évident qu'on ne peut attendre la maturité culturelle d'une nation qui n'a pas atteint l'âge adulte dans les domaines politique et économique.

La culture canadienne-française est fortement influencée par la culture française. Par contre, les écrivains et penseurs du Québec ne peuvent faire abstraction du contexte anglosaxon dans lequel baigne la « belle Province ».[1] Cette dualité d'influence peut parfois être féconde, mais elle peut aussi entraîner de graves conflits lorsqu'il s'agit de créer dans l'ordre intellectuel et artistique.

Le problème culturel des Canadiens français provient donc de leur situation politique et économique. Les Canadiens français n'ont jamais été les véritables maîtres de leur destin. Cette situation d'infériorité, que cache dans une certaine mesure une grande illusion nationale, entraîne une maladresse fondamentale lorsqu'il s'agit de créer. Pourtant, les grands écrivains, les musiciens célèbres, les peintres de

---

[1] *ne peuvent... « belle Province »*: cannot exclude the English context in which Quebec is immersed.

réputation internationale ont assuré au Québec une place enviable dans le monde artistique contemporain. C'est dans l'épanouissement de leurs facultés créatrices,[2] dans tous les domaines, que les Canadiens français donneront leur mesure et feront entendre au Canada et en Amérique une voix personnelle et profonde.

La première partie présente la vie intellectuelle, spirituelle et morale des Canadiens français. On a essayé d'y montrer le plus grand nombre possible d'aspects de l'activité religieuse, littéraire et artistique des Canadiens français.

L'accent a surtout été mis sur la vie religieuse contemporaine du Québec dans le chapitre sur la religion. Il s'agit de souligner le problème religieux et ses répercussions dans tous les domaines de la vie.

Dans la section qui traite de l'éducation, on a surtout tenté de montrer la continuité dans l'évolution du système d'enseignement du Québec, depuis le projet d'Arthur Buies en 1865 jusqu'au dernier texte tiré du rapport de la commission d'enquête Parent.[3]

Le folklore des Canadiens français est très riche. Il est issu du folklore français, transmis par nos ancêtres des xviie et xviiie siècles. Les textes consacrés à notre culture orale font ressortir sa variété: chansons, légendes, danses, coutumes, etc. . . .

Les textes portant sur la culture visent chacun un but bien particulier. Le premier cherche à définir les assises d'une culture canadienne contemporaine, en rapport avec les autres domaines sociaux et singulièrement l'éducation. Le texte sur la mondovision montre que l'avenir doit faire partie désormais des préoccupations culturelles de chaque jour. Le texte *Vers un Québec fort* définit des buts et des idéaux pratiques; ce sont ceux que les Canadiens français

---

[2]*l'épanouissement. . . créatrices*: the full development of their creative power.
[3]*enquête Parent*: the Parent inquiry: an extensive survey of education in Quebec by a governmental commission headed by Monsignor A. M. Parent. An extract from the report of this commission, which was completed in May 1966, appears on pp. 22-3 of this book.

doivent s'assigner s'ils veulent parvenir à la pleine maturité culturelle.

Les textes se rapportant aux arts et aux lettres sont très variés. Ils traitent de la situation des arts et des lettres dans le Québec contemporain et soulignent la prise de conscience des Canadiens français d'aujourd'hui dans ce domaine. *Le Cassé* de Jacques Renaud et *Le Cabochon* d'André Major sont deux oeuvres fortes, vraies, cruelles et denses, qui représentent un moment important dans la littérature canadienne-française.

Le héros de Jacques Renaud est « cassé » ce qui veut dire qu'il n'a pas le sou, qu'il est une loque. Ce livre est écrit dans la langue parlée des Canadiens français les moins évolués; langue parfois incompréhensible que l'on a appelée « le joual ». C'est la langue des faibles, des humiliés, des offensés; langue propre à émettre des cris, des blasphèmes. Cependant, le « joual » est en voie de disparition car ce langage reflète la réalité d'un certain milieu canadien-français, milieu qui est en pleine transformation.

« Le Cabochon », c'est un garçon têtu, qui a la tête dure. L'extrait reproduit dans cette anthologie est tiré d'une scène de la vie familiale en milieu ouvrier. Les propos échangés sont cruels, on y sent le désespoir du pauvre qui ne peut améliorer son sort et se voit contraint de l'accepter. La langue y est cependant moins dure que dans *Le Cassé*. Les personnages de ce roman s'expriment comme ils le doivent; ils font des fautes, mais leur langage ne nous choque pas et nous les comprenons facilement.

Il serait bon qu'à chacun des stades de l'évolution du langage populaire vers des formes plus françaises, certaines oeuvres surgissent qui en décrivent les diverses étapes.

Il nous a semblé intéressant d'inclure un article du docteur Jacques Rousseau, ethnologue réputé et spécialiste en culture esquimaude au Nouveau-Québec. Celle-ci représente un apport enrichissant à la vie culturelle du Québec, ainsi d'ailleurs qu'à celle de tout le Canada.

Éducation

La Réforme de l'enseignement

ARTHUR BUIES (1840-1901) fut l'un des polémistes les plus célèbres
de son époque au Canada français. Comme tous les grands hommes,
il était en avance sur son temps. C'est pourquoi, dès 1865, il réclamait
une réforme de l'éducation qui ne sera appliquée que beaucoup plus
tard.

Il arrive un moment dans la vie de chaque homme où des idées,
longtemps combattues, s'imposent tout à coup dans l'esprit, et
deviennent la loi des opinions et de la conduite. Avant de pouvoir être applicables, il leur a fallu trouver un esprit mûr et
préparé à les recevoir; telle est la raison des lenteurs que les
vérités les plus simples mettent à pénétrer dans la foule et de
l'empressement qu'on met à les adopter dès qu'elles sont devenues nécessaires. Le Canada est arrivé à cette phase de son
existence où l'ajournement des réformes n'est plus possible, où
certains progrès retardés seraient un non-sens et une preuve
d'ineptie. D'importantes questions se pressent, s'accumulent
dans les délais, grandissent par l'ascendant qu'elles prennent de
plus en plus dans les esprits; ces questions sont devenues des
nécessités: elles demandent une solution, et sans cette solution,
il est inutile de prétendre à quelque chose, et de poursuivre nos
destinées.

Je veux dire qu'il est temps de modifier profondément notre
système d'instruction; il est temps d'apporter le secours de la
raison à l'impuissance de ce système; il est temps de débarrasser

l'intelligence publique de cet amas incohérent d'entraves qui arrêtent nos progrès.

Il ne s'agit pas d'élever le niveau des études; il faut les spécialiser, et surtout les mettre en rapport avec les idées de notre siècle,[1] seul moyen de les rendre profitables. Les études exclusivement classiques ont eu leur raison d'être tant qu'on a borné ses connaissances à la littérature et à la métaphysique; elles ont eu un but tant qu'on a pensé que la rhétorique d'Aristote était le *nec plus ultra*[2] du perfectionnement humain: tant que les hommes n'ont pas eu l'idée du progrès et ont mis l'intérêt de la vie dans les spéculations et les hypothèses. Mais notre siècle veut autre chose; il a fait voir qu'il y avait un côté de l'intelligence humaine qui avait été tenu dans l'oubli, et que ce côté renfermait tout un monde de connaissances indispensables, tous les germes de l'avenir; et c'est devant le développement et la pression de ces facultés jusqu'alors méconnues que sont tombés les préjugés, les vieilles routines, les systèmes de pure convention, les inepties de tout genre qui entravaient la marche de l'humanité.

Eh bien! cette chose pressante, indispensable, qui résume tous les instincts et toutes les idées de notre époque, et qu'on appelle industrie, ne trouve chez nous que de l'indifférence, et souvent même du dédain. L'industrie qui est, pour ainsi dire, le seul avenir que nous puissions nous promettre, parce que nous sommes placés sous un ciel ingrat au sein d'un climat qui nous refuse presque toutes les puissances de la nature, l'industrie qui est un besoin *sine qua non*[3] de notre existence et de notre progrès, est la seule chose à laquelle on ne songe pas, qu'on n'apprécie pas, qu'on n'étudie pas dans les collèges.

Tiré de La Réforme de l'enseignement, *par Arthur Buies. Montréal: Éditions Fides (Collection Classiques Canadiens), 1959. Tous droits réservés.*

---

[1]*les mettre. . . notre siècle*: to bring them into line with the ideas of our own century.
[2]*nec plus ultra*: Latin expression meaning "the ultimate".
[3]*sine qua non*: Latin expression meaning "indispensable condition or qualification".

Questions

1. Pourquoi Arthur Buies juge-t-il qu'une réforme de l'enseignement est nécessaire?
2. Quels sont les caractères généraux de la réforme préconisée par Buies?
3. D'après l'auteur où se trouve l'avenir et pourquoi?

Mémorial de l'éducation au Bas-Canada

J.-B. MEILLEUR (1796-1878), médecin, écrivain et journaliste, fut le premier surintendant de l'éducation de la province du Bas-Canada (1843-55). Dans son *Mémorial de l'éducation*, il raconte l'histoire des écoles et de l'instruction publique au Canada français.

Le peuple canadien aime l'éducation et veut sincèrement en procurer le bienfait à ses enfants, mais suivant ses moyens, et suivant ses principes religieux et le sentiment du besoin réel et bien compris, et l'on peut dire en toute vérité que l'instruction de ses enfants est l'objet de sa sollicitude quotidienne la plus vive et la plus constante; mais il a bien des obstacles à vaincre pour réaliser pleinement cet objet dans la personne de ses enfants.

Il est des causes particulières qui s'opposent à l'éducation populaire dans le Bas-Canada, et les principales sont la rigueur de notre climat et la nature de nos occupations ordinaires qui en découlent, en grande partie, occupations que le besoin rend très généralement nécessaires.

Nous vivons dans un pays essentiellement agricole et industriel, et le travail manuel est nécessairement notre tâche principale. Or, nous ne pouvons bien la remplir qu'en nous livrant très généralement à ce travail, depuis l'enfance jusqu'à la caducité. Il ne nous reste donc que très peu de temps pour utiliser les moyens d'instruction qui nous sont donnés, et, cependant, nous le faisons d'une manière honorable.

L'érable et le castor, ces deux beaux emblêmes de notre nationalité temporelle, n'ont été adoptés comme tels qu'après avoir été étudiés et comparés aux circonstances spéciales dans lesquelles nous nous trouvons, sous l'influence du climat du Canada, climat à la vérité très salubre et très fortifiant, mais qui exige une activité si grande et si constante de la part de tous, pour nous garder de sa rigueur, qu'il ne nous reste aucun loisir disponible.

Nous avons calculé l'effet moral que ces emblêmes doivent avoir sur notre intelligence et sur notre conduite dans la vie active, et nous en rappelons souvent la signification au peuple auquel est dévolu la plus grande partie de notre tâche. Nous ne manquons pas, non plus, de le porter à imiter St. Jean-Baptiste, ce modèle d'abstinence, de tempérance et de zèle pour la gloire de Dieu, que la société canadienne a choisi pour patron national et pour modèle, en s'efforçant de *rendre le peuple meilleur.* C'est ainsi que nous ranimons et soutenons le courage du peuple canadien, et que, à l'aide de la religion, nous fortifions sa moralité et nourrissons son espérance.

En effet, l'érable, bois dur et durable, particulier au Canada, représente la fermeté de caractère que nous devons avoir, sa belle feuille verte, l'espérance qui doit nous ranimer dans les tribulations et les peines de la vie, son beau sucre, la subsistance que nous devons nous procurer par le travail, et le castor, l'intelligence et l'industrie qui doivent être, la première sans cesse notre guide, et la seconde notre plus sûre ressource dans le besoin. Car, si le sucre d'érable, cette autre manne providentielle, ne s'obtient que par une grande activité, de même, les autres moyens d'existence ne s'obtiennent, à un degré suffisant en Canada, que par un grand travail manuel, et par une industrie continuelle et bien réglée.

Tiré de Mémorial de l'éducation au Bas-Canada, *par J.-B. Meilleur.* Québec: *Éditions Rolland, 1860.*

Questions

1. D'après l'auteur, quelles sont les causes particulières qui s'opposent à l'éducation dans notre pays?
2. Que pensez-vous de la signification symbolique que J.-B. Meilleur attribue à nos emblêmes nationaux?

Mémoires intimes

LOUIS FRÉCHETTE (1839-1908) fut un poète charmant; il possédait un grand talent de conteur et ses récits sont pleins de verve et d'humour. L'extrait cité ici est tiré de ses *Mémoires intimes*. L'auteur raconte de façon plaisante comment un vieux professeur lui a appris l'orthographe.

— Mes enfants, vous êtes pas mal avancés dans la lecture; M. le Curé va être content de vous autres. Mais il ne suffit pas de lire correctement pour être instruit; il faut encore savoir l'orthographe!

Après avoir lancé ce mot-là, l'orateur s'arrête pour juger de l'effet produit. Il fut considérable; nous écoutions bouche bée. L'orthographe? Qu'est-ce que cela pouvait bien être? En tout cas, ce ne pouvait être que bien difficile, et nous nous demandions si cela valait la peine de se donner tant de mal pour être instruit.

Le père Gagné ouvrit sa tabatière – tout le monde prisait à cette époque – et continua:

— Vous ne savez pas ce que c'est que l'orthographe sans doute; eh bien, écoutez, je vais vous renseigner. Ça se divise en deux parties: la première, nous enseigne combien il y a de lettres dans chaque mot; la seconde nous indique quelles sont ces lettres-là.

Il n'y eut qu'un cri parmi nous:

— Ah! mon Dieu, que ça doit être difficile!

— C'est vrai, c'est assez difficile, mes enfants, reprit le vieux Gagné; mais ça s'apprend tout de même; je l'ai bien appris, moi!

Voyons, ajouta-t-il, il faut commencer dès aujourd'hui et procéder systématiquement. D'abord, nous allons apprendre l'orthographe des mots qui concernent la famille: *père, mère, frère, soeur*. Puis viendront ceux qui concernent la parenté: tels que *oncle, tante, cousin, cousine*. Après cela, nous étudierons l'orthographe des mots qui représentent les objets avec lesquels on a le plus de rapports journaliers: ceux qui désignent les différentes parties de la maison, par exemple les meubles qui la garnissent, les articles de toilette, les ustensiles de cuisine, etc. Allons, rangez-vous comme pour la lecture, là, ho! et faites bien attention. Le nombre de lettres dans chaque mot, d'abord. Commençons par le mot *père*. Combien y a-t-il de lettres dans le mot *père*?

— Deux?

— Non, un autre.

— Trois?

— Non, le suivant.

— Quatre?

— Très bien, toi, passe à la tête.

Après le mot *père* vinrent à leur tour les autres mots du vocabulaire, à peu près dans l'ordre mentionné plus haut.

Nous ne rations jamais un mot, vous comprenez: à la longue, la réponse finissait toujours par être correcte: il s'agissait seulement de se trouver placé au bon endroit pour passer à la tête.

Aussi faisions-nous des progrès sensibles, et il fallait entendre nos vantardises à nos parents quand nous parlions d'orthographe.

— Maman, fis-je, en rentrant à la maison, un jour que j'avais eu un succès signalé, combien y a-t-il de lettres dans *plancher*?

— Attends que je compte.

— Ah! il ne faut pas compter!

— Comment, il ne faut pas compter. . . le sais-tu sans compter, toi?

— Oui, il y en a huit.

— Huit? épelle donc, voir.

— Comment, épelle donc?

— Quelles sont ces huit lettres, voyons?

— Sais pas moi, on n'est pas encore rendu là.

Ma mère trouvait cette manière d'apprendre l'orthographe un peu originale, mais enfin. . .

Malgré ces beaux succès, cependant, nous ne pouvions pas en rester là; il fallait bien aborder la seconde phase de nos études orthographiques, c'est-à-dire l'importante question de savoir quelles sont les lettres dont chaque mot se compose.

Allons, nous voilà encore une fois rangés devant le père Gagné, qui, après un nouveau petit *speech* bien senti, dit en s'adressant à celui d'entre nous que le hasard avait mis à la tête ce matin-là:

— Voyons, mon ami, comment s'épelle le mot *père?*

— *Per?*

— Pas du tout, le suivant.

— *Perre?*

— Non!

— *Pert?*

— Non!

— *Pair?*

— Non!

— *Père?*

— Ça y est, passe à la tête, toi!

Et ainsi de suite; inutile, n'est-ce pas d'entrer dans les détails; ils variaient peu.

Une fois, pourtant, la leçon prit un caractère tout particulièrement intéressant. Nous étions rendus aux effets d'ameublement, et nous avions à épeler le mot *coffre:*

— Voyons, comment s'épelle le mot *coffre?*

— *Coffre?*

— Non!

— *Cofre?*

— Non!

— *Cauff...?*

— Non!

— *Koffr...?*

— Non, non!

— *Kauf...?*

— Non, non, non!... Ah! ça, écoutez, mes enfants, il vaut mieux vous le dire tout de suite, vous ne le trouverez jamais: c'est un des mots les plus difficiles à épeler que je connais. Un *coffre*, ça s'épelle — prenez ça en note, afin de jamais l'oublier –

ça s'épelle q-u-'-o-f, *qu'of*, f-r-e-n-t, *frent*!

— Ah!...

— C'est comme ça!

— Pas possible!

— Que voulez-vous que j'y fasse? C'est dans les livres.

Qui fut ébahie, c'est ma pauvre mère, quand, pour la tenir au courant de mes progrès dans l'orthographe, je lui racontai comment j'avais appris à épeler le mot *coffre*.

— Mais tu as mal compris, mon pauvre petit, me dit-elle.

— Pardon, maman, j'ai bien compris; à preuve que j'ai mes notes.

— Tu t'es trompé, tout simplement.

— Non je ne me suis pas trompé. Tenez, voilà le maître qui passe, demandez-le-lui. M. Gagné!

— Qu'est-ce qu'il y a, petit?

— Maman ne veut pas me croire pour le mot *coffre*, vous savez...

— Vos élèves ne vous comprennent pas toujours, M. Gagné, intervint maman; en voici un, par exemple, qui prétend avoir appris de vous que le mot *coffre* (un coffre) s'épelle *qu'offrent*.

— Mais, ma chère dame, répondit le magister, il a raison.

— Ah, bah!

— Parole d'honneur!

— Allons donc!

— Mais je puis vous en donner la preuve tout de suite.

— Je serais curieuse de voir ça.

La maison d'école était à deux pas: le bonhomme revint au bout de deux minutes, avec un vieux recueil de cantiques tout ouvert à la main.

— Tenez, madame, dit-il, lisez:

> J'ai vu l'impie heureux,
> Le jeune voluptueux,
> Se plonger dans les douceurs
> *Qu'offrent* les mondains séducteurs!

— Êtes-vous satisfaite? Quand j'enseigne quelque chose, madame, c'est que je le sais apertement.

Tiré de **Mémoires intimes,** *par Louis Fréchette. Montréal: Éditions Fides, 1961.*

Questions

1. Reconnaissez-vous une certaine affinité entre les professeurs de vos ancêtres et ceux de notre époque? Justifiez votre réponse.
2. Comment expliquez-vous l'ignorance relative du vieux professeur?
3. A quoi tient l'humour de ce texte?

Photo Armour Landry

Préau, Monastère de Sainte Croix, Sainte-Geneviève-de-Pierrefonds
sur l'île de Montréal

Québec: Musée de la Province

Ange adorateur (École canadienne
du XIXᵉ siècle)

Le Système scolaire

Daté de 1953, le texte qui suit souligne le retard accumulé par les Canadiens français dans le domaine de l'éducation. Il propose des réformes rendues nécessaires par l'industrialisation rapide du Québec. LÉON LORTIE (1902-   ) a fait carrière comme professeur de chimie à l'Université de Montréal.

Si on nous demande de résumer la situation, nous insisterons sur les problèmes que posent le développement de l'enseignement primaire supérieur et l'expansion de l'enseignement universitaire. Entre ces deux forces animées d'un ressort interne qui répond à chaque nouvel élan de l'industrialisation, l'enseignement secondaire classique se sent de plus en plus comprimé, bien qu'il conserve le prestige d'être la voie royale conduisant aux professions libérales traditionnelles. Il n'est pas besoin d'être pessimiste pour supposer qu'à plus ou moins brève échéance des influences économiques mettront en péril la structure de cet enseignement qui, jusqu'ici, a bénéficié de nombreux privilèges en s'isolant des cadres officiels. Dans son étude, la commission chargée par le Comité catholique du Conseil de l'instruction publique d'étudier la coordination de l'enseignement à tous ses degrés, devra proposer un système qui, non seulement respectera, mais étendra à un plus grand nombre de jeunes gens les bienfaits d'une culture générale et la possibilité d'accéder aux facultés universitaires. Ce serait une démocratisation souhaitable en même temps qu'une mesure de stricte justice envers les enfants doués mais présentement incapables de profiter de ces avantages. Pour cela, il paraît opportun que les cadres de l'enseignement secondaire soient unifiés, mais qu'à l'intérieur de ceux-ci on puisse à la fois donner la formation générale nécessaire à tous et orienter convenablement ceux qui manifestent des aptitudes pour les études abstraites, scientifiques, commerciales ou techniques en ayant soin de tenir compte du sexe des enfants et du milieu agricole ou urbain d'où ils viennent.

L'analyse que nous avons tentée montre qu'on a fait un effort sérieux pour répondre aux exigences nées de notre révolution industrielle. Ces efforts ont réussi dans une certaine mesure mais nous sommes encore loin du compte, ainsi que le révèlent certaines statistiques. Dans une province qui regorge de richesses naturelles que la science et la technique transforment en salaires et en dividendes, le nombre d'industriels, d'ingénieurs et de gens de science d'expression française est loin de correspondre à l'importance de notre population. Seule une expansion de l'enseignement du second degré[1] pourra conduire aux universités le nombre voulu de candidats aux professions productrices de richesse. Quand on songe que moins de deux mille enfants, y compris ceux de langue anglaise, sont inscrits dans la dernière année du cours primaire supérieur;[2] que quelques centaines seulement fréquentent la même classe des institutions privées équivalentes; que les collèges classiques ne produisent que quelque douze cents bacheliers chaque année; qu'au total, donc, il y a environ trois mille cinq cents enfants susceptibles de s'inscrire dans les universités (et tous ne le peuvent pas), on ne s'étonne pas que les progrès soient lents. En regard de ce nombre, l'Ontario compte plus de treize mille étudiants dans le *XIIIth grade* qui conduit aux universités. Pour répondre efficacement au défi que nous lance l'industrialisation croissante, nous avons besoin qu'on accorde un soin extrême à la coordination de l'enseignement à tous ses degrés. Sinon, nous serons une fois de plus dépassés par les événements. Il importe cependant que nous évitions les erreurs commises en d'autres milieux et que nous conservions, même au coût de certains sacrifices, le souci de la

[1]*du second degré*: at the secondary-school level.
[2]*cours primaire supérieur*: the equivalent of the final year of high school.

formation générale qui, au lieu d'être un ornement dont se parent quelques élus, sera la base efficace de la compétence pour un plus grand nombre. Nous ne saurions oublier que l'industrialisation, si elle est une source de richesses pour plusieurs, amène aussi son cortège de problèmes sociaux. La formation générale dont il est question ne saurait être un simple vernis gréco-latin qui recouvre un matérialisme foncier mais une solide armature qui soutient tout l'édifice de la spécialisation sans laquelle il n'y a pas de vraie compétence.

Tiré de «Le Système scolaire» par Léon Lortie, dans Essais sur le Québec contemporain / Essays on Contemporary Quebec, *J.-C. Falardeau, éditeur. Québec: Presses de l'Université Laval, 1953. Tous droits réservés.*

Questions

1. Dans quel sens doivent s'orienter les réformes de notre système scolaire?
2. Importe-t-il, à vos yeux, de conserver le « souci de la formation générale » dans un système scolaire? Pourquoi?
3. Quel est le défi lancé par l'industrialisation à la province de Québec?

Rapport de la Commission Parent

Le rapport de la Commission royale d'enquête sur l'enseignement dans la province de Québec (la Commission Parent), qui fut établie en 1961 sous la présidence de Monseigneur Alphonse-Marie Parent, vice-recteur de l'Université Laval, constitue un document exceptionnel dans les annales de l'histoire de l'éducation. Non seulement propose-t-il une réforme complète du système scolaire dans la province de Québec, mais il redéfinit les principes de l'humanisme et de l'éducation.

De notre monde en rapide évolution émerge peu à peu une conception nouvelle de l'humanisme. Il est tout aussi important aujourd'hui, par exemple pour un philosophe, de connaître dans ses grandes lignes l'oeuvre d'Einstein ou les conceptions de Le Corbusier que la pensée de Camus ou de Sartre; un médecin, un physicien qui n'auraient aucune perception des sciences humaines vivraient maintenant dans un univers fort étroit; un homme politique, un administrateur, ou un homme de science incapables de lire des statistiques ou des dessins techniques ne seraient pas à la hauteur de leur tâche; un économiste, un linguiste ne comprenant absolument rien à la programmation ou même au fonctionnement de la calculatrice électronique qu'ils utilisent seraient des êtres incomplets. La connaissance du grec et du latin paraît un luxe à côté de la connaissance, aujourd'hui nécessaire, de ces nouveaux modes d'expression et de perception du monde. Pour bien des personnes, maintenant, l'éducation permanente commence le jour où elles s'aperçoivent qu'il leur faut s'initier à la statistique, à la lecture de graphiques, à l'utilisation d'une calculatrice, à la perception des arts, à la compréhension des autres hommes et des autres nations. L'école doit désormais fournir à chacun un certain nombre de ces antennes et de ces modes d'approche qui lui permettront de comprendre le monde où il vit et de s'y adapter; elle devra aussi fournir au futur technicien ou homme de science une vue d'ensemble sur un humanisme dont leurs disciplines particulières sont désormais un élément prédominant. Il faudra sans doute, par conséquent, dans les études, réduire la part de l'érudition et celle des exercices d'application pour se concentrer sur les principes fondamentaux, et développer par ailleurs l'observation, la curiosité, le sens de la recherche personnelle, les méthodes de travail et l'habitude d'utiliser les divers modes de connaissance: mathématiques, psychologie, perception des structures d'ensemble et sens de la causalité, conscience des liaisons entre les disciplines, entre l'enseignement et la vie concrète. La formation doit prendre le pas sur l'information, il faut apprendre à apprendre, parce qu'on devra s'instruire sans fin tout le long de la vie.[1] Pour communiquer avec autrui et avec son temps, on devra posséder, à côté des modes d'expression verbale, la perception de l'expression scientifique, mathématique, technique et artistique; la compénétration de ces diverses perspectives va s'accentuant et la véritable culture d'aujourd'hui se situe à leur point de convergence et de rencontre. Les structures scolaires et les programmes d'études devront refléter cet humanisme nouveau et se faire elles aussi suffisamment multiformes.

Tiré du Tome II: « Les Structures pédagogiques du système scolaire », Rapport de la Commission royale d'enquête sur l'enseignement dans la province de Québec. *Québec: Le Gouvernement de la Province de Québec, 1963-4. Tous droits réservés.*

[1]*il faut apprendre. . . de la vie*: "the student will have to learn how to learn, because he will have to continue learning all the days of his life." (Translation from the English version of the *Parent Report*)

Questions

1. Comment définiriez-vous, à partir du texte, le nouvel humanisme qui y est proposé?
2. Où se situe la véritable culture d'aujourd'hui? Êtes-vous d'accord avec la définition proposée dans le texte? Pourquoi?
3. Croyez-vous que le sens des réformes proposées soit réaliste et adapté à notre monde contemporain? Donnez vos raisons.

Religion

Visage de l'intelligence

Le père ERNEST GAGNON (1905-   ), Jésuite, est professeur à la Faculté des lettres de l'Université de Montréal. Ce brillant intellectuel est reconnu comme l'un des plus séduisants penseurs du Canada français. Son livre, *L'Homme d'ici*, mérite d'être lu par tous ceux qui s'intéressent à définir l'homme nord-américain.

L'adaptation concrète et immédiate à la vie familiale ou professionnelle ou sociale exige un milieu familial, lui-même adapté et, à certains moments capitaux de la vie, rien ne supplée à l'expérience et à la compréhension du père. Il est vraiment trop simple d'abandonner ses problèmes entre les mains des prêtres pour les accuser ensuite d'être insuffisants et possessifs.

Au fait, le clergé canadien-français, qui a en main une bonne part de l'éducation et une grande influence dans le Québec, garde-t-il l'intelligence en tutelle?[1] A cette question des plus brûlantes aujourd'hui, on répond, par toute la province, par un oui ou un non véhément. La vraie réponse est beaucoup plus complexe. Tout d'abord, il n'y a pas de réponse unanime à une telle question. Ici il faut dire oui, là il faut dire non, selon les régions et les niveaux intellectuels. Il faut dire oui ou non selon tel ou tel membre du clergé en fonction de son autorité ou de son influence réelle. Ce n'est pas l'Église qui est retardataire, c'est le Canadien français dans tel ou tel prêtre.

Il faut dire aussi que souvent le laïque hésite à prendre sa taille.[2] Traditionaliste passif, il préfère vociférer dans la sou-

[1] *garde-t-il... en tutelle*: is it holding back the development of the intellect?
[2] *le laïque... sa taille*: (figurative) the layman hesitates to stand up to his full height.

mission infantile, plutôt que de prendre ses responsabilités et initiatives dans une présence d'adulte. L'obéissance exige la liberté intérieure et l'autonomie de la personne. L'obéissance est une affaire d'ordre. La soumission ravale tout à une question d'hommes, dont les limites inévitables le paralysent. Devant l'autorité, il aura peur, en proie à un sentiment d'infériorité, de resserrement. Il régresse dans l'agglutination d'une dépendance infantile et agressive. Un naïf dira: mais parlez-vous! Il ne s'agit pas tellement de se parler, il s'agit de se comprendre. De se comprendre soi-même d'abord. Si le dialogue hésite encore, c'est qu'il est chargé de trop d'éléments étrangers à de communes relations. Il faut diversifier. Un isolé est toujours un être global.

Globalisme d'isolé, voilà, à mon sens, le problème fondamental de l'intelligence chez nous. Urgence de la libération intérieure par l'échange multiplié dans l'universel. Ce dialogue exige l'adaptation, il exhume, exprime, diversifie et rend l'unité possible et la présence. Depuis la dernière guerre surtout, ce dialogue est commencé. Le dernier conflit a profondément rapproché les Canadiens des deux langues. Anglais comme Français se sont reconnus d'abord Canadiens. Et depuis, chacun s'apprête à jouer son rôle historique et nécessaire dans un pays total. En regard de la France, le Canadien ne craint plus d'être assimilé, il assimile. Davantage, il cherche à échanger et bientôt, espérons-le, la qualité de ses oeuvres lui fera trouver audience à Paris. Avec tous ceux dont hier il se méfiait et qu'il projetait hors des limites humaines, il commence à échanger. Au Canada français, un masque devient visage.

Tiré de «Visage de l'intelligence», par Ernest Gagnon, dans Esprit, *20 (août-septembre, 1952). Paris: Esprit. Tous droits réservés.*

Questions

1. Indiquez certains moments de la vie où l'expérience paternelle est nécessaire à l'enfant.
2. Que signifie la phrase suivante: « Un isolé est toujours un être global »?
3. Pourquoi les Canadiens français d'aujourd'hui ne craignent-ils plus la France?

Le Catholicisme des Canadiens français

CLAUDE RYAN (1925-   ), directeur du journal *Le Devoir*, et ancien directeur de l'Action catholique du diocèse de Montréal, est tout désigné pour traiter des questions religieuses au Québec.

On s'explique aisément que la religion des Canadiens français ait été, depuis deux siècles, une religion fortement pastorale. Elle ne fut ni marquée de schismes ou d'hérésies d'envergure, ni très originale quant à son contenu mystique. Ce fut une religion de pratique fervente, généralisée, sincère. Elle demeure remarquablement fidèle à l'enseignement romain en matière doctrinale et fut toujours particulièrement attachée à la personne du Pape. Presque personne n'y fut porté à tenter, sur le terrain dogmatique, une oeuvre créatrice ou originale. Une oeuvre comme celle de Newman y est demeurée à peu près inaperçue, sauf le fait de la conversion du grand cardinal qu'on mentionne souvent pour un but apologétique, sans trop se soucier d'en approfondir le contexte.

L'accent y fut mis, dans la prédication et les orientations pastorales, sur les points suivants: attachement à l'autorité voulue par Dieu et personnifiée, sur le terrain civil, par les chefs légitimes, sur le terrain religieux, par le Pape, les évêques et les prêtres; prédominance d'une morale orthodoxe sur le terrain doctrinal, mais souvent inspirée en pratique par une mise en relief excessive de l'enfer et une méfiance exagérée à l'endroit du sexe et des modes de vie étrangers; influence considérable de la spiritualité individualiste et sentimentale de la France des

XVIIIe et XIXe siècles caractérisée par une importation massive de recueils de cantiques, de prières et d'images inspirés d'un sentiment religieux boiteux et dévirilisé; influence non moins marquante de l'âge baroque dans la pratique liturgique et dans l'architecture religieuse.

La religion des Canadiens français n'a pratiquement eu, jusqu'à présent, aucune influence sur la vie religieuse des milliers d'Anglo-Saxons qui entourent les Canadiens français. Elle fournit, par ailleurs, depuis plus d'un demi-siècle, l'un des plus forts contingents de missionnaires catholiques à l'étranger. Ce paradoxe résume la grandeur et les limites du catholicisme canadien-français. Très attachés à Rome, les Canadiens français n'ont jamais laissé sans réponse un seul appel du Pape, fût-ce pour une croisade de prières, pour des zouaves pontificaux, pour des missionnaires ou pour l'assistance matérielle. Ils ont souvent été cités en exemple au reste du monde pour leur orthodoxie et leur pratique religieuse. Réduits à une position de défense contre un conquérant étranger, défranchisés à la fois sur le terrain politique et le terrain économique,[1] ils furent tellement occupés à se protéger contre ce conquérant, qu'ils n'ont pu que récemment prendre conscience de leur responsabilité spirituelle envers lui. Remarquablement bien organisés sur le plan intérieur et pour l'aide aux pays de mission, ils ont été largement absents du monde américain qui s'édifiait autour d'eux et qui, maintenant, paraît vouloir s'installer à demeure à l'intérieur même de leurs murs.

Tiré de «Le Catholicisme des Canadiens français», par Claude Ryan, dans La Chronique sociale de France, *65 (septembre, 1957). Lyon: Chronique sociale de France. Tous droits réservés.*

Questions

1. En quoi le respect de l'autorité inculqué aux Canadiens français a-t-il pu servir d'autres causes que celle de l'Église catholique?
2. Qu'est-ce qui a fait la grandeur et les limites du catholicisme des Canadiens français?
3. En vous appuyant sur l'actualité, comment décriveriez-vous l'évolution présente de l'Église du Québec?

[1] *défranchisés. . . terrain économique*: at the same time deprived of their voice in political and economic spheres.

Le Poids de Dieu

GILLES MARCOTTE (1925-   ), critique littéraire à *La Presse* et romancier, est l'auteur d'un essai important sur la littérature canadienne-française: *Une Littérature qui se fait*. Outre *Le Poids de Dieu*, dont un extrait est tiré ici, M. Marcotte vient de publier, en 1965, un second roman intitulé *Retour à Coolbrook*.

Le cours classique[1] devait le conduire tout droit au sacerdoce. Ses professeurs, son directeur spirituel, surent d'instinct qu'ils n'avaient pas à s'inquiéter de lui: il avait la Vocation bien chevillée. Elle ne pouvait que s'épanouir comme une fleur de serre dans l'atmosphère surchauffée du collège. On y cultivait la Vocation avec plus de subtilité, mais non moins d'insistance que chez les frères. A son grand soulagement, Claude découvrait que sa Vocation était partagée par le peuple canadien-français tout entier. Les prêtres n'avaient-ils pas tout fait pour ce petit troupeau abandonné par la France sur les bords du Saint-Laurent? L'enseignement, l'histoire, la politique même, tout venait d'eux, était inspiré par eux. Ce qui leur échappait était de toute façon méprisable, puisqu'il appartenait à l'Anglais et s'appelait finance, industrie. Mais on revenait vite à l'argument essentiel, indiscutable: les dangers du monde. A la retraite de vocation, un vieux chanoine squelettique se faisait l'écho du frère recruteur: « Il est difficile de faire sa vie dans le monde.»

---

[1]*Le cours classique*: course in humanities, philosophy, and science leading to a B.A.

Les élèves en faisaient des gorges chaudes à la récréation. Claude riait aussi. Il n'était plus le garçonnet naïf et fasciné de l'école des frères. Il avait étudié, lu des livres; des fenêtres s'étaient ouvertes pour lui sur la diversité du réel.[2] Il avait traversé des crises intérieures violentes, qu'il croyait avoir dominées. L'insondable désespoir de ses quatorze ans... Rien n'en était apparu aux yeux de ses parents ou de ses maîtres, sauf parfois des bizarreries d'attitude, des réactions imprévues, des signes d'absence. Il s'était terré en lui-même, persuadé d'être en marge et que sa souffrance ne correspondait à aucune autre.

Claude se revoit, un soir d'automne, marchant sous la pluie et rêvant d'une mort douce. Il disparaîtrait sans qu'on sût pourquoi, à jamais enfoui dans son mystère. La vie n'était-elle pas irrémédiablement condamnée? On pouvait la fuir dans la Vocation, mais la mort serait tellement plus simple, plus rapide... Accoudé à la balustrade du pont, Claude regardait fuir les eaux vers quelque néant bienheureux. Mais il se retrouvait le lendemain devant ses condisciples, ses professeurs, son directeur spirituel, et il savait qu'il n'échapperait pas. La Vocation l'emportait sur la mort, sa soeur jumelle.

Pourtant, il y avait autre chose. Autre chose que la peur du monde et le vertige du mal. Une autre histoire, parallèle à la triste maladie de l'effroi; difficile à suivre, à distinguer, mais plus réelle que tout, faite de quelques moments de grâce où Claude s'était senti pénétré de l'immense certitude de la charité. Une messe dans le petit matin, à l'église paroissiale; la lecture d'une page de saint Paul; la confiance d'un vieux prêtre avouant son angoisse à chaque confession reçue, à chaque Consécration... Le sacerdoce lui apparaissait alors comme la plus libre des faveurs. Claude se donnait moins qu'il n'était reçu. Et le monde en lui se régénérait, se recomposait autour d'un foyer dans lequel il reconnaissait sa plus intime, sa plus irrécusable exigence de vie. Peu lui importaient, à ces moments, les raisons qu'il se donnait, qu'on lui donnait, pour justifier la Vocation. Il avait affaire à Quelqu'un. Quelqu'un le requérait. Mais, après, c'était sans cesse le même combat, chaque jour recommencé, pour

[2]*la diversité du réel*: the many aspects of reality.

préserver un peu de cette lumière. Tout était sauvé et rien ne l'était. Le même mot: Vocation, avait un sens de vie et un sens de mort, inextricablement mêlés.

Tiré de **Le Poids de Dieu,** *par Gilles Marcotte. Montréal et Paris: Librairie Ernest Flammarion, 1962. Tous droits réservés.*

Questions

1. Quelles erreurs sont inévitables quand un « dirigisme » comme celui dont il est fait mention au début du passage est implanté systématiquement dans un milieu donné?
2. « Le refus du monde » typique du Québec d'hier et son acceptation dans le Québec d'aujourd'hui entraînent certains conflits; lesquels selon vous?
3. Approuvez-vous l'attitude du jeune abbé Claude Savoie face à sa vocation de prêtre? Donnez les raisons pour votre réponse.

Convergences

JEAN LE MOYNE (1913-   ) est un essayiste. *Convergences*, dont nous citons un extrait ici, s'est valu de nombreux éloges. La critique en a reconnu immédiatement l'excellence. Certains passages, sur la femme canadienne-française notamment, sont fréquemment utilisés par ceux qui s'intéressent au Canada français.

L'Église canadienne présente avec le reste de notre société des déficiences analogues: elle n'est pas plus avancée que les autres ordres dans l'éboration de son style propre. A ce point de vue nous sommes à l'unisson avec notre clergé: nous nous exprimons et méritons mutuellement de la manière la plus exacte. Mais, en partant d'une hostilité justifiée, comme on le verra, la tentation est grande de faire du clergé un bouc émissaire[1] et de rejeter sur lui la responsabilité de difficultés normales et qu'éprouvent comme nous nos concitoyens anglais; elle explique partiellement que les Canadiens français mangent du curé[2] avec cette sorte d'ivresse féroce, douloureuse et maniaque dont beaucoup d'étrangers même indifférents à l'Église, s'étonnent et s'irritent. Ce transfert affectif utilise sans discernement l'évidence immédiate et omniprésente. La justice et la vérité exigent donc de distinguer ici le drame de notre cléricalisme et le drame de la situation

---

[1] *la tentation. . . bouc émissaire*: there is great temptation to make the clergy a scapegoat.

[2] *mangent du curé*: vulgar expression meaning "speak sharply against the parish priest".

nord-américaine, le premier s'insérant dans le second qui l'antécède et le dépasse.

Petite colonie précaire et négligée, située au dernier degré de l'échelle provinciale, nous sommes soudain conquis, isolés, entourés de présences étrangères. Notre volonté d'être, notre obstination française à laquelle les circonstances ont lié la foi, le clergé, alors seule véritable élite, l'épouse tout naturellement et, nous refoulant sur nos vertus et nos biens traditionnels, assure notre survivance. On connaît cette admirable histoire et on imagine aisément avec quelle rigoureuse fidélité à elle-même dut s'exercer l'autorité rien que pour atteindre le résultat d'une première et indispensable affirmation numérique.

Il était dangereux que, face à de constantes menaces et sans cesse confirmée par sa réussite, l'autorité tendît à se perpétuer indûment, exagérât son emprise et dégénérât en suffisance cléricale. En effet, nous ayant sauvés, l'autorité ecclésiastique en conservera l'habitude et tendra ensuite à nous sauver de la vie. Ayant eu peur avec raison, elle transposera sa peur dans l'illusoire, craindra tout ce qui n'est pas elle et développera une xénophobie radicale dont la logique l'amènera, sinon à refuser l'humain, du moins à l'adultérer, à l'amenuiser. Son réflexe de survivance deviendra un complexe de justification et se dégradera en une manie apologétique dont l'effet sur les esprits exigeants, ou simplement honnêtes sera un affaiblissement désastreux de la proposition ecclésiale, une compromission trop souvent irrémédiable de la Vérité.

Dans son souci de sécurité, l'autorité ecclésiastique acquerra une manière d'ubiquité et finira par nous dire: « Nous sommes tout. Nous sommes tout et vous ne trouverez rien. Continuez de ne rien avoir afin qu'on vous puisse tout enlever. Il n'y a plus de problèmes et nous sommes l'unique solution.» C'est un fait qu'elle fut tout. C'en est un autre que nous lui devons tout et elle ignore combien cela est terrible pour elle.

Tiré de Convergences, *par Jean Le Moyne. Montréal: Éditions H.M.H., 1961. Tous droits réservés.*

Questions

1. Qu'est-ce qu'une élite?
2. Pourquoi au lendemain de 1760 le clergé a-t-il constitué l'élite du Canada français?
3. Le clergé représente-t-il bien les Canadiens français? Donnez les raisons pour votre réponse.
4. Que signifie l'expression « transfert affectif »?

Vie de l'Église au Canada français

LOUIS O'NEILL (1925-   ) est un prêtre et un sociologue (Université Laval, Québec). Il s'est prononcé, à l'occasion, sur des questions aussi controversées que les élections et le syndicalisme. Ses prises de position, par leur intelligent dynamisme, attirèrent souvent l'attention.

Aux yeux de certains observateurs, l'Église du Québec représente, dans le monde contemporain, un phénomène rare, sinon unique. Lorsqu'on détaille les principales composantes de cet ensemble religieux,[1] on est en fait obligé d'admettre qu'il s'agit d'un phénomène historique d'un caractère bien particulier.

Le Québec, en tant qu'État provincial rattaché à l'État fédéral canadien, forme un bloc de cinq millions de citoyens dont l'immense majorité est catholique et de langue française. Quelques groupes minoritaires, protestants et juifs, nantis des mêmes avantages que la majorité catholique, vivent avec ces derniers dans un contexte de pluralisme religieux, qui est d'ailleurs celui du Canada tout entier. L'Église du Québec est séparée juridiquement de l'État. Tout en possédant les principales prérogatives d'une Église officielle, elle évite les désavantages que comportent des liens juridiques avec le pouvoir temporel.

Au sein de la communauté catholique, l'Église contrôle pratiquement tout l'enseignement, depuis le niveau primaire jusqu'à l'Université. L'Église dirige aussi des services sociaux, la plupart

[1]*les principales... religieux*: the main elements of this religious whole.

des services hospitaliers, et un réseau développé d'oeuvres de loisirs. Elle contrôle en partie, au moyen de la présence d'un aumônier ou d'un aviseur moral, un certain nombre d'associations professionnelles. Même des clubs appelés neutres et qui, ailleurs, ont une réputation d'indifférentisme religieux, adoptent une allure catholique et presque confessionnelle au Québec. Des prêtres nombreux (un par cinq cents fidèles, en moyenne), des religieux et religieuses en grand nombre, et un vaste réseau d'organisations pieuses constituent le noyau d'influence au sein de cette énorme armature. Le contrôle administratif de beaucoup de secteurs de la vie sociale par l'Église entraîne inévitablement un certain contrôle économique, impliquant indirectement une force de pression politique dont il est difficile d'évaluer la puissance.

La pratique religieuse est généralement forte, mais varie beaucoup, surtout si on compare les centres ruraux avec les centres urbains. Cette pratique va de la quasi-unanimité (chose fréquente dans les campagnes) à une désaffection qui, en certains endroits, atteint plus de la moitié des baptisés. Des traditions fortement ancrées maintiennent, entre la communauté pratiquante et les moins fervents, des liens qui sont consolidés à l'occasion des grands actes de vie chrétienne: baptême, mariage, funérailles, devoir pascal. La pression sociale joue souvent un rôle prédominant dans nombre de ces fidélités.

Dans l'ensemble, le cadre paroissial demeure ferme, du moins en milieu rural. On peut affirmer la même chose du cadre familial. Se fiant aux apparences extérieures, on pourrait dire cela aussi des centres urbains. Mais en fait le cadre paroissial, noyau traditionnel de la vie religieuse dans les villes, n'est plus le centre autour duquel gravite l'activité sociale des fidèles. Ce qui pose un problème sérieux d'adaptation au plan pastoral.

L'activité missionnaire est une caractéristique manifeste du milieu religieux canadien-français. Des missionnaires du Québec travaillent dans toutes les parties du monde. Appartenant à un pays qui n'a ni prétention à l'impérialisme ni la renommée de grande puissance et d'autre part familiers avec le français et l'anglais, ces missionnaires sont tout désignés pour occuper des postes dans ces régions de plus en plus nombreuses où les susceptibilités locales sont aiguës, et où le travail des missions se heurte à des difficultés d'ordre politique. Susciter l'intérêt pour une cause missionnaire est une tâche relativement facile pour tout prédicateur de passage tant soit peu éloquent. Les fidèles répondent généreusement aux demandes pourtant multiples qui leur parviennent de partout.

Une Église politiquement et sociologiquement puissante, un personnel ecclésiastique nombreux et jouissant d'un statut social reconnu, de nombreuses oeuvres florissantes dont plusieurs rayonnent en dehors des frontières du Canada, une pratique religieuse généralisée et appuyée sur des traditions anciennes et bien enracinées, tels sont les traits dominants du Québec français et catholique qui sont les plus manifestes aux yeux de l'observateur qui prend un premier contact avec cette chrétienté américaine d'un cachet si particulier.

Tiré de «Vie de l'Église au Canada français», par l'abbé Louis O'Neill, dans Recherches et Débats, *34. Paris: Éditions A. Fayard, 1961. Tous droits réservés.*

Questions

1. Définissez l'expression « plusieurs religieux ».
2. Quel rôle a joué l'Église catholique romaine au Québec?
3. Pourquoi les habitants des villes sont-ils en général moins religieux que ceux des campagnes?
4. A quelle autre Église pouvez-vous comparer l'Église du Québec?

Arts

Comment affronter la musique

LÉO-POL MORIN (1892-1941), dans son volume *Papiers de musique*, situe la musique dans le contexte de l'évolution intellectuelle et esthétique du Canada français.

L'état de notre musique paraît beaucoup plus normal quand on considère qu'elle fut de tout temps considérée comme l'art inutile entre tous. Que peut bien nous importer qu'un musicien écrive ou non de la musique et que cette musique soit bonne ou mauvaise? Avons-nous besoin de cela dans un pays où il reste à faire tant d'autres choses, ainsi que l'on dit? D'ailleurs, pour peu qu'on en parle dans les écoles, les collèges et les couvents, (notons, en passant, que le solfège ne fait pas partie de l'enseignement primaire), on apprend aux élèves, à quelques exceptions près, que la musique n'est qu'un *art d'agrément*![1]

Or, les arts d'agrément n'ont pas d'utilité et on range dans cette catégorie des amusettes de la vie, la peinture, la sculpture et la musique. Ce n'est pas que l'on doive s'objecter aux mots *art d'agrément* ou *art inutile*. L'art étant, en soi, un artifice, s'accommode sans danger de ces définitions innocentes. Ne semble-t-il pas, cependant, que l'on a vite fait d'épuiser le charme des choses utiles et que l'esprit a besoin, quelquefois, de s'intéresser à des besognes moins utilitaires que le transport en

---

[1]*art d'agrément*: leisure pursuit.

commun, ou l'encombrement de la circulation dans le centre de la métropole?

Musique, art inutile?. . . Il est vrai que les Bach, Beethoven, Wagner, Rameau, Debussy, ne comptent pas dans l'humanité au même titre que les Pasteur ou autres savants qui ont. . . amélioré la souffrance humaine. Cela ne compte pas autant que les inventeurs de toutes ces machines qui ont transformé le rythme de notre vie, surtout, cet as de l'invention, celui qui, jadis, nous a donné la roue. . . Mais il n'y aurait qu'à s'entendre et à établir une sorte de hiérarchie des genres. D'autres peuples, chez qui la civilisation matérielle est encore plus avancée qu'au Canada, les Américains, par exemple, ont déjà compris tout ce que représente de force et d'intérêt pour un pays cette forme de la culture intellectuelle. Ils savent qu'une civilisation n'est pas complète si elle ignore certaines activités de l'esprit.

Eh bien! Croit-on que notre conception de la musique soit de nature à encourager un compositeur canadien à produire? Croit-on que dans la certitude de n'être jamais pris au sérieux, de n'être jamais joués, ces compositeurs travailleront avec la même ardeur, s'ils n'ont pas pour les soutenir un génie invincible? Il y a des limites à l'altruisme, à l'abandon de soi,[2] même chez les musiciens.

Tiré de Papiers de musique, *par Léo-Pol Morin. Montréal: Librairie de l'Action canadienne-française (Documents artistiques), 1930. Tous droits réservés.*

Questions

1. Que faire de la musique dans « un pays où il reste à faire tant d'autres choses »?
2. La position de l'auteur vous paraît-elle pessimiste ou réaliste? Motivez votre réponse.

[2]*l'abandon de soi*: self-negation.

Sur un état actuel de la peinture

MAURICE GAGNON (1912-   ) est critique d'art averti et attaché honoraire des Musées nationaux de France. On lui doit deux études attachantes, l'une sur Alfred Pellan en 1943 et l'autre sur Fernand Léger en 1945.

Une culture d'expression canadienne existe-t-elle? Existe-t-il une peinture canadienne? Aurions-nous le choix d'en douter ou serait-ce impossible à prouver? Si les caractères de cette culture et de cette peinture ne sont pas patents dans tous les cas connus, cela n'autorise pas d'ignorer les faits. Nous avons cessé de promettre, pour tenir maintenant. Nous avons des oeuvres achevées dont nous pouvons nous enorgueillir. Nous entrevoyons même le plein épanouissement de l'oeuvre picturale... et c'est le plus que nous puissions dire.

M. Jean Le Moyne,[1] dans un article d'une belle lucidité, définit notre situation en ces termes: « Il ne s'agit plus de manifestations isolées, mais de tendances assez généralement répandues, d'oeuvres de plus en plus nombreuses dont le ton est nouveau, où la personnalité s'affirme nettement, où les choses se retrouvent dans leur réalité, bien dégagées de toute surimposition extérieure ou artificielle. La principale caractéristique de ces oeuvres est qu'elles atteignent l'universel, acquérant par là

---

[1]*Jean Le Moyne*: contemporary French-Canadian author. An extract from his *Convergences* appears on pp. 33-4 of this book.

une valeur absolue. C'est précisément cela qui est nouveau chez nous. . .»

Entre les oeuvres peintes d'aujourd'hui – celles des dix dernières années, celles plus rares du premier quart du siècle – et les peintures qui les avaient précédées, il y a l'avènement de l'universel et de l'humain. Dans la peinture, nous avons remplacé le régionalisme par l'universel. Le régionalisme, quoiqu'il ait encore des adeptes, disparaît de plus en plus; il ne fait plus partie de toute notre vie. Le régionalisme est l'expression normale des peuples à leurs débuts, qui ont le besoin de se sentir les coudes, qui n'ont pas encore la largeur de vue nécessaire pour dépasser des attentions particulières, locales et provinciales.

Le portrait de l'habitant en tuque rouge, revêtu d'un capot de chat et sanglé d'une ceinture fléchée, ne suscite guère d'intérêt. Cette peinture à sujet régionaliste satisfaisait hier encore. Elle n'a aucun charme maintenant qu'historique. On exige davantage de la peinture. Qu'elle soit d'abord de la peinture (on a trop cru que toute oeuvre peinte était de la peinture). Qu'elle ait la qualité, *cette seigneurie du goût,* c'est-à-dire, ce qui la distingue du médiocre et même du bon. Qu'elle émeuve, non seulement nous, les Canadiens, mais d'autres aussi. On peut soutenir que la peinture canadienne dépasse présentement tout ce qu'elle a réalisé dans le passé.

Tiré de Sur un état actuel de la peinture, *par Maurice Gagnon.* *Montréal: Éditions Bernard Valiquette, 1940. Tous droits réservés.*

Questions

1. Le régionalisme, tel que compris par l'auteur, est-il une étape nécessaire à l'évolution d'une culture? Donnez les raisons pour votre réponse.
2. Les peintres canadiens-français que vous connaissez, vont-ils vraiment dans le sens de l'universel? Pourquoi?

Connaissance nouvelle de l'art

GUY ROBERT (1933-   ) professeur, critique d'art et peintre, a été le premier conservateur du Musée d'art contemporain de Montréal.

Au public du milieu du vingtième siècle correspond l'art du milieu du vingtième siècle, avec cette inévitable avance de la part des créateurs, avec cet inévitable petit retard du public; ce que nous avons dit surtout en marge de la peinture, de la décoration, peut se répéter à propos de la littérature poétique; la radio et la télévision distribuent au grand public (il s'agit ici tout comme dans le cas des périodiques à grand déploiement de milliers de personnes) des effluves de poésie contemporaine, qui atteignent une forte part de la population et *en touchent* plusieurs; le disque microsillon, la plaquette, la chanson, ajoutent leurs actions concertées pour produire à peu près les résultats que nous relevions à propos de la peinture et de la décoration *modernes*; de fait, le poète abandonne de plus en plus l'hermétisme, l'acrobatie verbale, l'élucubration gratuite, pour atteindre un registre jaillissant du dramatique de la situation urbaine, du poids de la mécanique scandant la routine de l'homme quotidien; le poète s'identifie à l'homme de la rue, lui prête son verbe pour dire la vie, le monde de notre siècle, tout comme le peintre lui prête sa spatule pour exprimer sa vision de tout cela.

L'artiste retrouve son public, à la fois comme source d'inspiration et comme fin de dédicace: il lui offre son oeuvre toute chaude et vibrante, comme leurs existences confondues qui les rivent à une même marge d'expériences, à une même latitude de transcendance.[1] Sans doute que la tâche n'est pas finie, puisqu'elle est justement de cette catégorie de tâches jamais terminées, toujours à poursuivre vigoureusement, dynamiquement; mais nous sommes à l'aube d'une merveilleuse fraternité art-public; un fait me paraît tout particulièrement significatif, en plus de celui déjà signalé de la tendance non-figurative de l'art enfantin, c'est le nombre grandissant de ceux qui peignent, sculptent, écrivent d'une manière non-professionnelle, pour le plaisir; certains font de la céramique, de la poterie, de l'émail, d'autres du fer martelé, du tissage, des poèmes, des essais, des nouvelles. Y a-t-il là preuves d'un arrêt, pour un certain temps, du divorce art-public?

Tiré de Connaissance nouvelle de l'art, *par Guy Robert. Montréal: Librairie Déom, 1963. Tous droits réservés.*

Questions

1. Décrivez la situation actuelle dans le monde artistique canadien-français. Autorise-t-elle l'optimisme que manifeste ici Guy Robert?
2. Dans quelle mesure la radio et la télévision de langue française du Québec peuvent-elles jouer un rôle efficace?

[1]*latitude de transcendance*: transcendental height.

La Peinture moderne au Canada français

GUY VIAU (1920-   ) est professeur et critique d'art. Pendant dix ans, il a été le titulaire de la chronique des arts à la *Revue des Arts et Lettres* à Radio-Canada. Il a été l'animateur de plusieurs programmes sur l'art à la radio et à la télévision. Membre des comités consultatifs de plusieurs musées, Guy Viau est vice-président du Conseil des Arts de la province de Québec. Il est actuellement directeur du Musée du Québec.

Entée fortement[1] sur l'École de Paris[2] qui lui a apporté l'esprit de liberté et de conquête, la peinture québécoise parle cependant un langage qui lui est propre. Elle exprime une vitalité immédiate, une simplicité fougueuse, le goût de l'élémentaire et de l'authentique, ce mélange de brutalité, de gravité et de tendresse propre à l'homme jeune, sorti d'une adolescence difficile, mais ne possédant pas encore l'assurance de la maturité.

Dépassé le stade du régionalisme et de l'exploration physique de son immense pays, délivré de l'attachement sentimental à un passé mince et à des traditions mourantes,[3] l'artiste d'ici s'interroge. Il projette dans son art son expérience humaine, son

[1]*Entée fortement*: (figurative) strongly grafted.
[2]*École de Paris*: A general term sometimes used to refer to such artists working in and around Paris in the first half of the twentieth century as Matisse, Bonnard, Duchamp, Picasso, and Soulages. The École de Paris took the lead in initiating and developing new conceptions of art which have had a widespread international influence.
[3]*délivré de. . . mourantes*: liberated from the sentimental attachment to a meagre past and dying traditions.

insatisfaction comme ses espoirs. Et fort de sa jeunesse, il se veut résolument tourné vers l'avenir, vers la civilisation de demain.

L'artiste canadien-français singulièrement reste un paysan, un rural, mais avec une vision nouvelle, accordée à une nature dont les dimensions sont devenues cosmiques. Comme il était normal pour un peuple sans traditions artistiques solides, – car le malheur a voulu que jamais ne s'opère la liaison, la réconciliation, je dirais, entre le Canadien français d'aujourd'hui et son ancêtre affiné d'il y a cent ans et plus – comme il était normal, dis-je, pour un peuple en partie aliéné, dépossédé de lui-même, nous avons été exposés à tous les vents et marées non seulement des arts contemporains, mais des civilisations américaine et anglaise. Mais une fidélité a sauvé notre art, la fidélité à la nature. Par la grâce d'un atavisme indéracinable,[4] en chacun d'entre nous sommeillent – trop souvent – et parfois, se réveillent le coureur des bois, le défricheur, le colon, l'*habitant*. Quoique nous en ayons, nous éprouvons la nostalgie des champs, de la forêt et du ciel, nous sommes marqués par une longue lutte avec la nature. La neige, en particulier, reste un élément essentiel de notre cosmogonie et François Paradis,[5] qui s'enfonce dans la neige et s'y perd et y meurt sans revoir celle qu'il aime, demeure un symbole menaçant, angoissé de notre psychologie. Si petit-bourgeois que nous soyons devenus, nous restons fortement impressionnés, comme une plaque photographique, par les aurores boréales; le plus sédentaire d'entre nous a la hantise des immensités du grand Nord, des *icebergs* et des toundras qu'il n'a jamais vus, des chutes Niagara que son père et sa mère étaient venus contempler en voyage de noces.

Bref, nous sommes devenus des Nord-Américains et le témoignage de notre peinture, même la plus abstraite, et peut-être surtout celle-là, est irrécusable, quoiqu'en pensent certains régionalistes sectaires et dépités. Les Canadiens français se reconnaissent Français cependant, Français de souche, mais transplantés et non déracinés, presqu'aussi différents des Français de France, des Parisiens en tout cas, que des Canadiens

---

[4]*Par la grâce. . . indéracinable*: owing to an ineradicable atavism.
[5]*François Paradis*: one of the characters in *Maria Chapdelaine*, a novel about French Canada by Louis Hémon.

anglais. D'où notre inconfort, notre insécurité sans doute, et notre force aussi. Nous sentons, encore confusément, que nous sommes en train de devenir un lien et d'opérer une sorte de synthèse entre le Nouveau-Monde et l'Ancien. D'abord pris de vertige dans leur solitude, les peintres d'ici se sont vite découvert des âmes de pionniers: les deux pieds par terre, ils n'ont pas froid aux yeux, et, paradoxe, l'illustration de ce courage, de cette virilité nous vient en particulier des femmes-peintres. . .

Je ne voudrais pas tomber dans le chauvinisme, même inconscient, mais je n'hésite pas à affirmer que dans toute la peinture canadienne, ce sont les peintres du Québec qui donnent le ton.[6]

Tiré de La Peinture moderne au Canada français, *par Guy Viau. Québec: Ministère des Affaires culturelles du Québec, 1964. Tous droits réservés.*

Questions

1. Décrivez les sources qui inspirent les peintres canadiens de langue française et ceux de langue anglaise. Sont-elles les mêmes?
2. Croyez-vous que l'auteur de ce texte exagère l'influence de la nature sur la peinture canadienne en général? Donnez vos raisons.
3. Quelles sont, d'après vous, les qualités particulières des oeuvres canadiennes?
4. Quelle place l'art occupe-t-il dans votre vie?

---

[6]*qui donnent le ton*: who set the pace.

Jeune Auteur, mon camarade

GRATIEN GÉLINAS (1907-   ), comédien et auteur dramatique, est sans doute l'homme de théâtre le plus connu du Canada français. Ses pièces *Tit-Coq* et *Bousille et les Justes*, de même que ses « revues », lui ont assuré une grande renommée.

Et si tu dois rester ignoré des siècles à venir ou des pays lointains, tant pis... ou tant mieux. Travaille pour les tiens: tu n'auras pas perdu ta vie. Écris pour l'homme de ton pays, de ta ville, de ta rue. Cet homme, partout le même, dont parle Claudel dans l'*Échange*: « Il s'ennuie et l'ignorance lui est attachée depuis sa naissance. Et ne sachant de rien comment cela commence ou finit, c'est pour cela qu'il va au théâtre. Et il se regarde lui-même, les mains posées sur les genoux. Et il pleure et il rit, et il n'a point envie de s'en aller. »

Si tu écris pour lui, il viendra cet homme oublié de ta rue, s'asseoir devant ton oeuvre, car l'ignorance, c'est bien vrai, lui est attachée depuis sa naissance. Et, les mains posées sur les genoux, il rira et pleurera. Et il n'aura point envie de s'en aller, car – comme jamais jusque-là – il se verra lui-même et pas un autre en toi, du même sang et du même coeur que lui. En toi, l'enfant de la famille, qui sauras si bien évoquer les mots et tracer les images de son univers intime. Et vous serez dans l'ombre soudés l'un à l'autre.[1] Car, comme l'atteste Copeau:[2]

---

[1] *soudés l'un à l'autre*: welded to one another.
[2] *Copeau*: Jacques Copeau (1879-1949), a French actor and producer.

« Il n'y aura de vrai théâtre que le jour où l'homme de la salle pourra murmurer les paroles de l'homme de la scène en même temps que lui et du même coeur que lui.»

D'ailleurs ne serait-il pas logique qu'à notre société sans théâtre, le goût de la chose dramatique s'imposât d'abord par la forme populaire, susceptible d'attirer tous les publics et de réunir dans une même émotion les grands et les petits, les riches et les pauvres, les primaires et les savants?

Et quand cette vaste cathédrale de notre théâtre sera élevée, d'autres alors pourront venir, qui bâtiront à l'intérieur de ses murs de gracieuses chapelles où les plus dévots, se détachant de la foule après le grand office dramatique commun, iront s'agenouiller devant la niche de leur prédilection pour honorer à loisir la divine poésie, la sainte littérature, la vénérable philosophie ou déposer tout simplement leur obole dans le tronc de la bienheureuse vulgarité.

Dans l'édification lente et pénible de notre théâtre national, ta tâche à toi, c'est celle, humble et rude, de l'un des maçons qui doivent d'abord asseoir les fondations sur la terre et le roc, mais qui entendent bien, si Dieu leur prête vie et force, s'élever lentement d'une pierre à l'autre passée de main en main, parfaitement conscients de ce fait que les lignes du temple qu'ils aident à construire devront se dégager de leur lourdeur et s'affiner à mesure qu'elles monteront vers le ciel.

Questions

1. Cette tâche qu'assigne Gélinas au dramaturge contemporain « travaille pour les tiens...» etc., vous paraît-elle trop nationaliste? Pourquoi?
2. L'auteur a-t-il raison, à votre avis, de vouloir imposer le théâtre « d'abord par la forme populaire »? Donnez vos raisons.

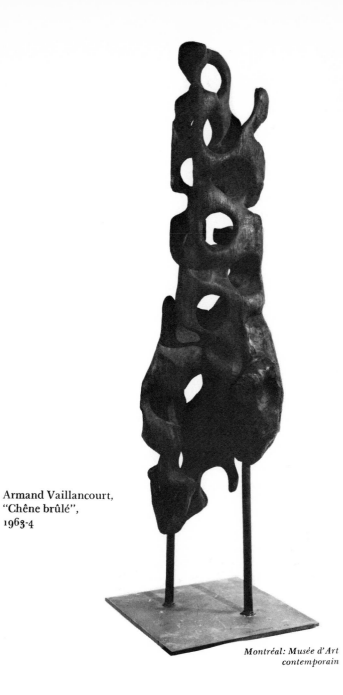

Armand Vaillancourt,
"Chêne brûlé",
1963-4

*Montréal: Musée d'Art
contemporain*

Povungnituk: Société coopérative de Povungnituk
Kanayuk, "Le caribou, le béluga, et la buse"

Les Violons de l'automne

JACQUES LANGUIRAND (1930-   ) est le seul dramaturge canadien-français à se réclamer du théâtre d'avant-garde international. *Les Violons de l'automne* produisent un effet tragi-comique. On y voit trois vieillards pauvres se donner la comédie de l'amour. Pour tromper la réalité, ils s'inventent une jeunesse et des voyages; et ne pouvant goûter un bonheur qui leur échappe, ils rêvent. Créée à Montréal en 1960, cette pièce a aussi été représentée à Paris en 1963.

LUI

(*Baisse la tête.*) Je vous en prie, Marie-Rose...

ELLE

Vous avez aussi le coeur sensible, je suppose?

LUI

Ne parlons plus de mes maladies, voulez-vous?

ELLE

... Et c'est ainsi que nous avons entrepris notre nuit de noces! Ça promet!

LUI

Pourquoi retournez-vous le fer dans la plaie?[1]

---

[1]*Pourquoi retournez-vous le fer dans la plaie?*: (figurative) "Why always twist the knife in the wound?"

ELLE

Ai-je bien entendu, Eugène? Vous avez comparé notre mariage à une plaie?

LUI

C'est une expression courante, Marie-Rose, comme on dit: « Une main de fer dans un gant de velours »... Je voudrais tellement que nous soyons engagés tous les deux sur le chemin du bonheur...

ELLE

Comme des mendiants! (*Après un temps.*) Et alors?

LUI

Alors quoi?

ELLE

La nuit de noces, Eugène!

LUI

J'y pensais justement, Marie-Rose...

ELLE

Vous ne manifestez pas un enthousiasme délirant!

LUI

Je suis plutôt heureux en dedans...

ELLE

De manière à ce qu'on n'en sache rien! Il faudra que je m'y fasse...

LUI

Moi aussi.

ELLE

Auriez-vous déjà des regrets?

LUI

Non pas, Marie-Rose, non pas. Mais je me demande si nous n'avons pas été un peu téméraires de nous épouser aussi rapidement!

ELLE

Il nous reste à peine le temps de vivre! Pourquoi l'employer à réfléchir? (*Gamine.*) Et d'ailleurs, avions-nous le choix, mon chéri?...

LUI

Pas maintenant, Marie-Rose! Je n'ai pas encore eu le temps de rassembler mes esprits!

ELLE

(*Naturelle.*) Mais puisque nous avons convenu de jouer, Eugène!

LUI

Attendez encore un peu, je me sens tellement désemparé.

ELLE

(*Gamine.*) Nous n'avions pas le choix, mon chéri...

LUI

Pourquoi faut-il toujours aller jusqu'au bout?

ELLE

J'ai envie de vomir!

LUI

Que puis-je faire pour vous aider?

ELLE

Je voudrais aller à bicyclette et manger du pain trempé dans la vinaigrette...

LUI

Voulez-vous que je vous en prépare?

ELLE

Non. Ça va passer. C'est un goût de femme enceinte...

LUI

Marie-Rose...

ELLE

Je veux que vous m'ameniez au bal. Tous les deux, nous danserons durant des heures.

LUI

... Je n'ai pas envie de danser. D'ailleurs, je n'ai pas envie de jouer!

ELLE

Au retour, à l'aube, nous mangerons des fromages.

LUI

Excusez-moi, Marie-Rose, mais je suis incapable de jouer.

ELLE

N'avons-nous pas convenu que j'étais devenue enceinte de vous à la suite d'une journée inoubliable passée au bois?

LUI

C'est ridicule!

ELLE

J'ai tout de même le droit d'être enceinte!

LUI

A votre âge!

ELLE

N'avons-nous pas convenu que vous m'épousiez pour sauver la face? Vous m'avez fait un bel enfant, Eugène!

LUI

... Marie-Rose, le ridicule qui a les dents longues va se jeter sur nous pour nous dévorer!!!

ELLE

Suffit, Eugène!... Je vous ai accordé ma main à la condition que vous acceptiez de jouer le jeu. Reconnaissez d'ailleurs que c'est la seule chose que vous puissiez m'offrir... Allez-vous refuser plus longtemps de me donner la réplique?

LUI

J'ai toujours eu les deux pieds sur terre, Marie-Rose! Que voulez-vous, je dois le confesser: j'ai un passé lourd de logique!

ELLE

Et pourtant, Eugène, vous avez toutes les qualités requises pour jouer le jeu! vous êtes vieux et laid, vous n'avez pas d'argent et vous êtes déçu par la vie... Que vous faut-il de plus?

LUI

Je n'ai jamais pensé que je devrais, un jour, m'expliquer sur un point qui me paraît aussi... aussi...

ELLE

Hé bien, expliquez-vous, Eugène!

LUI

Quand vous m'en avez parlé pour la première fois, je pensais que de vous appeler « mon rat », «mon loup », voire même « mon lapin »[2] vous suffirait...

ELLE

Poursuivez!

LUI

Au risque de vous déplaire, il faut que je vous dise la vérité! Je n'ai pas encore renoncé à vivre normalement. (*Il baisse la tête.*)

ELLE

C'est une grave lacune...

LUI

C'est bête, je le sais, mais au fond de moi je n'ai pas encore renoncé à devenir heureux comme tout le monde... Par exemple, à gagner une fortune à la loterie!

ELLE

Mon pauvre Eugène! alors qu'il est tellement facile quand on joue d'imaginer qu'on remporte le gros lot!

LUI

Mais ce n'est pas la même chose!

ELLE

C'est mieux! Si vous aviez gagné à la loterie, mon pauvre ami, vous diriez à tout le monde: « Ce n'est pas possible! Je crois rêver! Je n'arrive pas à me rendre compte que j'ai vraiment gagné à la loterie! » N'est-ce pas?

---

[2]*mon rat... mon lapin*: terms of endearment.

LUI

C'est possible.

ELLE

Alors, aussi bien rêver![3]

LUI

Mais avec l'argent de la loterie, je pourrais m'acheter des choses...

ELLE

Quoi?

LUI

Des choses! Par exemple, de belles pantoufles doublées de mouton. C'est peut-être bête à dire pendant une nuit de noces, mais j'ai envie de belles pantoufles doublées de mouton...

ELLE

Avez-vous déjà pris un billet de loterie?

LUI

Jamais.

ELLE

Et vous espérez gagner?

LUI

Un jour ou l'autre, oui. Le hasard est si grand!

ELLE

Mon pauvre ami, la raison vous ronge comme un cancer.[4] (*Gamine.*) Moi, je ne me lasse pas de regarder les belles pantoufles neuves que vous avez aux pieds. Ma parole! elles sont doublées de mouton... Hé! Hé! On est douillet!

LUI

Cessez de jouer, ça me donne la nausée!

ELLE

Vous avez aussi envie de vomir?

---

[3]*Alors, aussi bien rêver!*: Then we might as well dream!
[4]*la raison... comme un cancer*: logic is eating into you like a cancer.

LUI

Je vous en supplie, Marie-Rose!

ELLE

C'est le prix du bonheur!

LUI

Hé bien, je renonce à être heureux: même le bonheur est inaccessible!

ELLE

Vous me décevez, Eugène! Vous m'aurez déçue dès les premiers moments de notre nuit de noces! Et au nom de la logique! Mon pauvre ami!

LUI

Je vous demande pardon. . .

Tiré de **Les Violons de l'automne,** *par Jacques Languirand. Montréal: Le Cercle du livre de France, 1962. Tous droits réservés.*

Questions

1. Quel âge Eugène et Marie-Rose ont-ils selon vous?
2. Croyez-vous qu'il s'agisse d'une comédie? Pourquoi?
3. Où situeriez-vous la scène?

Une Année d'abondance pour le long métrage canadien

MICHÈLE FAVREAU (1934-   ), jeune journaliste, scripteur, réalisatrice et animatrice à la radio et à la télévision, s'intéresse particulièrement au cinéma et a signé plusieurs critiques et reportages traitant de ce mode d'expression.

Où en est, en ce début d'année, la situation du cinéma long métrage au Québec? Et quelle réflexion peut inspirer à un critique le bilan de l'année '64?

Une chose est importante à souligner, c'est l'état d'esprit favorable qui règne de plus en plus ici à l'égard du cinéma. Un vrai bouillon de culture. Amorcé avec la création du Festival du Film de Montréal, il y a cinq ans, le mouvement semble irréversible et tendre de plus en plus vers une exigence pressante de la part du public comme des cinéastes (sous peine de frustration) de l'avènement d'un cinéma long métrage national à la hauteur du dialogue avec les pays étrangers, tant par la qualité que par la quantité.

Les différentes étapes de ce mouvement: après la création du Festival annuel, l'ouverture de plusieurs cinémas d'essai, durables ou éphémères, mais efficaces, la suppression d'une censure rétrograde et abusive, l'initiative de petits festivals ou de rétrospectives (Renoir, Bergman, etc.), de « semaines du cinéma » (français, italien, tchèque, etc.), la création de revues de cinéma qui survivent, l'ouverture d'un musée du cinéma et surtout d'une cinémathèque à Montréal, de très nombreux ciné-clubs à travers la province, et pour finir, la fameuse proposition du Rapport Parent relative à l'enseignement du cinéma dans les écoles et les collèges.

Le public des cinéphiles se révèle donc de plus en plus nombreux, exigeant, sincère, enthousiaste, parmi les plus réceptifs (celui des jeunes en particulier). Il est très important pour nos cinéastes d'avoir à compter désormais avec un tel public.

D'autre part, pour ce qui est justement des cinéastes, ils sont ou devraient être mûrs pour une production valable de longs métrages. Beaucoup d'entre eux ont eu tout le temps de faire leurs gammes à l'Office National du Film,[1] avec à leur disposition des moyens techniques exceptionnels. Depuis quelques années, les débouchés de la télévision leur ont permis de donner naissance (même au niveau du court métrage) à un cinéma d'auteur, favorisé grandement par la révolution du *candid-eye* qui a fait exploser les limites étroites du documentaire traditionnel. Le moment est venu où la création d'une industrie de long métrage devrait être le prolongement naturel de celle du court métrage. Mais il y a une ombre au tableau, très sérieuse, qu'on ne peut passer sous silence quand il s'agit de juger les films de l'année '64 et d'augurer de ceux de '65. Ce sont les conditions de l'industrie cinématographique au pays: le monopole des intérêts américains (la Paramount et ses dérivés) pour ce qui est de la distribution, système qui joue contre l'évolution de la production canadienne. La législature réclamée par l'Association Professionnelle des Cinéastes, et qui assurerait des avantages aux films de production nationale, n'est pas encore née.

Au niveau de la production, c'est l'absence d'industrie privée, de subsides gouvernementaux et le quasi monopole de l'Office National du Film (qui semble donner bonne conscience au gouvernement). Or, à l'ONF, le malaise est évident qui tient à des restrictions, des compromis continuels et inévitables qui usent les énergies et découragent les meilleures volontés.

Devant de telles montagnes à transporter, ou de tels détours à prendre, on comprend facilement que le cinéma canadien ait un

[1]*tout le temps... du Film*: plenty of time to practise their craft while working for the National Film Board.

décollage difficile. Quand on sait ce qu'il a fallu (ce qu'il faut) d'énergie et de foi à Pierre Patry[2] pour faire marcher « Coopératio » et produire deux films, ce qu'il a fallu de risque à Gilles Groulx[3] et de persuasion pour tourner un long métrage engagé socialement et politiquement, quand il est parti pour faire un film de trois-quarts d'heure sur l'hiver canadien (avec un petit budget), on peut, tout au plus, féliciter l'ONF d'avoir permis (même au prix de longues discussions et d'hésitations), la sortie du *Chat dans le sac* de Gilles Groulx et de *Nobody Waved Good-bye* de Don Owen. Ces deux films ayant pris position dans une attitude critique passionnée à l'égard de notre société, il est assez exceptionnel et méritoire qu'un organisme gouvernemental assume une pareille responsabilité.

Ceci dit, les conditions de travail ne sont pas seules en cause, bien entendu, dans la qualité du produit. Sans être pessimiste, au contraire, sur l'avenir du cinéma long métrage ici (c'est à mon avis une question d'évolution), je n'attends pas de chef-d'oeuvre, ni même de grand film cette année. C'est au niveau des idées que se situe le problème essentiel. Des idées et de la possibilité de les exprimer dans un langage clair et structuré et de les incarner dans des personnages variés et vivants. L'absence de tradition littéraire, dramatique, cinématographique ici est en cause, évidemment.

Au niveau des instincts, des émotions, des rêves, les artistes canadiens réussissent à s'exprimer de façon très valable (musique, peinture, poésie, courts métrages). C'est dire que nous sommes encore au stade de l'adolescence en matière de création.[4] L'expression dramatique et romanesque nécessite un état adulte. Les problèmes de nos cinéastes sont les mêmes que ceux de nos romanciers. Il me semble assez significatif que quatre films sur cinq, en 1964, mettent en scène des êtres jeunes et la naïveté que cela implique.

Tiré de Une Année d'abondance pour le long métrage canadien, *par Michèle Favreau. Québec: Ministère des Affaires culturelles du Québec, 1965. Tous droits réservés.*

[2]*Pierre Patry*: a young French-Canadian scenario-writer.
[3]*Gilles Groulx*: a young French-Canadian scenario-writer.
[4]*au stade. . . création*: in the youthful creative stage.

Questions

1. Pourquoi le cinéma canadien connaît-il un « décollage difficile » ?
2. Quel avenir peut-on entrevoir en ce qui concerne le cinéma canadien? Peut-on faire confiance à nos cinéastes? Donnez vos raisons.
3. Quelles notions avez-vous acquises au sujet du Canada français par le truchement de la télévision ou du cinéma?

Animateurs et partenaire

GUY BEAULNE (1922-   ) s'est toujours intéressé au théâtre, à titre de comédien, de metteur en scène et d'animateur. Président-fondateur de l'Association canadienne du théâtre, réalisateur d'émissions drama-tiques à la radio et à la télévision, et directeur du théâtre au Ministère des Affaires culturelles du Québec, Guy Beaulne est présentement directeur de l'enseignement artistique au même ministère.

Il est manifeste que notre patrie possède enfin un des plus pré-cieux instruments de prestige, de culture et d'éducation popu-laire que puisse souhaiter une nation en pleine évolution, son théâtre.

Né d'une tradition apportée de France en même temps que les crucifix, les mousquets, les chansons, un amour profond du sol et de la liberté, né aussi des multiples exercices d'un théâtre d'amateurs enthousiastes et fidèles, né d'un entêtement superbe à conserver la langue des ancêtres et à proclamer notre désir féroce de nous maintenir et de survivre, notre théâtre est né enfin des progrès de la science qui nous a donné la radio et la télévision.

Une industrie de théâtre s'installe dans la métropole et dans la capitale, les écoles d'art dramatique se multiplient, les régions isolées sont alimentées par des troupes de tournées régulières, les auteurs sont courus et on en fait grand cas, les techniciens sont recherchés, les centres culturels naissent à travers le Québec, des cliniques de théâtre stimulent la création, la formation et la correction, les bourses d'étude et de recherche augmentent sans cesse, les universités commencent à s'intéresser au théâtre et à la littérature dramatique, nos comédiens franchissent nos frontières et sont applaudis jusqu'en Russie.

Tout cela se produit, depuis quatre ans, sous l'oeil vigilant du Ministère des affaires culturelles dont l'action pénètre discrètement chaque étape de l'aventure théâtrale. Cette attention généreuse et soutenue vaut mieux, à notre avis, que toute proclamation tapageuse de politiques ronflantes.

J'ai été témoin attentif de cette évolution, placé au centre même, comme critique, animateur et comédien, de la poussée créatrice qui a fait aboutir la vie théâtrale professionnelle au Canada français. Quand j'arrivai à Montréal en 1950 le Théâtre du Rideau Vert[1] était une compagnie hésitante et le Théâtre des Compagnons,[2] seule troupe régulière, mais semi-professionnelle, approchait de sa fin.

Ce qui est acquis aujourd'hui dépasse les espoirs les plus ardents que nous avions alors. Mais ce qui est acquis l'a été par une volonté intrépide, par une générosité désintéressée, par un instinct d'amateurs libéré de tout calcul. C'était une période d'apprentissage du métier. En sont sortis des chefs de file, des auteurs, des administrateurs, des théoriciens et des techniciens qui forment aujourd'hui les cadres d'une industrie professionnelle encore hésitante mais bien engagée dans son évolution.

Nous sommes ainsi parvenus à la fin d'un premier cycle d'expériences variées, sur le plan artistique, en même temps que nous parvenions, par des luttes incessantes, à l'aboutissement d'un apprentissage de vie sociale et communautaire et à la définition de notre autonomie nationale.

Il y a vingt ans à peine chaque créateur devait trouver en lui-même la stimulation nécessaire pour élargir son geste, pour posséder davantage beauté et vérité. L'acte de création était le perfectionnement de sa personnalité, le dépassement de soi-même. Il trouvait dans son public, dans les applaudissements et

[1]*Théâtre du Rideau Vert*: a French-speaking theatrical troupe who perform regularly in Montreal.
[2]*Théâtre des Compagnons*: a theatrical group directed by Father Émile Legault of the Collège de Saint-Laurent.

la reconnaissance que celui-ci lui accordait, la satisfaction d'un engagement plus ferme. Il s'élevait, par lui-même, par la qualité de son talent et par sa volonté et son audace, à la conquête d'un rang social et d'une sécurité économique relative. Il découvrait également dans la vie syndicale l'espoir d'une profession mieux organisée.

Il a découvert depuis, un nouveau partenaire, attentif mais sévère, généreux mais exigeant. L'intervention des pouvoirs publics dans notre vie culturelle est un phénomène tout récent. Elle a permis de stabiliser l'industrie naissante et de donner à l'oeuvre d'art et à son créateur une valeur nouvelle grâce à la reconnaissance officielle de l'activité artistique et littéraire manifestée par l'État.

Nous voilà donc engagés dans un nouveau cycle. Des problèmes nombreux se posent qui troublent profondément l'observateur impartial.

Les largesses soudaines et inespérées[3] font perdre un peu la tête. Le métier du théâtre est un métier où l'on est si peu gâté en prodigalités qu'une fois qu'on a rencontré le mécène on s'y agrippe. On s'y colle avec d'autant plus d'ardeur que dans de nombreux cas l'aide financière compense la déficience administrative de directeurs artistiques qui administrent toujours en amateurs une aventure commerciale devenue professionnelle, et que dans la plupart des cas, les animateurs recherchent sans relâche la sanction par l'État de chaque geste posé et de chacune de leurs manifestations. Ce besoin nouveau de l'identification du créateur à la conscience nationale que représente l'État est à la fois une force considérable et une faiblesse dangereuse.

Les structures administratives vont bientôt corriger la première situation, structures où l'on fait appel à des spécialistes en comptabilité pour assurer la stabilité financière des compagnies et où les directeurs et les gouverneurs viennent soulager le directeur artistique des angoisses qui le paralysent.

L'autre soulève de nombreux problèmes qui font naître d'abondantes questions de part et d'autre.

L'État se dit avec raison que c'est mal comprendre son rôle

---

[3]*Les largesses. . . inespérées*: The sudden and unexpected government grants.

que de devenir promoteur ou imprésario. Il se dit également que si l'État a le devoir de veiller à la manifestation culturelle, la subvention n'est pas un droit acquis par le créateur mais qu'elle doit demeurer un instrument de stimulation, à distribuer avec prudence et selon des normes fermement établies. Il se dit également que le théâtre doit demeurer une entreprise libre et qu'il appartient d'abord à ceux qui s'y engagent d'en assurer le succès.

Les animateurs de leur côté réclament l'intervention de l'État dans leur activité pour qu'il assure la permanence de leur action dans une sécurité plus grande. Ils demandent à l'État de leur fournir les théâtres qui sont essentiels à leur activité culturelle et artistique. Ils demandent à l'État de protéger leurs auteurs en vue d'établir un répertoire qui représentera mieux le peuple et la nation dans son évolution. Ils réclament également que l'État se charge de la formation des artistes et des techniciens dont ils ont besoin.

Mais l'État doit considérer également d'autres besoins. Ceux des populations isolées qui doivent être alimentées de manifestations culturelles et artistiques comme les grands centres le sont, et qui appellent la création de troupes permanentes de tournées. Ceux des instruments culturels existants, tels les Conservatoires de musique et d'art dramatique de Montréal et de Québec, insuffisamment installés et dont le rôle est encore trop limité. Ceux des nombreuses jeunes compagnies théâtrales qui peuvent être des écoles dynamiques de formation de metteurs en scène, de comédiens et de techniciens. Ceux d'un cinéma qui a la volonté farouche de s'exprimer mais qui y parvient si difficilement.

Tout apparaît tout à coup comme prioritaire et pourtant l'on ne saurait tout faire à la fois.[4] L'économie de notre théâtre demeure inséparable de la radio et de la télévision et c'est avec d'infinies précautions qu'on doit agir pour ne pas paralyser l'action culturelle de ces techniques nouvelles. Les échanges culturels internationaux s'établissent et sont un utile facteur

---

[4]*Tout apparait. . . à la fois*: Suddenly everything seems to have priority, but it is impossible to do everything at once.

d'évolution artistique mais ils exigent des contrôles prudents de qualité et de quantité.

Voilà où nous en sommes, voilà quelques-uns seulement des problèmes que pose l'étonnante vitalité de notre théâtre. Voilà quelques-unes des préoccupations qui assaillent à la fois les créateurs et les pouvoirs publics. Voilà comment s'engage la montée culturelle soudaine et puissante comme un torrent. Il faudra beaucoup de patience pour que se construise dans l'ordre et l'équilibre le gros oeuvre que nous souhaitons tous.

Tiré de «Animateurs et partenaire», par Guy Beaulne, dans Culture vivante, *No. 1. Québec: Ministère des Affaires culturelles du Québec, 1966. Tous droits réservés.*

Questions

1. La vitalité du théâtre au Canada français peut-elle refléter le dynamisme de cette collectivité? Comment?
2. Comment les échanges culturels peuvent-ils favoriser l'évolution artistique d'une nation?
3. Quelle est, selon vous, la relation entre le théâtre contemporain et les autres instruments de culture et d'éducation populaire, tels la radio et la télévision? Croyez-vous que ces derniers favorisent l'activité théâtrale ou qu'ils lui nuisent?

Lettres

Le Vaisseau d'Or
et
Devant deux portraits de ma mère

L'oeuvre poétique d'ÉMILE NELLIGAN (1879-1941), élaborée à partir de 1896 alors qu'il est encore étudiant et terminée trois ans plus tard, est nécessairement une ébauche. Elle domine cependant son époque d'une manière incontestable et exerce une influence indéniable sur la littérature canadienne.

LE VAISSEAU D'OR

Ce fut un grand Vaisseau taillé dans l'or massif:
Ses mâts touchaient l'azur, sur des mers inconnues;
La Cyprine d'amour, cheveux épars, chairs nues,
S'étalait à sa proue, au soleil excessif.

Mais il vint une nuit frapper le grand écueil
Dans l'Océan trompeur où chantait la Sirène,
Et le naufrage horrible inclina sa carène
Aux profondeurs du Gouffre, immuable cercueil.

Ce fut un Vaisseau d'Or, dont les flancs diaphanes
Révélaient des trésors que les marins profanes,
Dégoût, Haine et Névrose, entre eux ont disputés.[1]

---

[1] . . . *que les marins profanes / Dégoût. . . disputés*: " . . . the blasphemous crew / Hatred, Disgust and Madness, fought to share" (English translation from *Selected Poems of Émile Nelligan*, edited by P. F. Widdows).

Que reste-t-il de lui dans la tempête brève?
Qu'est devenu mon coeur, navire déserté?
Hélas! Il a sombré dans l'abîme du Rêve![2]

DEVANT DEUX PORTRAITS DE MA MÈRE

Ma mère, que je l'aime en ce portrait ancien,
Peint aux jours glorieux qu'elle était jeune fille,
Le front couleur de lys et le regard qui brille
Comme un éblouissant miroir vénitien!

Ma mère que voici n'est plus du tout la même;
Les rides ont creusé le beau marbre frontal;
Elle a perdu l'éclat du temps sentimental
Où son hymen chanta comme un rose poème.

Aujourd'hui je compare, et j'en suis triste aussi,
Ce front nimbé de joie et ce front de souci,
Soleil d'or, brouillard dense au couchant des années.

Mais, mystère de coeur qui ne peut s'éclairer!
Comment puis-je sourire à ces lèvres fanées?
Au portrait qui sourit, comment puis-je pleurer?[3]

«*Le Vaisseau d'Or*» *et* «*Devant deux portraits de ma mère*», *tirés de* Poésies complètes, 1896-1899, *par Émile Nelligan. Montréal: Éditions Fides, 1958.*

Questions

LE VAISSEAU D'OR
1. Ne voyez-vous pas une sorte de prophétie dans les mots « tempête brève », à la dernière strophe? Laquelle?

[2]*Hélas! Il a sombré. . . du Rêve*: "Alas, in Dream's abyss sunk without trace" (English translation from *Selected Poems of Émile Nelligan*, edited by P. F. Widdows); the poet foresaw that he would lose his mind.
[3]*Au portrait. . . pleurer*: How can I weep over the smiling picture?

2. A quelle légende vous font songer ces deux vers:
   Mais il vint une nuit frapper le grand écueil
   Dans l'Océan trompeur où chantait la Sirène?
3. Dites pourquoi ce poème est symboliste.

DEVANT DEUX PORTRAITS DE MA MÈRE
1. Montrer que ce poème est fait d'oppositions.
2. Pourquoi croyez-vous que le poète sourit aux «lèvres fanées» et pleure devant le « portrait qui sourit» ?

Un Idéal artistique

L'auteur de *Regards et jeux dans l'espace*, d'un *Journal* et de *Poésies complètes*, HECTOR DE SAINT-DENYS GARNEAU (1912-43) fut l'un des plus grands poètes canadiens-français. Son oeuvre constitue un témoignage intéressant sur la difficulté d'être Canadien français.

Or voici mon but: me former une pensée vaste, juste et vigoureuse, bien établie, un goût sûr; me réaliser dans l'art. Cela demande, et à moi peut-être plus qu'à un autre car je ne suis pas fort naturellement, cela demande beaucoup de réflexion, le temps, l'occasion de réfléchir. Ayant atteint mon point de maturité, exercer une influence d'abord autour de moi, de plus en plus étendue, grâce à des articles. Penser juste et avoir assez de conviction pour divulguer ma pensée. Il est extraordinaire comme un homme qui pense, qui sait pourquoi il pense et qui pense fermement, peut avoir d'influence. Il en est tant qui ne pensent pas! Et dès qu'une pensée s'affirme, il est toute une masse qui la suivent, qui n'attendent que ce signal pour agir. C'est parce que l'élite est indolente, inapte, incapable, ici, que la masse est tellement amortie; on l'a exploitée mais jamais tirée par en haut; à la longue elle s'est endormie. A nous la faute, à nous le devoir de réparer la faute, de réveiller le peuple, de le secouer. Il n'est que temps. Et l'heure presse; il importe de la diriger dans le bon sens: il en est tellement qui travaillent dans le mauvais. Demande à G. un extrait d'une lettre que je lui écrivis à ce sujet: ce n'est pas par vanité, par plaisir d'être lu, mais simplement parce que je veux que tu connaisses mes idées à ce sujet, et je suis trop fatigué pour recommencer à les exprimer ce soir.

Voilà donc mon but: créer de la beauté, et participer à un mouvement de renaissance au Canada. Non pas faire des chefs-d'oeuvre; je connais mes limites, mais me réaliser à la limite de mon possible,[1] être un de ceux qui *agissent vers* la beauté, être un facteur de formation pour le goût, ici, et un facteur d'élévation dans la solidarité du monde.[2]

Voilà mon but, mon idéal. Il est haut placé, un peu abstrait, si tu veux. Mais il n'est pas sans tenir compte de la réalité, il y est au contraire solidement appuyé; sur toutes les réalités, depuis la réalité idéale et éloignée jusqu'à la réalité physique, pratique.

« Un Idéal artistique », par Hector de Saint-Denys Garneau, tiré de « Lettres à Jean Le Moyne », Écrits du Canada français, Tome 5. Montréal: Éditions H.M.H., 1959. Tous droits réservés.

Questions

1. Est-il possible qu'un individu, quel qu'il soit, se réalise dans l'art? A quelles conditions?
2. Saint-Denys Garneau vous paraît-il trop sévère en accusant l'élite d'ici d'« amortir » la masse? Pourquoi?
3. Les préoccupations artistiques et esthétiques de l'auteur vous semblent-elles utopiques? Donnez vos raisons.

---

[1]*me réaliser. . . possible*: to realize my full potential.
[2]*un facteur. . . du monde*: a heightening factor in world solidarity.

En un pays tranquille...

MICHÈLE LALONDE (1937-   ), collaboratrice à la revue *Liberté* publiée à Montréal, représente cette nouvelle intelligentsia canadienne-
française qui se veut prête à tous les combats.

Or, si l'engagement de l'écrivain canadien-français ne consiste
pas à percer et traduire le sens le plus exigeant des réalités qui le
concernent, du paysage humain qui le sollicite *immédiatement*,
je ne veux croire ni à l'engagement, ni à l'écrivain canadien-
français.

Je n'ose espérer que les critiques auront bientôt résolu à leur
satisfaction la question de savoir si oui ou non il existe une littérature canadienne-française, et si nous sommes près de produire
le fameux chef-d'oeuvre qui témoignera de notre envergure de
pensée et de notre conscience de l'humain universel... Je crois
seulement que notre légendaire maladresse à écrire, s'il la faut
reconnaître, ne peut être fonction que d'une maladresse à vivre,
d'une inaptitude plus ou moins grande à nous sentir totale-
ment impliqués, participants responsables et, pour cela même,
passionnément tentés d'être conscients.[1]

Or, à commencer par Saint-Denys Garneau, les poètes ont
d'abord dénoncé l'évidence immédiate de la douleur. Notre
poésie fut ainsi l'acte d'auto-perception malheureuse d'une

---

[1] *d'une inaptitude... conscients*: of an inability ... to feel ourselves totally involved,
responsible participants, and, for just that reason, strongly tempted to be aware.

âme-porteuse-de-mort;[2] circuit fermé de la conscience solitaire, coupée du monde, emprisonnée dans l'espace sans joie de l'incommunicable. Nos romanciers ont également parlé de mort intérieure en révélant le drame intime de personnages hantés par la sensation coupable de l'échec, en proie à la fatalité de l'auto-destruction et du refus. On a reproché à cette littérature navrante, trop exclusivement attentive à la réalité canadienne, sa noirceur systématique et son insuffisance à dégager une vérité humaine de portée universelle. . . L'écrivain peut-il se montrer trop anxieux de témoigner sur place?[3] de comprendre ce qui lui est immédiatement proposé comme une énigme? de chercher l'expression d'une réalité humaine en commençant par celle qui lui est la plus accessible, celle de l'homme d'*ici*? Je persiste à croire que plus nous en témoignerons au contraire, plus nous mettrons de lucidité à définir sa condition, son drame intime, la contradiction troublante de sa destinée, plus il nous sera donné en même temps de proposer quelque vision généreuse et révélatrice du monde. Nous vivons ici, ou sommes en train d'y apprendre à vivre; et il nous importe avant tout d'ajuster notre lentille intérieure au réel qui nous cerne,[4] pour tenter de dégager le sens, les évidences, les pourquois irréductibles de l'expérience humaine, *à partir d'une expérience humaine qui est la nôtre*.

Aujourd'hui plus que jamais, il nous est devenu impérieux de lier connaissance avec la réalité humaine *que nous sommes*. Il est nécessaire que nous sachions reconnaître l'Homme sous les traits, le nom, l'identité à la fois familière et secrète du premier compatriote venu, des premiers cinq millions d'êtres venus.

Cette nation, qui vit tranquillement à l'étau de ses paradoxes,[5] il nous importe de la comprendre; sa survivance humiliée, son défaitisme et son incroyable puissance d'obstination, sa résignation peureuse, ses lâchetés et sa sourde insoumission au déterminisme des circonstances: tout cela participe d'une aventure morale qu'il nous faut valoriser. Il nous appartient de formuler en termes universels de liberté, le sens d'un destin collectif qui

---

[2]*une âme-porteuse-de-mort*: a death-burdened soul.
[3]*témoigner sur place*: to witness his own times.
[4]*d'ajuster notre. . . nous cerne*: to adjust our inner vision to the reality around us.
[5]*l'étau de ses paradoxes*: the stranglehold of its paradoxes.

contrarie depuis trois cents ans la logique de l'Histoire.

Nous ne sommes pas des chargés de littérature canadienne-française.[6] Nous n'avons à proposer que l'expression d'une inquiétude qui nous est propre et notre tentative d'y trouver réponse, fut-ce encore malaisément, *au fur et à mesure de notre conscience de vivre*,[7] c'est-à-dire, poème par poème, mot par mot.

Tiré de «En un pays tranquille...», par Michèle Lalonde, dans Liberté, *17 (novembre, 1961). Montréal: Liberté. Tous droits réservés.*

Questions

1. A quelles conditions l'auteur entend-il croire vraiment en l'engagement des écrivains canadiens-français?
2. Selon vous, quelle douleur Saint-Denys Garneau et les autres poètes d'ici ont-ils pu dénoncer?
3. En quoi le « destin collectif » des Canadiens français contrarie-t-il « depuis trois cents ans la logique de l'Histoire » comme le prétend Michèle Lalonde?

[6]*Nous ne sommes pas... littérature canadienne-française*: We are not responsible for French-Canadian literature.
[7]*au fur et à... de vivre*: as our awareness of life grows.

Le Cassé

JACQUES RENAUD (1944-   ) est un jeune romancier populiste qui a écrit *Le Cassé*,[1] un livre d'une extrême violence dont cet extrait est tiré. La langue de ce roman est très imagée. Elle est aussi très populaire et symbolise, par ce défaut même, la brisure de l'âme canadienne-française.

Minuit chrétien. Décompte. Le chiffre d'affaires d'Eaton's, de Morgan's, de Dupuis, de Patente et compagnie, de Bébelle incorporé. La messe de minuit – envouèye,[2] marche. Perds pas ton ticket. Les malengueuleries familiales.[2] Les ruelles du bas de la ville où aucun sapin ne viendra traîner après le premier janvier. Y'a[2] des bonnes âmes qui se font appeler les amis des pauvres. Une fois par année, y rapaillent une gagne[2] de cassés pis[2] y leû payent un festin-de-jouâ. O sâ-înte nuit. Y les aiment-tu donc. Y les aiment comme y sont. Y les aiment cassés. Faibles. Pitoyables. Y les aiment ignorants. Carencés. Aliénés. Y les aiment étouffés. Viciés. Vicieux. Y les aiment comme ça. La pauvreté est une nécessité sociale. Une fois par année, ça nous permet de nous retaper la conscience.[2]

Les cassés. Culpabilisés. Conditionnés à la petitesse morale.

[1]*Le Cassé*: a person who is dead broke. (The French slang spoken in this selection is called *joual*, which is a slang word for "old horse" deriving from a corruption of *cheval*.)

[2]*Joual* expressions: *envouèye* (*envoyé*): go walk; *malengueuleries familiales*: family squabbles; *y'a* (*il y a*); *gagne*: gang; *pis* (*puis*); *retaper la conscience*: colourful expression taken from the shoemaker, meaning to relieve one's conscience (by feed-

Aimez-les comme y sont, y resteront comme y sont. La tactique, c'est d'leû calfeutrer l'estomac[2] à intervalles réguliers. Le bourrage de crâne[2] fait le reste. Crânes bourrés, dindes farcies, joyeux Noël.

Ils ont besoin d'amour? Non. Ils ont besoin d'aimer. Et ils haïssent. Ils se haïssent eux-mêmes. S'aimer eux-mêmes comme ils sont c'est du masochisme. Quand ils s'aimeront eux-mêmes pour de vrai, ils auront honte. Ils feront la révolution. Ils se voudront autres.

Les cassés. Même pas l'instinct sûr des bêtes.

Incarcérés pour vols et viols. Remis dans le droit chemin de Saint-Vincent-de-Paul. Mets-toé[2] à genoux. Baise-moé[2] la main. Baise-moé le cul. Plaide coupable, ça coûte pas une cenne. T'as péché par ivrognerie. T'as péché par impureté. T'as péché par icitte pis t'as péché par là. Mon frère en Crisse.[2] Le bonyeu[2] vâ t'pardonner tes zaveuglements.[2] Nouzô't[2] on vâ t'les conserver. Mange pis fârme ta yeule.[2]

Questions

1. Quelle sorte d'homme est « le cassé »?
2. A quelle cause attribuez-vous sa dégradation?
3. Expliquez la dernière phrase de ce texte dans le contexte de la pauvreté.
4. Pourquoi peut-on dire que ce texte a une épaisseur religieuse?

---

ing the poor once a year); *d'leû calfeutrer l'estomac*: to pad their stomachs; *bourrage de crâne*: stuffing their heads; *toé, moé (toi, moi)*; *Crisse*: Christ; *bonyeu (bon Dieu)*; *tes zaveuglements*: note excessive liaison; *Nouzô't(Nous autres)*; *Mange pis fârme ta yeule (Mange puis ferme ta gueule)*: vulgar expression, "Eat and shut your trap".

Le Cabochon

ANDRÉ MAJOR (1942-   ) s'est résolument engagé dans beaucoup d'activités pour un tout jeune homme. Il est journaliste, critique, poète, romancier et membre de l'équipe de la revue *Parti Pris*. Lorsqu'il décrit *Le Cabochon*[1] comme l'histoire d'un étudiant qui tente de sortir de la médiocrité ambiante, on a l'impression qu'il décrit assez exactement le sens même de son engagement.

Ça fait bien longtemps que la famille ne s'est pas réunie au grand complet autour de la table, devant les plats de maman. D'habitude il y en a un ou deux qui manquent à l'appel. Ce soir ils sont tous là: papa, Antoine l'aîné, Sophie, Jacques et Raymond le préféré de maman. Le four a rougi son visage, mais elle est fière d'elle: elle leur a préparé un bon souper de fèves au lard comme elle seule en est capable.

Sophie commence à travailler plus tard ce soir à cause de l'inventaire; c'est pour ça qu'elle a pu venir souper. Et Antoine ne travaille pas à la pharmacie parce qu'il a un examen à préparer pour le lendemain. Maman oublie que papa vient de perdre son emploi encore une fois.

— Sophie, passe-moé[2] donc les assiettes, que je vous serve tandis que c'est encore chaud.

Sophie revient sur terre. Maman lui redemande de lui passer les assiettes et papa s'impatiente:

[1]*Cabochon*: a good-natured but uneducated man who gets all the knocks.
[2]*passe-moé*: reproducing the *joual* pronunciation of *passe-moi*.

— Va ben falloir que j'le fasse![3] Sophie est dans la lune, comme d'habitude.

Sophie, agacée, se contente de hausser ses épaules fatiguées avant de ramasser les assiettes et de les donner à maman. Une fois qu'ils ont le nez dans leurs fèves, c'est le silence. On n'entend que le bruit des fourchettes qui grattent le fond des assiettes. Comme il n'y a pas de place pour elle à la table, maman, debout derrière papa, attend que quelqu'un ait fini de manger. Elle qui était si heureuse de les avoir avec elle ce soir, la voilà bien triste. Papa redevenu chômeur...

— Va valoir qu'on se serre la ceinture pendant un bout de temps, les enfants. P'pa a perdu sa djobbe,[4] dit-elle lentement. Papa n'a pas bronché, il continue de manger comme s'il n'avait rien entendu. Sophie pousse un soupir qui en dit long, elle sait ce qui l'attend: on va doubler le coût de sa pension; il lui restera juste assez d'argent pour ses autobus et son jus d'orange du midi. Antoine fait « ouais »[5] en tapotant le bord de son assiette. Raymond et Jacques gardent le même masque d'indifférence; ça ne les dérange pas le moins du monde, ce que vient de dire maman. Pour Jacques, rien n'est changé: ses études à l'École de l'Automobile sont payées, et c'est lui qui les a gagnées l'été dernier. Raymond pense qu'il a congé demain et qu'il ira dans le nord avec son ami Claude qui a une décapotable, un vieux bazou, mais ça marche quand même. Il finit de manger, il se tape le ventre:

— Ouais, avec un souper comme ça, on va en péter un coup[6] à soir!

Papa relève le nez:

— Si t'es pas capable de te retenir, va t'escouer dehors![7]

Raymond s'étire en grognant, puis il quitte la cuisine. Un à un, ils finissent de manger. Maman prend la place de Raymond et mange sa petite soupe de malade. Les fèves au lard, ça lui est interdit depuis que le médecin l'a condamnée à un régime

---

[3]*Va ben falloir... fasse*: Very well, I'll have to do it.
[4]*djobbe*: the spelling tries to reproduce the French-Canadian colloquial pronunciation of "job".
[5]*ouais*: colloquial for *oui*, equivalent to "yeah".
[6]*on va en péter un coup*: vulgar expression: "we will fart plenty".
[7]*va t'escouer dehors*: equivalent to the slang "scram".

d'oiseau. Jacques, qui a encore la bouche pleine, se permet de commenter la nouvelle que chacun médite en soi:

— Pour avoir du travail au jour d'aujourd'hui,[8] faut avoir un métier. Sans ça, on va pas loin.

Papa lui jette un regard terrible.

— J't'ai déjà dit bien des fois de jamais parler la bouche pleine, dit maman qui verse le lait à côté de sa tasse. « Va donc me chercher un torchon, Sophie ».

Sophie soupire et se lève brusquement. Jacques profite de la situation:

— On fait jamais deux choses en même temps, dit-il en visant maman.

Alors papa donne un bon coup de poing sur la table pour dire que c'est assez et que l'autorité c'est lui, et les assiettes sautent.

— Vous allez pas commencer à vous chicaner pour des riens!

— Pour des riens? s'écrie Sophie qui s'en va comme un coup de vent.

Jacques va fumer une bonne cigarette devant la tévé. Papa décroche sa casquette et sort par la porte qui donne sur la ruelle.

C'est l'automne et la pluie a collé les feuilles au sol. Une bonne odeur de végétation pourrissante saisit les narines. Papa crache sa rancune contre la Voirie municipale: — Quand on a pas de protection, c'est ça qui arrive, y a plus grand'chose à faire, bonjour, à la prochaine! Il se console en regardant le ciel: l'hiver va venir, et la neige, on aura besoin de lui. Et il n'aura plus honte devant ses enfants. — Qu'est-ce qu'ils ont à me reprocher, mes enfants? Même si c'était pas le pérou,[9] ils ont toujours mangé à leur faim, j'leur ai toujours donné le nécessaire.

Dans la cour d'en face, le vieux Latour fume sa pipe, la tête penchée sur les genoux. « A quoi ça sert de trimer sans bon sens, si je finis comme Latour, tout seul, à ruminer le passé? » Un vent froid se lève dans un bond et ramasse les feuilles en grands tas affolés. Papa crache entre ses pieds. Eugénie, sa femme, fait de son mieux pour lui rendre la vie agréable. Sans elle, il ne pour-

---

[8] *au jour d'aujourd'hui*: nowadays; a naïve repetition that shows the character's lack of education.

[9] *même si c'était pas le pérou*: even if it wasn't Peru; a French saying referring to the proverbial riches of Peru.

rait pas faire face à la vie, aux enfants qui ont l'air de le prendre pour un vieil impotent. Il voudrait lui demander de l'aider comme avant. Mais les larmes viennent saler les commissures de ses lèvres.

Tiré de Le Cabochon, *par André Major. Montréal: Éditions Parti Pris, 1964. Tous droits réservés.*

Questions

1. Quelle image nous donne-t-on de la mère canadienne-française dans cet extrait?
2. Décrivez comment l'auteur a bien observé le comportement des enfants vis-à-vis de leurs parents.
3. Comment les difficultés financières qu'éprouve la famille peuvent-elles affecter cette institution?

Culture et folklore

Conteurs canadiens-français du XIXe siècle

Dans ce vieux conte du XIXe siècle, l'auteur décrit, de façon saisissante, une légende canadienne puisée directement au folklore médiéval. Les bûcherons, isolés dans les camps, croyaient que la chasse-galerie était un moyen dangereux, mais très rapide, de se déplacer. L'auteur de ce conte, HONORÉ BEAUGRAND (1849-1906), après avoir vécu longtemps aux États-Unis, revint à Montréal et y fonda le journal *La Patrie* qui existe encore aujourd'hui. On lui doit aussi un roman, *Jeanne la fileuse*.

Je comprenais.

Mon homme me proposait de courir la chasse-galerie,[1] et de risquer mon salut éternel pour le plaisir d'aller embrasser ma blonde au village. C'était raide. Il était bien vrai que j'étais un peu ivrogne et débauché, et que la religion ne me fatiguait pas à cette époque, mais risquer de vendre mon âme au diable, ça me surpassait.

— Crée poule mouillée! continua Baptiste, tu sais bien qu'il n'y a pas de danger. Il s'agit d'aller à Lavaltrie et de revenir dans six heures. Tu sais bien qu'avec la chasse-galerie on voyage au moins cinquante lieues à l'heure lorsqu'on sait manier l'aviron comme nous. Il s'agit tout simplement de ne pas prononcer le nom du bon Dieu pendant le trajet, et de ne pas s'accrocher aux

---

[1] *la chasse-galerie*: a method of getting from one place to another by flying through the air in a canoe at tremendous speed. The superstitious believed that this could be done by making a bargain with the devil.

croix des clochers en voyageant. C'est facile à faire, et pour éviter tout danger, il faut penser à ce qu'on dit, avoir l'oeil où l'on va, et ne pas prendre de boisson en route. J'ai déjà fait le voyage cinq fois, et tu vois bien qu'il ne m'est jamais arrivé malheur. Allons, mon vieux, prends ton courage à deux mains, et si le coeur t'en dit, dans deux heures de temps, nous serons à Lavaltrie. Pense à la petite Liza Guimbette, et au plaisir de l'embrasser. Nous sommes déjà sept pour faire le voyage, mais il faut être deux, quatre, six ou huit, et tu seras le huitième.

— Oui! tout cela est très bien, mais il faut faire un serment au diable, et c'est un animal qui n'entend pas à rire lorsqu'on s'engage à lui.

— Une simple formalité, mon Joe. Il s'agit simplement de ne pas se griser et de faire attention à sa langue et à son aviron. Un homme n'est pas un enfant, que diable! Viens, viens! nos camarades nous attendent dehors, et le grand canot de la drave est tout prêt pour le voyage.

Je me laissai entraîner hors de la cabane, où je vis en effet six de nos hommes qui nous attendaient, l'aviron à la main. Le grand canot était sur la neige, dans une clairière, et avant d'avoir eu le temps de réfléchir, j'étais déjà assis dans le devant, l'aviron pendant sur le plat-bord, attendant le signal du départ. J'avoue que j'étais un peu troublé; mais Baptiste, qui passait dans le chantier pour n'être pas allé à confesse depuis sept ans, ne me laissa pas le temps de me débrouiller. Il était à l'arrière, debout, et d'une voix vibrante il nous dit:

— Répétez avec moi!

et nous répétâmes:

— Satan, roi des enfers, nous te promettons de te livrer nos âmes, si d'ici à six heures, nous prononçons le nom de ton maître et du nôtre, le bon Dieu, et si nous touchons une croix dans le voyage. A cette condition, tu nous transporteras, à travers les airs, au lieu où nous voulons aller, et tu nous ramèneras de même au chantier. *Acabris! Acabras! Acabram!. . . Fais-nous voyager par-dessus les montagnes!*

A peine avions-nous prononcé les dernières paroles, que nous sentîmes le canot s'élever dans l'air, à une hauteur de cinq ou six cents pieds. Il me semblait que j'étais léger comme une plume; et au commandement de Baptiste, nous commençâmes à nager comme des possédés que nous étions.

Aux premiers coups d'aviron le canot s'élança dans l'air comme une flèche, et c'est le cas de le dire, le diable nous emportait. Ça nous en coupait le respire, et le poil en frisait sur nos bonnets de carcajou.

Nous filions plus vite que le vent. Pendant un quart d'heure environ, nous naviguâmes au-dessus de la forêt, sans apercevoir autre chose que les bouquets des grands pins noirs.

Tiré de Conteurs canadiens-français du xıxe siècle, *par Honoré Beaugrand. Montréal: Librairie Beauchemin Ltée, 1924.*

Questions

1. Quelles conditions doivent remplir ceux qui font appel à l'aide de Satan?
2. A quoi Satan s'engage-t-il en retour?

La Chanson canadienne

VICTOR MORIN (1865-1960), professeur à la Faculté de droit de l'Université de Montréal, fut un écrivain prolifique qui aborda de nombreux genres littéraires. Dans l'extrait qui suit, l'auteur raconte la genèse de la chanson canadienne et décrit la richesse de ses thèmes.

La chanson est donc un des legs les plus charmants que la vieille France aît fait à sa fille la France nouvelle, et nous pouvons ajouter avec fierté que nous avons gardé cet héritage aussi précieusement que les autres traditions de la mère-patrie. Les premiers colons du Canada apportèrent avec eux les chansons de leurs provinces d'origine et leurs enfants les ont transmises à leurs descendants, par tradition orale, de génération en génération. D'autre part, les soldats des divers régiments envoyés par le roi de France étaient logés aux foyers de nos ancêtres; ils étaient naturellement invités aux réunions de famille et ils y payaient leur écot en chantant les refrains de leurs villages; les coureurs de bois, trafiquants et voyageurs, qui avaient entendu ces chants, les répétaient au cours de leurs longs voyages vers *les pays d'en haut*, et cet aspect de la vie d'autrefois explique avec quelle facilité les refrains variés de toutes les provinces de France se sont acclimatés au Canada où ils se sont, pour ainsi dire, centralisés pour se répandre ensuite sur toute la surface du pays. Aussi le voyageur normand, saintongeois ou gascon, qui pénètre d'aventure au fond de nos vieilles paroisses, peut-il y entendre avec une surprise ravie les chants de son village natal; les enfants du Québec dansent les mêmes rondes que leurs petits cousins de Provence:

> Sur le pont d'Avignon
> Tout le monde y passe.

et les mères endorment leurs poupons au rythme des berceuses que les aïeules chantaient il y a deux siècles:

> Sainte Marguerite,
> Veillez ma petite!
> Endormez ma petite enfant
> Jusqu'à l'âge de quinze ans!
> Quand elle aura quinze ans passé,
> Il faudra la marier
> Avec un p'tit bonhomme
> Qui viendra de Rome.

Mais à côté de l'article importé se trouve aussi le produit du terroir. On commence par glisser, dans la chanson de France, un refrain qui s'adapte aux moeurs et coutumes du pays; puis les noms des villages canadiens succèdent à ceux des bourgs français; des poètes illettrés ne tardent pas à chanter, sur des airs connus, le récit d'aventures personnelles ou l'expression de leurs sentiments; les voyages des découvreurs, les aventures des trappeurs, leurs relations avec les aborigènes se traduisent en des strophes qui revêtent de plus en plus la couleur locale, et bientôt la *Chanson canadienne* est créée.

Elle est un peu fruste, si vous voulez, mais elle est si franchement originale, elle a tant de naïveté, de charme exquis; elle se prête si bien à la cadence de l'aviron; elle s'encadre si joliment dans la nature grandiose où elle s'envole, qu'on ne peut lui refuser droit de cité dans le royaume de la poésie. C'est ce qui avait frappé le poète irlandais, Thomas Moore, au cours de son voyage en canot de Kingston à Montréal, en 1803. « Je ne puis oublier,» écrivait-il plus tard, « que lorsque nous entrions, au soleil couchant, dans un de ces évasements superbes où le fleuve s'ouvre avec tant de grandeur et de majesté, j'écoutais ce simple motif avec un plaisir que les plus fines compositions des grands maîtres ne m'ont jamais donné.»

Nous avons dit qu'avant l'éclosion des chansons joyeuses du

Caveau, les refrains de France étaient plutôt mélancoliques; c'est la note qu'on retrouve dans nos vieilles chansons d'il y a trois cents ans, mais peu à peu l'évolution s'est fait sentir ici comme au pays des ancêtres, principalement à la suite des envois de troupes, et comme nos pères étaient gais et heureux au milieu de leurs rudes travaux et des dangers de toutes sortes qui les entouraient, la chanson joyeuse ne tarde pas à éclater.

Un autre facteur dont il faut tenir compte, c'est l'influence des races étrangères, tant européennes qu'aborigènes, avec qui nos pères étaient en relations continuelles dans leurs voyages d'exploration et de trafic; c'est ce qui nous a valu le genre qu'on est convenu d'appeler la « chanson farcie », c'est-à-dire celle où l'on entremêle des paroles d'une langue étrangère au texte principal. Nous en avons un assez bon nombre au Canada et la chose s'explique facilement par le voisinage des colonies anglaises qui ont fait passer dans le langage du peuple quantité de leurs mots d'usage courant. Nous en trouvons également quelques-unes où l'on a mêlé du latin de cuisine,[1] glané sans doute à l'audition des chants liturgiques à l'église. Enfin on y rencontre parfois un charabia supposé provenir des langues indigènes que les voyageurs prétendaient avoir apprises chez les peuplades sauvages du continent.

La chanson canadienne embrasse donc tous les genres, depuis la complainte mélancolique jusqu'aux couplets enlevants de la chanson bachique.[2] Elle célèbre tour à tour la patrie, l'amour, la bonne chère et le labeur; elle pleure avec la douleur et crie son allégresse aux festins des noces; elle endort l'enfant au berceau et conduit le soldat à la victoire; elle accompagne toutes les manifestations de la vie, elle est universelle, elle est immortelle.

Tiré de La Chanson canadienne, *par Victor Morin. Ottawa: La Société Royale du Canada, 1927. Tous droits réservés.*

Questions

1. Comment est née la chanson canadienne?
2. Quels sont ses thèmes et ses caractéristiques?

[1]*latin de cuisine*: literally, "kitchen Latin"; a mixture of French and Latin words.
[2]*la chanson bachique*: the drinking-song.

Ô Canada, mon pays, mes amours

FRANÇOIS HERTEL (Rodolphe Dubé) (1905-   ) fut le maître à penser[1] de toute la génération des Canadiens français de 1935. Il vit à Paris, exilé volontaire, depuis plus de vingt ans. Il dirige là-bas une maison d'édition. Ses oeuvres sont caractérisées par la vie du style, la profondeur du sentiment et la clarté de l'intelligence.

Le folklore (de *folk*, peuple, et *lore*, coutume en vieil anglais) est constitué par l'ensemble des coutumes originales qui caractérisent un peuple ou une tribu. De nos jours, le folklore canadien a tendance à se restreindre aux chants populaires. Une des plus grandes richesses folkloriques du pays réside en effet dans ses chansons. La plupart sont venues de France, au cours du xviie siècle; mais de nombreuses *versions* canadiennes ne tardèrent pas à naître. On a retrouvé, en particulier en Gaspésie, des centaines de versions de chansons aussi connues qu'« En roulant ma boule », « A la claire fontaine », etc. Celui qui, le premier, se livra à une étude sérieuse de nos chants populaires fut Ernest Gagnon, qui publia, à la fin du siècle dernier, *Chansons populaires du Canada*. Le plus grand folkloriste canadien fut toutefois Marius Barbeau, de l'Académie canadienne-française, qui consacra des années à l'étude et à la transcription de milliers de chants folkloriques canadiens-français ou acadiens.

Pourtant, le folklore musical n'est pas tout le folklore. Il faut y

[1]*le maître à penser*: the leading thinker.

ajouter les légendes et coutumes folkloriques, qui constituent un ensemble caractéristique de la civilisation canadienne-française; surtout de celle d'il y a cent ans. Les us et coutumes proprement folkloriques tendent malheureusement à s'affadir ou à disparaître complètement. Une seule forme de folklore demeure donc en plein épanouissement chez les Canadiens français, celle qui a trait aux chants populaires.

Tiré de Ô Canada, mon pays, mes amours, *par François Hertel.*
Paris: Éditions de la Diaspora française, 1959. Tous droits réservés.

Questions

1. Quelle forme folklorique a connu le plus de popularité au Canada français?
2. Est-ce qu'à votre avis le folklore constitue une richesse importante pour une nation? Donnez les raisons pour votre réponse.

Problèmes de culture au Canada français

Le père PIERRE ANGERS (1912-   ) est un Jésuite et un éducateur qui s'est spécialisé dans les questions de culture au Canada français. Esprit équilibré, il a toujours défendu la cause de la compétence.

Une connaissance véritable de notre temps ne reposera que sur une vision et une appréciation exacte des facteurs d'évolution à l'oeuvre dans le milieu canadien où ils provoquent le passage de l'ancien équilibre culturel à un équilibre nouveau. Il est impossible sans cette vue synthétique d'élaborer une politique réaliste en quelque domaine que ce soit. L'ignorance des faits, l'obstination à les refuser, la révolte contre une évolution incoercible mènent à des entreprises intempestives dont le plus clair résultat est la parfaite inutilité des efforts. Pour ignorer la vraie portée des facteurs qui agissent sur l'évolution de notre époque, il arrive que des hommes répondent à la réalité mouvante qui les déborde par de vains expédients, une action improvisée et incohérente, des tentatives désordonnées et cahotiques. Il y a un domaine, en particulier, qui ne devrait jamais devenir le théâtre d'une résistance inculte et sentimentale[1] aux lois profondes du devenir humain: c'est celui de l'éducation à tous ses niveaux. Ceux qui par choix ont assumé la tâche d'armer les jeunes esprits pour les affrontements du monde futur se chargent en

---

[1] *qui ne devrait. . . inculte et sentimentale*: which should never become the arena for an uncultured and sentimental opposition.

même temps de garder eux-mêmes les yeux tournés vers l'avenir. Ils doivent se rendre capables par l'étude et par une certaine qualité spirituelle de l'âme, de vision à long terme, de hardiesse dans la conception de l'avenir, d'une action énergique pour préparer résolument le monde de demain. Il y faut de la vision et de l'étude. Un vernis de culture, quelques leçons suivies dans les facultés parmi les charges d'un enseignement sont des moyens dérisoires, lorsqu'on songe à l'ampleur des responsabilités qui pèsent sur les éducateurs du monde contemporain. Il faut une grande inconscience pour croire qu'une culture s'acquiert par des expédients. Et que l'on n'invoque pas ici, comme le font certaines communautés enseignantes, l'urgence des besoins immédiats et l'augmentation des effectifs scolaires. La nécessité la plus pressante du Canada français, en cette matière, c'est un plus grand nombre de maîtres compétents, qui ont mis le temps et la réflexion indispensables à l'acquisition d'une culture authentique. Ceux-là seuls parviendront à comprendre la situation culturelle de notre époque et pourront y jouer un rôle créateur au lieu d'être les victimes de changements qu'ils redoutent sans les comprendre.[2]

Tiré de Problèmes de culture au Canada français, *par Pierre Angers. Montréal: Librairie Beauchemin Ltée, 1960. Tous droits réservés.*

Questions

1. D'après l'auteur, dans quel champ d'activité est-il très important de posséder une solide culture?
2. Quels rapports existent, d'après vous, entre la culture et l'éducation?
3. A quelles conditions pouvons-nous comprendre notre époque et y jouer un rôle créateur?

[2]*au lieu d'être. . . les comprendre:* instead of being the victims of changes which they dread without understanding.

Vers un Québec fort

JEAN-LUC PÉPIN (1924-   ), professeur et homme politique, s'est souvent prononcé sur les problèmes essentiels du Canada français d'aujourd'hui.

Une nation forte sur le plan de la culture, cela désigne donc une communauté qui a le sens, le souci passionné des choses de l'esprit, qui est sensible à la qualité sur tous les plans, qui d'autre part est ouverte elle-même à la vie intellectuelle, à la création intellectuelle, et qui surtout, sait penser et s'exprimer tout à la fois avec richesse, avec précision et aussi avec une certaine virtuosité. C'est ainsi que l'on peut définir dans quelle mesure une nation donnée peut prétendre être sur la voie d'un réel progrès culturel. Il ne s'agit pas comme on a parfois tendance à le faire, de dénombrer les écrivains, les artistes, les penseurs que tel groupe peut produire à telle époque; il s'agit de prendre la mesure de la nation toute entière,[1] de la communauté, sur le plan de ses préoccupations spirituelles, sur le plan de son propre souci des choses de l'esprit. Bien sûr, la mesure dans laquelle, à une époque donnée, un pays donne au monde une floraison de penseurs, d'écrivains, d'artistes dans tous les ordres, est une autre indication permettant de situer l'état de développement intellectuel de ce groupe ethnique. Mais le critère fondamental, c'est la mesure dans laquelle le groupe ethnique en général, la com-

[1] *il s'agit. . . toute entière*: it is a question of assessing the nation as a whole.

munauté comme telle, a le souci des choses de l'esprit, sait penser, sait créer et sait exprimer sa pensée et ses créations.

Ici, nous rejoignons, à propos de l'expression, le problème fondamental à mon sens du Canada français d'aujourd'hui. C'est le problème de la langue. Mais un problème qui dépasse la langue elle-même puisqu'elle pose le problème de l'affirmation d'une communauté nationale. On est trop enclin à oublier en effet que la langue n'est pas uniquement un moyen de communication, qu'elle n'a pas uniquement une vocation sociale, un rôle social, mais que bien avant d'être un moyen de communication, elle est d'abord un instrument d'expression. C'est dans la mesure où l'homme sait penser, qu'il peut également s'exprimer. La qualité de la langue d'un groupe ethnique nous permet, dans la plupart des cas, de le juger. Écoutez parler une nation et vous saurez quel est son degré d'évolution intellectuelle, quelle est la mesure de ses préoccupations spirituelles ou culturelles. Vous pourrez même deviner parfois quels sont ses drames, quel est son voisinage, quelles sont ses difficultés. En d'autres termes la langue me paraît être le véritable miroir d'une nation. Il en est d'autres bien sûr, mais je crois que la langue est le miroir le plus fidèle d'une nation. Je ne veux pas prétendre bien sûr qu'il suffit d'écouter parler un peuple pour le connaître parfaitement. Dès lors qu'on se livre à une enquête approfondie, il faut évidemment interroger l'histoire, interroger les statistiques, les institutions politiques d'un peuple. Mais si vous voulez simplement savoir quelle est la situation culturelle de ce groupe ethnique, dans quelle mesure il a le souci, la passion des choses de l'esprit, dans quelle mesure également il est capable d'une réflexion ou d'une pensée profonde, et dans quelle mesure il est capable d'exprimer spontanément sa pensée avec la richesse qu'il voudrait y apporter et de le faire dans la lumière de son génie propre, de son génie national, il vous suffira alors de l'écouter parler.

Bref, je crois que le problème de la culture au Canada français est d'abord un problème d'ordre national, qu'il est intimement lié aux structures politiques et économiques du Canada français. Un peuple ne peut pas être un foyer rayonnant sur le plan culturel, avoir le goût attentif, passionné des choses de l'esprit, être un milieu créateur, s'il n'a pas la maîtrise de son destin dans toute la mesure où le permettent les conditions du monde actuel. Et c'est lorsqu'il a retrouvé cette maîtrise, lorsqu'il a retrouvé la dignité qui est inséparable de toute nation digne de ce nom, qu'il retrouve en même temps la ferveur indispensable à l'accomplissement des grandes oeuvres dans l'ordre de l'esprit.

Tiré de Vers un Québec fort, *par Jean-Luc Pépin. Trois-Rivières: La Fédération des Sociétés Saint-Jean-Baptiste, 1962. Tous droits réservés.*

Questions

1. Quels sont les rapports entre le langage et la culture, tels qu'exprimés dans le texte?
2. D'après vous, est-ce que le domaine culturel peut être isolé facilement des domaines politiques et économiques? Donnez vos raisons.
3. Pourquoi l'auteur affirme-t-il que la langue est le véritable miroir de la nation?

L'Homme face à la télévision

FERNAND BENOIT (1931-   ) décrit, dans l'extrait qui suit, les effets culturels et sociologiques qu'entraînera l'utilisation croissante des satellites et des nouvelles techniques de télé-communication dans le domaine de la diffusion des idées. Il nous décrit la réalité prochaine et fantastique de la mondovision. L'auteur s'intéresse surtout à la sociologie et aux problèmes sociaux que suscitent les découvertes modernes.

Le XXe siècle connaîtra l'ère de la mondovision. Les divers perfectionnements techniques dans le domaine des communications intercontinentales rendront possibles non seulement les échanges amicaux qui ont présidé à la naissance des satellites Telstar et Relay, mais favoriseront aussi la diffusion mondiale d'émissions porteuses de messages émanant de différents pays. Avec la mondovision, nous entrerons dans l'ère des interactions culturelles à dose massive et régulière. Sans jouer les prophètes de malheur, nous pouvons, dès maintenant, détecter deux problèmes graves que soulèveront inévitablement les rapports nouveaux entre les cultures différentes. Les nécessités de la diplomatie internationale et les intérêts commerciaux ou politiques amèneront les diffuseurs en télévision à atténuer sinon à édulcorer les effets d'une communication franche de traits culturels, d'idées et de valeurs autochtones. Dans l'ère de la mondovision, l'exotisme (cette notion si commode qui nous fait accepter la vision de certaines moeurs étrangères) disparaîtra puisque la connaissance exacte, directe des réalités indigènes deviendra accessible à tout le monde. Les plaies sociales de certains pays risqueront d'apparaître aux yeux de l'univers et surtout les peuples pourront comparer plus facilement leurs modes de vie et leurs stades de développement. Des pressions s'exerceront pour que les diffuseurs en télévision ne favorisent que la transmission de valeurs culturelles *idéalisantes* donc tronquées d'une part importante de vérité. Comme, par souci de diplomatie et de fierté nationale, on cherchera plutôt à présenter les aspects qui valorisent et unissent au détriment des valeurs authentiques qui risquent de marquer les différences, les particularités culturelles de chaque nation risqueront de sombrer dans une uniformisation à l'échelle planétaire, dans une standardisation nettement dangereuse puisque superficielle.

Un autre problème, grave à notre avis, résiderait dans la situation nouvelle créée par les interactions culturelles incessantes. C'est que les milieux culturels forts auraient tendance à submerger les milieux culturels faibles. L'acculturation ne jouerait qu'en un seul sens.[1] Les peuples aux racines peu profondes ou sans grande maturité nationale seraient incapables de faire face à l'invasion anarchique et intempestive des valeurs étrangères. Ils ne pourraient également transmettre aux autres des valeurs autochtones vraiment originales et enrichissantes.

Au terme de cet ouvrage, nous ne pouvons que mieux peser la gravité de ces problèmes. Telstar, Relay et les autres satellites de communication qui naîtront bientôt nous obligent à faire le point, nous forcent à réfléchir aux conséquences culturelles des inventions scientifiques de l'homme d'aujourd'hui. La terre devient une toile d'araignée tissée par l'homme. Il ne faudrait pas que cette toile l'étouffe. L'homme ne vit vraiment et ne crée vraiment que dans la liberté totale. Si la télévision peut entraver cette liberté, elle peut aussi la favoriser. Encore faut-il connaître non seulement la nature de cette machine, mais aussi les profonds mécanismes mentaux et affectifs de l'homme qui jouit de cette invention...

Si nous nous inquiétons à l'idée que le téléspectateur, tout en

---

[1]*L'acculturation. . . seul sens*: The process of one culture adapting to another would work only in one direction.

s'insérant dans une vie imaginaire, s'imagine vivre la réalité quotidienne, peut-être deviendrons-nous plus sensibles aux moyens proposés par les techniques de l'éducation populaire qui peuvent amener le téléspectateur à une perception plus aiguë et plus réfléchie des images-symboles que lui offre une télévision, miroir de toutes les valeurs, de toutes les idées, de tous les sentiments qui parcourent le monde.

Et si un jour l'homme d'ici, l'homme canadien-français, aux racines revivifiées, créait ses propres valeurs pour vivre en harmonie avec lui-même, avec son milieu, pour vivre à l'échelle du monde, pour participer à l'évolution du monde...

Tiré de L'Homme face à la télévision, *par Fernand Benoit. Montréal: Éditions Fides, 1964. Tous droits réservés.*

Questions

1. Quelles seront les principales conséquences de la mondovision décrites par l'auteur?
2. Quels grands services la mondovision peut-elle rendre dans le domaine des échanges culturels?
3. A quelles conditions les Canadiens français pourront-ils jouer un rôle dans le nouveau monde créé par la mondovision?

Sous le soleil de la pitié

JEAN-PAUL DESBIENS (1927-   ), mieux connu sous le nom de Frère Untel, est professeur et auteur. Dans son premier livre, *Les Insolences du Frère Untel*, il exposait avec une grande lucidité les problèmes de la langue et de l'éducation au Québec. Le passage qui suit est extrait de son ouvrage le plus récent, *Sous le soleil de la pitié*, dans lequel l'auteur nous livre ses réflexions sur les changements profonds en cours au sein de la société québécoise.

Il faudrait, maintenant que nous avons bien parlé, bien réclamé, maintenant que nous nous sommes bien psychanalysés collectivement sur le sofa du journalisme, identifier clairement les moyens pratiques d'atteindre le but que nous visons. Ces moyens se ramènent à un seul: l'acquisition de la compétence. Le fait est indiscutable: le travail se déplace vers le secteur des services. On dit que bientôt 75% de la main-d'oeuvre sera affectée aux services. Mais encore une fois, les emplois du secteur des services exigent une longue scolarité, de l'organisation, de la discipline. On pourrait me faire dire que je ne crois qu'aux I.B.M. Ce serait une blague: les I.B.M. sont pour moi un symbole, le symbole d'une société où l'activité principale sera de comprendre ou de s'ennuyer. On n'a pas encore trouvé d'autre moyen, pour arriver à comprendre, que de s'asseoir et d'étudier. C'est là que les jeunes doivent investir leur seule richesse spécifique: quelques années de disponibilité. Les adultes eux-mêmes devront d'ailleurs retourner à l'école. Quant à savoir qui décidera des structures politiques et économiques, nous en reparlerons dans quelques années. Nous serons à ce moment-là capables d'en parler sans devoir recourir au chantage: du français ou des bombes.

Je ne prétends pas posséder de secret magique, mais je crois avoir identifié la mauvaise option: la solution globale, qui est une solution littéraire, littéraire de chapelle ardente. Je crois aux I.B.M. et à la santé. Je ne crois pas aux petits bourgeois bourrés de complexes[1] qui veulent convoquer la nation à régler leurs problèmes personnels. Pour se sentir *pur intellectuel de gauche*, la condition nécessaire, c'est d'être né dans la bourgeoisie. C'est à cette condition seulement qu'on peut se forger une nouvelle nature en reniant férocement l'ancienne. Mais quand on est né dans la pauvreté, on n'a pas besoin de renier sa naissance pour se guérir de la culpabilité d'être né bourgeois et d'avoir fait son cours classique.

Passé trente ans, on n'est plus jeune, inutile de se leurrer. Infinie tristesse de ces adultes qui mendient leur place dans la jeunesse. On fausse tout le monde avec cette mentalité. On laisse croire que la jeunesse est une valeur absolue. La valeur absolue, ce n'est pas la jeunesse, c'est l'accomplissement.[2] Qu'on ne fasse surtout pas de bouffonnerie sur la *jeunesse d'esprit*. A 40 ans, et souffleux, on se rabat sur sa jeunesse d'esprit. Pourquoi ce cramponnement à une valeur relative? Si l'âge n'apporte rien, la jeunesse, symétriquement, n'a pas de sens. Car enfin, on ne peut pas s'installer dans sa jeunesse.

Quoi dire aux pépères? Ceci: croyez en votre âge.[3] Les jeunes ont besoin de vous, tels que vous êtes. Des copains et des copines, ils en ont plein les rues et plein les salles de cours. Ils savent plus de chose que vous en physique, en chimie et en littérature, c'est évident. Mais ils sont moins avancés que vous par rapport aux problèmes fondamentaux. Être contemporains de la physique nucléaire ne confère aucune avance à la jeune fille ou au jeune homme confrontés, par exemple, au problème de l'amour. Écoutez les chansons: le rythme a changé, mais non point l'in-

[1]*Je ne crois. . . complexes*: I don't believe in these lower-middle-class types who are stuffed with complexes.
[2]*La valeur. . . l'accomplissement*: The absolute value is not youth but achievement.
[3]*Quoi dire. . . votre âge*: What can we say to old has-beens? This: have faith in your years.

spiration. Françoise Hardy raconte la même chose que la Rina Ketty de ma jeunesse. C'est toujours la même émouvante fringale, car elle est émouvante et non point méprisable.

Il est faux de dire que les jeunes ne respectent pas l'autorité. Autorité vient de auteur. L'étymologie dit assez que l'autorité est phénomène d'esprit. L'esprit est premier partout ou il n'est rien. Esprit, c'est liberté et justice. Personne n'a d'autorité s'il n'est serviteur de l'esprit. La crise de l'autorité, c'est la crise des valeurs. Les jeunes sont purs, mais ils sentent qu'ils risquent de faire comme tout le monde. Ils cherchent désespérément des preuves, plus haut, que l'esprit existe. Si vous avez vieilli, si, en tout cas, vous avez duré au service de l'esprit, vous avez de l'autorité. « L'âge est respecté partout, et très exactement,» dit Alain, « dès que le pouvoir ne déshonore pas l'âge.»

Tiré de Sous le soleil de la pitié, *par Jean-Paul Desbiens. Montréal: Éditions du Jour, 1965. Tous droits réservés.*

Questions

1. De quelle façon la description de la jeunesse bourgeoise dans ce texte vous semble-t-elle réaliste?
2. Donnez votre avis au sujet des conseils donnés par l'auteur aux adultes.

La Jeunesse québécoise est bruyante

GILLES CONSTANTINEAU (1933-   ) est poète et journaliste. Il a signé plusieurs reportages et chroniques ayant trait à divers aspects des problèmes économiques, politiques et sociaux au Québec.

Elle a pour elle, d'abord, le nombre. Selon le recensement de 1961, les jeunes âgés de vingt-quatre ans et moins constituent environ 51 pour cent de la population totale du Québec (en Ontario: 45 pour cent). L'avantage proportionnel se maintient à l'âge où les jeunes font le plus de bruit. Les Québécois âgés de quinze à vingt-quatre ans composent à peu près 15 pour cent de la population (en Ontario: 13 pour cent).

Ces jeunes, on parle d'eux depuis quelques années comme on ne l'a jamais fait auparavant. Les grands moyens d'information[1] ont doublé l'attention qu'ils leur consacraient. Les sages se sont penchés sur eux: avec tendre inquiétude, comme André Laurendeau,[2] ou dédain pusillanime, comme Gérard Pelletier.[3] Les jeunes du Québec ont dans les journaux des pages complètes, à la radio et à la télévision des services et des émissions entièrement axées sur leur activité, sur leurs aspirations, leurs goûts, leurs dadas parfois. Ouvrent-ils la bouche? On leur tend les micros, on note leurs propos, on les enregistre, on les filme.

[1]*Les grands moyens d'information*: the important news media.
[2]*André Laurendeau*: a lawyer, journalist, and writer, and co-chairman of the Royal Commission on Bilingualism and Biculturalism.
[3]*Gérard Pelletier*: a journalist and politician.

S'agitent-ils? Cela suffit à piquer l'intérêt des goinfres de l'information que sont les Américains: à la fin de 1964, un de leurs réseaux avait envoyé une équipe de cinéastes passer plusieurs semaines à courir les manifestations de jeunes et à les filmer en couleurs.

S'ils font parler d'eux, ils aiment bien aussi en parler eux-mêmes. Étudiants, ils dirigent d'innombrables journaux, aux échelons secondaire et universitaire. J'ai vu, lors d'un congrès de ce qui s'appelait à l'époque la Presse étudiante nationale (PEN), des délégués de divers établissements d'enseignement fournir une attention extraordinaire et presque fascinée durant les séances où on leur dévoilait les techniques particulières à la fabrication d'un journal. Résultat: plusieurs journaux étudiants ont une tenue à faire pâlir d'envie les « professionels » de certaines hebdos à grand tirage.

Les jeunes Québécois font l'exploration d'une liberté nouvellement acquise. Dans le journalisme, elle est souvent coûteuse. Depuis quelques années, tous les ans, l'équipe de rédaction du *Quartier latin*,[4] à l'université de Montréal, démissionne après deux ou trois mois. Les tentatives de censure, si loin qu'elles s'exercent, défraient périodiquement la chronique provinciale. Le ton de certains articles frôle parfois l'anarchie ou la vulgarité. On se corrige, on recommence ou on se rebiffe.

Sous le signe non seulement d'une liberté toute neuve, mais aussi d'une solidarité qui ne se manifestait pas auparavant, qui ne se souvient des trois étudiants qui avaient fait le piquet aux portes de l'Hôtel du Gouvernement,[5] en 1958, parce que le chef du gouvernement de l'époque refusait de recevoir une délégation qui voulait l'entretenir de la gratuité scolaire? Et qui n'avait l'appui moral que de quelques copains?

En 1964, c'est à une marche sur Québec que la même revendication donna lieu. Des milliers d'étudiants vinrent à la « Vieille » Capitale de tous les coins de la province, redécouvrant un esprit de fraternité qui en était au dernier point de l'étiolement.

---

[4]*Quartier latin*: a newspaper published by students of the University of Montreal.
[5]*l'Hôtel du Gouvernement*: the parliament buildings in Quebec City.

Liberté presque absolue et, en certaines occasions, naïvement exploitée. Comme pour souligner les difficultés que rencontrait l'établissement des régionales, adolescents et adolescentes de quelques écoles de Sorel[6] débrayaient[7] en avril 1964, en criant dans les rues qu'ils ne demandaient rien de moins que la démission du président de la Commission scolaire et le limogeage[8] de certains professeurs. A une équipe de reportage qui l'avait interviewé sur les lieux, un jeune homme de dix-sept ans avait ainsi défini le rôle qu'il jouait dans l'affaire: « Moi, monsieur, je suis agitateur.»

Les jeunes Québécois sont intransigeants. A peine fondée, l'Union générale des étudiants du Québec ouvre-t-elle ses portes aux institutions de langue anglaise, Sir George Williams University y adhère même si, fondamentalement canadienne-française, l'Union ne reconnaît que le français comme langue de travail. Et McGill, où l'adhésion est mise aux voix, décide-t-elle par quelques centaines de suffrages de ne la point donner. Au sein de ses étudiants des protestations s'élèvent: le scrutin a été marqué d'irrégularités, il sera repris.

La force numérique n'explique pas tout. Les travaux de la Commission Parent, qui ont entraîné la mise en oeuvre de réformes profondes dans le domaine tout entier de l'éducation, ont par ricochet donné aux jeunes du goût pour l'autodétermination en même temps que beaucoup d'assurance, en désacralisant des valeurs, des notions traditionnellement respectées mais devenues étouffantes.

Quand, en 1965, l'Association générale des étudiants de l'université de Montréal annonça qu'elle cessait de contribuer à l'entretien d'un aumônier catholique, la nouvelle fut reçue avec quelque stupeur, bien que la décision fût en principe défendable. Pourtant la « déconfessionnalisation » des corps publics ou intermédiaires était à l'ordre du jour; elle avait été réclamée par certains membres de la Société Saint-Jean-Baptiste de Montréal[9]

---

[6]*Sorel*: an industrial town between Montreal and Quebec City.

[7]*débrayaient* (or *désembrayaient*); literally "released the clutch". Used here as a colloquialism for "went on strike".

[8]*le limogeage*: the replacement.

[9]*la Société Saint-Jean-Baptiste de Montréal*: a French-language patriotic society.

et avait donné lieu à un schisme dans cet organisme; cinq ans plus tôt le Syndicat des journalistes de Montréal avait résolu de se départir des services d'un aumônier particulier; et la Confédération des travailleurs catholiques du Canada était devenue tout simplement, par la suite, la Confédération des syndicats nationaux. Ce qui étonnait, c'était ce radicalisme soudain chez des étudiants qui depuis trente ans semblaient congénitalement atteints d'anémie politique.

Les jeunes du Québec, bruyants et dynamiques, sont séduits par la connaissance scientifique et par tout ce qui demande une application technique soutenue. Sous les auspices de l'ACFAS, les jeunes scientifiques tiennent, depuis trois ans, des congrès d'une envergure à laquelle ils ne parviendraient pas sans les innombrables travaux de recherche et d'observation auxquels les participants se livrent. Sous un autre rapport, les cinéastes amateurs sont devenus légion: ils ont maintenant leur association, ainsi que leur festival annuel.

Cependant il faudra finir par croire que l'art naît de la contrainte et que l'époque actuelle, qui en est une de défoulement et de libération, n'est pas favorable à l'éclosion du génie en littérature ou en arts plastiques. Certes les travaux sont aussi nombreux, les efforts aussi généreux qu'autrefois. Mais la liberté d'expression totale et presque systématique n'est pas assimilée encore dans ces domaines, si tant est qu'elle puisse un jour donner des fruits imprévisibles. Ceux qui s'affirment, peintres, graveurs, sculpteurs, poètes et romanciers, s'éloignent déjà de la vingtaine. Chez les plus jeunes, la diminution des contraintes atténue la rigueur personnelle et l'acharnement. Je connais de bienfaisantes exceptions; mais pour un génie qui s'impose doucement, il existe cent énergumènes qui font plus de vent que d'oeuvre. « Wisdom is silent,» écrivait Henry Miller, et quand le génie devient collectivement bruyant, il faut chercher ailleurs la sagesse et le recueillement de la culture.

J'ai dit que la force numérique n'expliquait pas tout: mais elle est désormais politique. La nouvelle législation habilite à voter les jeunes de dix-huit ans et plus. En 1962, cela donnait 277,500 nouveaux électeurs, qui représentaient 9.6 pour cent de la population électorale totale du Québec. On a calculé que les électeurs âgés de dix-huit à trente-cinq ans formaient plus que le tiers de l'effectif électoral québécois.

Nerveuse, bruyante, active et intransigeante, la jeunesse du Québec ne s'apaisera peut-être qu'une fois parachevées les réformes mises en route dans le domaine de l'éducation, encore que ces mêmes réformes puissent servir de ferment à des revendications plus poussées. Dans l'intervalle, elle est devenue corps électoral; elle pourrait bousculer des programmes ou faire basculer des partis politiques.[10]

Il n'est pas une jeunesse au monde qui en quatre ou cinq ans à peine, ait fait l'acquisition de tant de liberté, de tant de droits et de tant de privilèges même, et qui ait pu les exercer, au fond, en si indulgente atmosphère.

Tiré de « La Jeunesse québécoise est bruyante », par Gilles Constantineau, dans Culture vivante, *No. 1. Québec: Ministère des Affaires culturelles du Québec, 1966. Tous droits réservés.*

Questions

1. En vous appuyant sur ce qu'en dit le texte, dites si l'intérêt que suscitent les jeunes est motivé.
2. En quoi les jeunes Québécois font-ils « l'exploration d'une liberté nouvellement acquise »?
3. Qu'est-ce qui se cache sous l'intransigeance des jeunes Canadiens français? Y voyez-vous plus d'éléments négatifs que positifs? Pour quelles raisons?

[10]*elle pourrait. . . partis politiques*: it could upset party platforms or swing political parties.

La Guilde de Povungnituk, dynamique et diversifiée

JACQUES ROUSSEAU (1905-   ), botaniste, professeur et ethnologue, a organisé et pris part à de nombreuses expéditions scientifiques à travers les Amériques et l'Europe. Il est l'auteur de plusieurs monographies et ouvrages scientifiques. Il fut directeur du Jardin Botanique de Montréal de 1944 à 1957; de 1957 à 1959, il fut conservateur du Musée de l'Homme (Musée National) à Ottawa. Le docteur Rousseau a aussi enseigné au Centre d'études arctiques de Paris. Il est actuellement titulaire de recherches au Centre d'études nordiques de l'Université Laval à Québec.

Après le dégel, en 1948, je faisais chaudière[1] à Povungnituk, petit poste perdu au nord du Québec sur la baie d'Hudson. Je revois les rares tentes d'alors, – trois ou quatre, – fouettées par le vent de la toundra, les peaux de loups-marins séchant au soleil, et les guirlandes de muktok pour les prochains repas. Relais esquimau typique, sans histoire et probablement sans avenir.

L'heure était venue de me séparer de Koperkaoluk, compagnon d'un portage qui nous avait menés jusqu'aux sources de la Kogaluk. Deux semaines de salaire, en espèces sonnantes, d'abondantes provisions, une poche de farine en pourboire, le voilà riche! Il peut remiser quelque temps son kayak et se payer des loisirs! Avec une lime et un couteau, il s'amuse à sculpter des pièces de stéatite, d'une allure extraordinaire. Après le passage

---

[1] *je faisais chaudière*: an expression used by explorers and *coureurs de bois. Faire chaudière* means to stop for a while, build a fire, and cook some food.

de James Houston,[2] la même année, et sous son impulsion, d'autres également doués à des degrés divers, s'essaient à animer la pierre tendre.[3]

A cette époque, l'art esquimau du Québec semblait voué à la disparition. On déplorait la mort du plus brillant sculpteur d'ivoire de Sugluk, dont je conserve religieusement les dernières pièces. L'éventuel acheteur de passage, désireux d'apporter un souvenir du pays, devait se contenter des têtes de morses et des kayaks stéréotypés de la Terre de Baffin. Fort heureusement, Povungnituk, l'isolée, prit la relève[4] et son abondante production compte parmi les plus riches du folklore esquimau. Nous assistons à un élan communautaire, à la création d'une école autonome où les styles individuels s'expriment en toute originalité et liberté. Le phoque ocellé ne domine plus l'économie locale. L'art à Povungnituk offre un appoint important. La sculpture continue à gagner du terrain, mais l'Esquimau ne s'y confine pas. La gravure lui offre un nouveau mode d'expression.

La sculpture de stéatite, de serpentine ou d'os de baleine, malgré la dimension accrue des pièces récentes restait un art traditionel. La gravure, par contre, constitue un apport étranger. Faut-il s'en émouvoir et crier à l'artificiel? Il est illusoire de confiner l'indigène à l'état figé de pièce de musée. Qu'on le regrette ou non, il évolue et l'acculturation est non seulement légitime, mais aussi inéluctable chez lui que chez le Blanc. Respectons ses valeurs ancestrales, sa civilisation propre qui enrichissent le patrimoine national, mais ne le tenons pas à l'écart des techniques nouvelles où le génie de sa race peut s'exprimer.

Il était habitué à travailler la pierre tendre, il s'en servait à l'occasion pour de simples pétroglyphes, il lui restait à s'initier aux secrets de la lithographie et à découvrir le transfert des surfaces encrées. Viktor Tinkl, originaire de Tchécoslovaquie, devint le guide éclairé des graveurs, et il accomplit sa tâche en respectant leur personnalité. Celui qui connaît l'ancienne sculpture de cette région, où se risquait autrefois à peine un visiteur

---

[2]*James Houston*: a contemporary artist who helped to promote Eskimo art.
[3]*animer la pierre tendre*: to give life to the soft stone, i.e., steatite.
[4]*prit la relève*: took over the task.

par année, retrouve dans la gravure actuelle une filiation authentique, une facture qui ne puise pas servilement aux sources étrangères.[5] Les styles sont individuels. Voyons, par exemple, les oeuvres de Juanisialu, Talirunili, Jajuili Arpata, Davidialu, Kuananaapi, Leah Kumalu, Kuamana et les autres.

La gravure à Povungnituk commence en 1961. La première exposition, printemps 1963, groupait toutes les pièces de l'année précédente. Le catalogue des travaux de 1963 que présente la guilde (en 1964) reproduit soixante oeuvres de seize artistes qui partagent leur temps entre la chasse et la nouvelle activité. Le tirage se limite à trente impressions de chacune, puis, comme la matière est précieuse, la pierre rabotée sert de nouveau jusqu'à ce qu'elle soit trop mince: alors on la détruit.

Pour la première fois, la Coopérative de Povungnituk vole de ses propres ailes. Les Esquimaux de ce centre, où le père Steinmann a joué le rôle de catalyseur, administrent eux-mêmes leurs affaires, qu'il s'agisse de production artisanale ou de fourrures, et ils ont désiré prendre leurs responsabilités.

A côté d'animaux stylisés ou mythologiques, nous trouvons des anecdotes, des légendes, complétées parfois par un texte en syllabique, des scènes saisissantes de vie, un mouvement endiablé, de l'humour noir et de l'humour tout court, des compositions à facettes multiples où figure même le maringouin ironique et nonchalant. Jamais un arbre, parfois un arbuste, car nous sommes dans la toundra où la végétation tapisse le sol.

Les dessins sont de la même veine que l'ancienne gravure sur défense de morse, – apparentée aux graffiti de la préhistoire, – et les appliqués de peaux de phoque, deux formes d'art que j'ai vu disparaître. Ils rappellent aussi de très près la stéatite sculptée. Une gaucherie de primitif côtoie un raffinement consommé. Certaines pièces sont entièrement dégagées, d'autres, en guise d'encadrement, conservent leur gangue,[6] – une caractéristique de Povungnituk. Tantôt la forme de la pierre détermine le choix du sujet à représenter, tantôt c'est l'anatomie qui se plie à la forme de la pierre. Des pièces hiératiques, sans perspective,

---

[5]*une facture. . . étrangères*: a technique which does not slavishly draw on foreign sources.
[6]*en guise d'encadrement. . . gangue*: by way of a frame, retain their original shape.

comme les voulait l'Égyptien, mais, également, des raccourcis, qui apparaissent depuis peu. Certaines compositions, auréolées de dignité, pourraient entrer de plein pied dans l'iconographie religieuse de qualité. On a parfois nié à l'Esquimau le sens de la composition, quand en réalité il en possède un, bien à lui, dégagé de nos conventions. Certains tableaux représentent simultanément des scènes d'hiver et d'été. Les deux saisons chevauchent presque en pays nordique. Les hivers disparaissent d'un bond, les étés s'envolent en un soir. Les psychologues scruteront le caractère indigène, les ethnologues y trouveront une mine de renseignements et l'amateur d'art beaucoup de joie.

La guilde de Povungnituk, dynamique et diversifiée, est une réalité.

Tiré de «La Guilde de Povungnituk, dynamique et diversifiée. . .» par Jacques Rousseau, dans Povungnituk 1964. Québec: La Société Coopérative de Povungnituk. Tous droits réservés.

Questions

1. L'abondante production de l'art esquimau risque-t-elle de provoquer sa décadence? Donnez les raisons pour votre réponse.
2. Quels sont les principaux matériaux utilisés par les Esquimaux pour la sculpture et la gravure?
3. Quelles sont les principales sources d'inspiration de l'art esquimau?
4. Dans l'ensemble, l'art esquimau est-il figuratif? Pourquoi?

Bibliographie: Vie intellectuelle et artistique

Éducation

Angers, Pierre, *L'Enseignement et la société d'aujourd'hui*. Montréal: Éd. Ste-Marie, 1961. 46 pp.

———, *Reflexions sur l'enseignement*. Montréal: Éd. Bellarmin, 1963. 204 pp.

Audet, Louis-Philippe, *Histoire de l'éducation au Québec*, cahier no. I. Montréal: Centre de Psychologie et de Pédagogie, 1966. 75 pp.

———, *Le Système scolaire de la province de Québec*. Québec: Éd. de l'Érable, 1950-5. 5 vols.

Bessette, Gérard, *Les Pédagogues*. Montréal: Cercle du Livre de France, 1961. 309 pp.

Bonenfant, Fernand, *et al.*, *Cri d'alarme... La Civilisation scientifique et les Canadiens français*. Québec: Presses de l'Université Laval, 1963. 142 pp.

Bruchési, Jean, *Le Chemin des écoliers*. Montréal: Valiquette, 1944. 151 pp.

Chauveau, Pierre-Joseph-Olivier, *Charles Guérin*. Montréal: Cherrier, 1853. 309 pp.

———, *Instruction publique au Canada*. Québec: Côté, 1876. 367 pp.

De Cazes, Paul, *L'Instruction publique dans la province de Québec*. Québec: Dussault et Proulx, 1905. 67 pp.

Desbiens, Jean-Paul, *Les Insolences du Frère Untel*. Montréal: Éd. de l'Homme, 1962. 158 pp.

Desjardins, Georges, *Les Écoles du Québec*. Montréal: Éd. Bellarmin, 1950. 128 pp.

Fédération des Collèges Classiques, *Problèmes d'éducation*, document no. II. Montréal: La Fédération, 1960. 36 pp.

114 Bibliographie

Gagnon, Onézime, *Cultural Developments in the Province of Quebec.* Toronto: University of Toronto Press, 1952. 21 pp.

Gérin-Lajoie, Paul, *Pourquoi le Bill 60?* Montréal: Éd. du Jour, 1963. 142 pp.

Gosselin, Monseigneur Amédée, *L'Instruction au Canada sous le régime français.* Québec: Laflamme et Proulx, 1911. 501 pp.

Groulx, Chanoine Lionel-Adolphe, *L'Enseignement français au Canada.* Montréal: Granger, 1934-5. 2 vols.

Labarrère-Paulé, André, *Les Instituteurs laïques au Canada français, 1836-1900.* Québec: Presses de l'Université Laval, 1965. 471 pp.

————, *Les Laïcs et la presse pédagogique au Canada français au XIXe siècle.* Québec: Presses de l'Université Laval, 1963. 185 pp.

Laplante, Aurèle, *Les Associations parents-maîtres.* Montréal: Fides, 1964. 108 pp.

Lebel, Maurice, *Éducation et humanisme.* Sherbrooke: Éd. Paulines, 1966. 479 pp.

Lefebvre, Jean-Paul, *Les Adultes à l'école.* Montréal: Éd. du Jour, 1966. 128 pp.

Legendre, Napoléon, *Nos Écoles.* Québec: Darveau, 1890. 95 pp.

Lussier, Monseigneur Irénée, *L'Éducation catholique et le Canada français / Roman Catholic Education and French Canada.* Toronto: Gage, 1960. 82 pp.

Mackay, Jacques, *et al., L'École laïque.* Montréal: Éd. du Jour, 1961. 125 pp.

Magnan, Charles-Joseph, *A propos d'instruction obligatoire.* Québec: L'Action sociale, 1919. 120 pp.

————, *Éclairons la route.* Québec: Garneau, 1922. 246 pp.

Meilleur, Jean-Baptiste, *Mémorial de l'éducation au Bas-Canada.* Québec: Léger-Brousseau, 1876. 454 pp.

Morel, André, *et al., Justice et paix scolaire.* Montréal: Éd. du Jour, 1962. 173 pp.

Parmelee, G. W., *Education in the Province of Quebec.* Québec: Départment de l'Instruction publique, 1914. 156 pp.

Percival, W. P., *Across the Years.* Montréal: The Gazette, 1946. 195 pp.

Porter, Fernand, *Perspectives pédagogiques au Canada français.* Montréal: Éd. Franciscaines, 1954. 47 pp.

Roy, Monseigneur Camille, *Nos Problèmes d'enseignement.* Montréal: Lévesque, 1935. 221 pp.

Roy, Égide, *La Formation du régime scolaire canadien-français.* Québec: Laflamme, 1924. 259 pp.

Religion

Barbezieux, Alexis de, *L'Église catholique au Canada.* Québec: L'Action catholique, 1963. 133 pp.

Bourassa, Henri, *La Langue gardienne de la foi.* Montréal: L'Action française, 1918. 81 pp.

Dion, Gérard, *Le Chrétien et les élections.* Montréal: Éd. de l'Homme, 1960. 123 pp.

————, et Louis O'Neil, *Le Chrétien en démocratie.* Montréal: Éd. de l'Homme, 1961. 158 pp.

Gervais, Émile, *Les Six.* Montréal: Éd. Bellarmin, 1965. 128 pp.

Goyau, Georges, *Les Origines religieuses du Canada.* Québec: Laflamme, 1916. 2 vols.

Gosselin, Auguste, *L'Église du Canada depuis Monseigneur de Laval jusqu'à la conquête.* Québec: Laflamme et Proulx, 1911. 3 vols.

Groulx, Chanoine Lionel-Adolphe, *Le Canada français missionnaire.* Montréal: Fides, 1962. 532 pp.

Hamelin, Louis-Edmond, et Colette Hamelin, *Quelques matériaux de sociologie religieuse canadienne.* Montréal: Éd. du Lévrier, 1956. 156 pp.

Labrosse, Gérard, *Ma Religion est-elle en danger?* Montréal: Éd. de l'Homme, 1962. 108 pp.

Laflèche, Louis, *Quelques considérations sur les rapports de la société civile avec la religion et la famille.* Montréal: Sénécal, 1866. 268 pp.

Lanctôt, Gustave, *Situation politique de l'Église canadienne.* Montréal: Ducharme, 1942. 26 pp.

Mackay, Jacques, *Le Catholicisme un carcan.* Montréal: Éd. M.L.F., 1967. 23 pp.

Pagnuelo, Siméon, *Études historiques et légales sur la liberté religieuse en Canada.* Montréal: Beauchemin et Valois, 1872. 409 pp.

Porter, Fernand, *L'Institution catéchistique au Canada.* Montréal: Éd. Franciscaines, 1949. 382 pp.

Pouliot, Léon, *Monseigneur Bourget et son temps.* Montréal: Beauchemin, 1955. 203 pp.

Roy, Monseigneur Maurice, *Paroisse et démocratie au Canada français.* Montréal: Oeuvre des Tracts, 1950. 16 pp.

Roy, Paul-Émile, *L'Engagement chrétien.* Montréal: Fides, 1961. 214 pp.

Rumilly, Robert, *Monseigneur Laflèche et son temps.* Montréal: Simpson, 1945. 491 pp.

Saint-Martin, Fernande, *La Femme et la société cléricale.* Montréal: Éd. M.L.F., 1967. 16 pp.

Têtu, Henri, et C. O. Gagnon, *Mandements, lettres pastorales et circulaires des Évêques de Québec.* Québec: Côté, 1887-93. 8 vols.

Trudel, Marcel, *L'Église canadienne sous le régime français.* Montréal: Fides, 1956. 2 vols.

Arts

Barbeau, Marius, *Maîtres Artisans chez nous*. Montréal: Éd. du Zodiaque, 1942. 220 pp.

―――, *Painters of Quebec*. Toronto: Ryerson, 1946. 50 pp.

Daudelin, Robert, *Vingt Ans de cinéma au Canada français*. Québec: Éd. du Ministère des Affaires culturelles, 1966. 90 pp.

Depocas, Victor, *L'Architecture moderne au Canada français*. Québec: Éd. du Ministère des Affaires culturelles, 1966. 90 pp.

Folch-Ribas, Jacques, *Jordi Bonet, le signe et la terre*. Montréal: Centre de Psychologie et de Pédagogie, 1964. 77 pp.

Gauvreau, Jean-Marie, *Artisans du Québec*. Trois-Rivières: Éd. du Bien Public, 1940. 224 pp.

Gowans, Alan, *Church Architecture in New France*. Toronto: University of Toronto Press, 1956. 162 pp.

Hamelin, Jean, *Le Renouveau du théâtre au Canada français*. Montréal: Éd. du Jour, 1962. 160 pp.

―――, *Le Théâtre au Canada français*. Québec: Éd. du Ministère des Affaires culturelles, 1964. 84 pp.

Harper, J. Russell, *La Peinture au Canada des origines à nos jours*. Québec: Presses de l'Université Laval, 1966. 446 pp.

Hudon, Normand, *A la potence*. Montréal: Éd. A. la Page, 1961. 320 pp.

Jasmin, Claude, *Les Artisans créateurs*. Montréal: Éd. Lidec, 1967. 118 pp.

Lamy, Laurent, *L'Artisanat au Canada français*. Québec: Éd. du Ministère des Affaires culturelles, 1966. 96 pp.

Larsen, Christian, *Chansonniers du Québec*. Montréal: Beauchemin, 1964. 118 pp.

Lasalle-Leduc, Annette, *La Vie musicale au Canada français*. Québec: Éd. du Ministère des Affaires culturelles, 1964. 99 pp.

Maurault, Olivier, *L'Art au Canada*. Montréal: Éd. de l'Action canadienne-française, 1929. 310 pp.

Morin, Léo-Pol, *Musique*. Montréal: Beauchemin, 1945. 484 pp.

Morisset, Gérard, *Coup d'oeil sur les arts en Nouvelle-France*. Québec: Charrier et Dugal, 1941. 170 pp.

―――, *La Peinture traditionnelle au Canada français*. Montréal: Cercle du Livre de France, 1960. 220 pp.

Palardy, Jean, *Les Meubles anciens du Canada français*. Paris: Éd. Arts et Métiers Graphiques, 1963. 401 pp.

Robert, Guy, *L'École de Montréal*. Montréal: Centre de Psychologie et de Pédagogie, 1964. 150 pp.

―――, *Pellan, sa vie, son oeuvre*. Montréal: Centre de Psychologie et de Pédagogie, 1963. 135 pp.

Roussil, Robert, *Manifeste*. Montréal: Éd. du Jour, 1965. 96 pp.

Roy, Antoine, *Les Lettres, les sciences et les arts au Canada sous le régime français*. Paris: Jouve, 1930. 292 pp.

Roy, Pierre-Georges, *Les Monuments commémoratifs de la province de Québec.* Québec: Imprimeur du Roi, 1923. 2 vols.

Toupin, Paul, *Théâtre.* Montréal: Cercle du Livre de France, 1961. 208 pp.

Vaillancourt, Émile, *Une Maîtrise d'art en Canada, 1800-1823.* Montréal: Ducharme, 1920. 115 pp.

Vallerand, Jean, *Introduction à la musique.* Montréal: Éd. Chanteclerc, 1949. 268 pp.

Viau, Guy, *La Peinture moderne au Canada français.* Québec: Éd. du Ministère des Affaires culturelles, 1964. 96 pp.

Lettres

Baillargeon, Samuel, *Littérature canadienne-française.* Montréal: Fides, 1965. 525 pp.

Bellerive, Georges, *Brève Apologie de nos auteurs féminins.* Québec: Garneau, 1920. 137 pp.

Bosquet, Alain, éditeur, *La Poésie canadienne.* Montréal: Éd. H.M.H., 1966. 236 pp.

Brunet, Berthelot, *Histoire de la littérature canadienne-française.* Montréal: Éd. de l'Arbre, 1946. 186 pp.

Dantin, Louis, *Gloses critiques.* Montréal: Lévesque, 1931. 222 pp.

Dumont, Fernand, et Jean-Charles Falardeau, *Littérature et société canadiennes-françaises.* Québec: Presses de l'Université Laval, 1964. 272 pp.

Ethier-Blais, Jean, *Signets.* Montréal: Cercle du Livre de France, 1967. 2 vols.

Falardeau, Jean-Charles, *Notre Société et son roman.* Montréal: Éd. H.M.H., 1967. 240 pp.

Fraser, Ian Forbes, *The Spirit of French Canada: A Study of the Literature.* Toronto: Ryerson, 1939. 219 pp.

Grandpré, Pierre de, *Dix Ans de vie littéraire au Canada français.* Montréal: Beauchemin, 1966. 300 pp.

Halden, Charles ab der, *Études de la littérature canadienne-française.* Paris: De Rudeval, 1904. 352 pp.

Hamel, Réginald, *Cahiers bibliographiques des lettres québécoises.* Montréal: Centre de documentation des lettres canadiennes-françaises – Université de Montréal, 1966-7. 3 vols.

Hébert, Maurice, *Les Lettres au Canada français.* Montréal: Lévesque, 1936. 247 pp.

Lareau, Edmond, *Histoire de la littérature canadienne.* Montréal: Lovell, 1874. 496 pp.

Léger, Jules, *Le Canada français et son expression littéraire.* Paris: Nizet et Bastard, 1938. 211 pp.

Marcotte, Gilles, *Une littérature qui se fait*. Montréal: Éd. H.M.H., 1962. 292 pp.

Ottawa, Université d', Centre de recherches en littérature canadienne-française, *Le Roman canadien-français, évolution, témoignages*. Montréal: Fides, 1965. 458 pp.

Paradis, Suzanne, *Femme fictive, femme réelle*. Québec: Garneau, 1966. 330 pp.

Robidoux, Réjean, et André Renaud, *Le Roman canadien-français du vingtième siècle*. Ottawa: Éd. de l'Université, 1966. 224 pp.

Roy, Monseigneur Camille, *Essais sur la littérature canadienne*. Québec: Garneau, 1907. 376 pp.

Sylvestre, Guy, *Anthologie de la poésie canadienne-française*. Montréal: Beauchemin, 1963. 376 pp.

————, *Panorama des lettres canadiennes-françaises*. Québec: Éd. du Ministère des Affaires culturelles, 1964. 80 pp.

Thério, Adrien, *et al.*, *Livres et auteurs canadiens, 1961-1965*. Montréal: Éd. Jumonville, 1966. 5 vols.

Tougas, Gérard, *Histoire de la littérature canadienne-française*. Paris: Presses Universitaires de France, 1964. 309 pp.

Trudel, Marcel, *L'Influence de Voltaire au Canada français, 1760-1850*. Montréal: Fides, 1945. 2 vols.

Turnbull, Jane Mason, *Essential Traits of French-Canadian Poetry*. Toronto: Macmillan, 1938. 228 pp.

Viatte, Auguste, *Histoire littéraire de l'Amérique française*. Québec: Presses de l'Université Laval, 1954. 547 pp.

Culture et folklore

Angers, Pierre, *Problèmes de culture au Canada français*. Montréal: Beauchemin, 1960. 116 pp.

Barbeau, Marius, *Folklore*. Montréal: Académie canadienne-française, 1965. 1800 pp.

Baillargeon, Hélène, *Vive la Canadienne*. Montréal: Éd. du Jour, 1962. 152 pp.

Chartier, Monseigneur Émile, *La Vie de l'esprit au Canada français, 1760-1925*. Montréal: Valiquette, 1941. 355 pp.

Daigneault, Pierre, *Vive la Compagnie*. Montréal: Éd. de l'Homme, 1961. 128 pp.

Dawson, Nora, *La Vie traditionnelle à Saint-Pierre*. Québec: Presses de l'Université Laval, 1960. 190 pp.

Désy, Jean, *Les Sentiers de la culture*. Montréal: Fides, 1954. 224 pp.

D'Harcourt, Marguerite et Robert, *Chansons folkloriques françaises au Canada*. Québec: Presses de l'Université Laval, 1956. 449 pp.

Doucet, Alain, *La Littérature orale de la Baie Sainte-Marie.* Québec: Ferland, 1965. 112 pp.

Gagnon, Ernest, *Chansons populaires du Canada.* Montréal: Beauchemin, 1955. 250 pp.

Gaspé, Philippe-Aubert de, *Les Anciens Canadiens.* Québec: Le Foyer canadien, 1863. 369 pp.

Lacourcière, Luc (éditeur), *Archives de folklore.* Montréal: Fides, 1946-9. 4 vols.

Massicotte, Édouard-Zotique, *Conteurs canadiens-français du XIXe siècle.* Montréal: Beauchemin, 1908. 330 pp.

Montpetit, Édouard, *Propos sur la montagne.* Montréal: Éd. de l'Arbre, 1946. 178 pp.

Rivard, Adjutor, *Chez nos gens.* Québec: L'Action sociale catholique, 1918. 135 pp.

Roy, Carmen, *Littérature orale en Gaspésie.* Ottawa: Imprimeur de la Reine, 1962. 389 pp.

Roy, Paul-Émile, *Les Intellectuels dans la cité.* Montréal: Fides, 1963. 85 pp.

Young, Russell Scott, *Vieilles Choses et Nouvelle-France.* Québec: Presses de l'Université Laval, 1956. 129 pp.

Deuxième Partie

Vie sociale et économique

Introduction

Cette partie décrit le milieu canadien-français ainsi que la vie économique, financière et syndicale du Québec. On constatera qu'à la fin du XIXe siècle, la société québécoise est d'abord agricole; au XXe siècle, apparaissent l'industrialisation et son corollaire, l'urbanisation.

Or, à cette époque-là, la grande majorité des penseurs et des chefs canadiens-français croyaient encore que les Canadiens français étaient voués à l'agriculture. Quelques rares voix, celle d'Errol Bouchette,[1] entre autres, s'élevaient dans le désert et prônaient la nécessité de l'industrialisation; mais les chefs de file canadiens-français affirmaient que ce domaine était une chasse-gardée canadienne-anglaise. Les Canadiens français, eux, devaient se cantonner dans la sauvegarde de la Foi et de la langue française.

En dépit des admonestations des agriculturistes, l'industrie s'implanta dans la province de Québec.

C'est dans ce contexte que s'est édifiée la société canadienne-française contemporaine. Celle-ci possède donc les caractéristiques d'une société industrialisée. Les problèmes économiques et sociaux y sont nombreux et complexes.

[1]*Errol Bouchette* (1863-1912): a lawyer, author, and civil servant. He wrote extensively on French Canada's economic problems.

Afin de bien percevoir les progrès sociaux et économiques accomplis au Québec depuis environ cinquante ans, on peut comparer la description pastorale et idyllique de la campagne canadienne-française avec le texte sur le chantier de la rivière Manicouagan.[2] Il y a peine à croire qu'un bref intervalle de trente ans sépare ici deux conceptions de la vie: celle de la vie agricole et celle du chantier trépidant de l'industrie lourde.

En somme, contrairement à ce qu'on aurait pu croire, la société canadienne-française est le fruit du mouvement. Elle n'a pas cessé de bouger depuis le xixe siècle. Aujourd'hui elle est structurée selon des normes sociales nord-américaines.

Le principal handicap de l'économie canadienne-française à l'heure actuelle provient du fait que presque toute l'industrie du Québec (mines, raffineries, pâte à papier, etc.) relève du capital américain ou canadien-anglais.

Ce n'est que par un effort de très longue haleine que les Canadiens français peuvent espérer acquérir la maîtrise de la majorité des actions des compagnies établies sur leur sol. Le rachat des ressources naturelles constitue aussi une entreprise à long terme. Depuis quelques années, le gouvernement du Québec a créé des organismes, comme la Société Générale de Financement et la Société Québécoise d'Exploitation Minière, chargés de mener à terme cette tâche.

Le Canada français est aujourd'hui une société dynamique, en pleine crise de croissance, qui prend conscience d'elle-même; désormais, la douce ignorance des vrais problèmes est impossible. Le Québec doit reconquérir son industrie et ses richesses naturelles: c'est un empire à la découverte duquel il convie sa jeunesse.

---

[2]*le chantier de la rivière Manicouagan*: the work on the Manicouagan River, here referring to the construction of the hydro-electric power station north-east of Quebec City.

Campagne

Une Maison d'habitant en 1820

JOSEPH-EDMOND ROY (1858-1913) était notaire, archiviste et écrivain. Dans l'extrait reproduit plus bas, il décrit la maison du paysan canadien-français vers 1820.

L'habitant de Lauzon[1] possédait une bonne maison, chaude en hiver, fraîche en été. Cette maison, percée de larges fenêtres où entraient l'air et le soleil, mais bien protégée contre les saisons froides ou les tempêtes par des contrevents ou de lourds volets, était bâtie de pierres, ou encore, comme l'on disait alors, de pièces sur pièces, c'est-à-dire, en troncs d'arbres équarris, posés les uns sur les autres, avec un toit pointu à la façon normande, recouvert de bardeaux.

A quelques pas de la maison s'élevaient le fournil, la grange et l'écurie, la plupart du temps couverts de chaume, et cet ensemble de dépendances constituait ce que l'on appelle encore les bâtiments. On jugeait de l'aisance d'un habitant par le nombre et la grandeur de ses bâtiments.

Le Canadien n'avait pas le goût cependant de choisir une jolie situation pour sa maison d'habitation, soit à l'orée d'un bois, soit sur les bords d'un clair ruisseau. Il bâtissait de préférence sur la marge du grand chemin, sans souci de l'alignement ou du décor, cherchant surtout à se garer du vent dominant dans la localité. Il

---

[1]*Lauzon*: In 1820 Lauzon was a village across from Quebec City on the St. Lawrence River.

ignorait aussi l'art de grouper les dépendances de la ferme et de les entourer de bouquets de bois agréables à l'oeil. C'est tout au plus si, au commencement du siècle, on commençait à planter des peupliers de Normandie pour ornementer les longues avenues. Les anciens Canadiens avaient eu pendant si long-temps à subir les attaques des Indiens qui se tenaient embusqués dans les bois à deux pas de leurs habitations, que l'on ne saurait s'étonner de voir leurs descendants préférer la rase campagne ou la plaine nue aux massifs d'arbres ombreux.

L'intérieur de la maison de l'habitant canadien, doublé de planches de sapin, avec un plafond supporté par des poutres énormes, si on les compare à la hauteur et à la grandeur de l'appartement, est aussi simple que l'extérieur. Point de luxe, mais une grande propreté et beaucoup de confort. Dans la pièce d'entrée, qui sert à la fois de cuisine et de chambre à coucher, voici d'abord la large cheminée avec l'âtre ouvert et le foyer de pierres plates, la crémaillère et les chenets, la pelle à feu, le grand chaudron et les marmites, des poêlons et des lèchefrites, des tourtières, un gril, une bombe, tout un régiment d'ustensiles, car la batterie de cuisine de la ménagère canadienne a été de tout temps bien garnie. Au-dessus de la corniche, sont rangés les fers à repasser, un fanal de fer-blanc, des chandeliers.

On s'éclaire encore à la chandelle de suif que l'on fabrique à la maison; aussi voit-on dans les inventaires que chaque habitant possède un moule à chandelles. Quelques-uns ont aussi des lampes en fer où l'on fait brûler de l'huile de loup-marin. L'usage de la chandelle de baleine commence cependant à s'introduire. On ignore encore l'usage des allumettes et l'on se sert de loupes d'érable sèches pour allumer du feu à l'aide d'un briquet et d'une pierre à fusil.

Au fond de la pièce s'élève le lit du maître et de la maîtresse de la maison, le lit garni de la communauté, comme on dit solennellement dans les actes des notaires. C'est un véritable monument, dominé par un baldaquin, élevé de quatre ou cinq pieds, garni d'une paillasse de coutil, d'un matelas, d'un lit de plume, avec couvertes et draps de laine, des taies d'oreillers et un traversin couverts d'indienne rouge, puis la courtepointe. Dans cet énorme lit, tiendraient sans peine les sept frères du petit Poucet et les sept filles de l'Ogre,[2] avec leurs pères et leurs mères; on y pouvait dormir dans tous les sens, en long et en large, en diagonale, sans jamais tomber dans la ruelle. . .[3]

Le reste du mobilier est des plus sommaires; cinq ou six chaises de bois avec siège en paille, un rouet à filer avec son dévidoir, un métier à tisser la toile, une huche, une table, deux ou trois coffres peinturés de couleur criarde, rouge ou bleu, une commode, puis, près de la porte, le banc aux seaux.

Tiré de Traditions du Québec, *par Joseph-Edmond Roy (Séraphin Marion et Watson Kirkconnell, éditeurs). Montréal: Éditions Lumen, 1946. Tous droits réservés.*

Questions

1. Comment l'auteur explique-t-il le choix de l'emplacement que les Canadiens français d'autrefois faisaient pour la maison et ses dépendances?
2. Pourrions-nous dire que l'habitation d'autrefois de même que tout ce qu'on y trouvait avait un caractère fonctionnel? Donnez les raisons pour votre réponse.

---

[2]*les sept frères. . . de l'Ogre*: the seven brothers of Tom Thumb and the seven daughters of the Ogre.
[3]*la ruelle*: the space between the bedside and the wall.

Jean Rivard, le défricheur

ANTOINE GÉRIN-LAJOIE (1824-82) fut avocat, journaliste, traducteur et romancier. Il est l'auteur d'une chanson populaire qui est un chef-d'oeuvre du genre: « Un Canadien errant ». Dans le roman dont nous citons ici un extrait, il soutient la thèse de l'amour de la terre.

Mardi, le sept octobre, à sept heures du matin, une procession composée d'environ quarante calèches, traînée chacune par un cheval fringant, brillamment enharnachée, se dirigeait de la maison de monsieur François Routier vers l'église paroissiale de Grandpré.

C'était la noce de Jean Rivard.

Dans la première voiture on voyait la mariée, vêtue de blanc, accompagnée de son père; venait ensuite une autre voiture avec le garçon et la fille d'honneur, ou comme on dit plus générale-ment, le suivant et la suivante, dans la personne du frère aîné de Louise Routier, et celle de Mademoiselle Mathilde Rivard avec laquelle nous avons déjà fait connaissance. Il eut été sans doute facile pour Mademoiselle Routier d'avoir un plus grand nombre de filles d'honneur, mais elle se contenta volontiers d'une seule. Les parents, amis et connaissances des deux futurs venaient ensuite; puis enfin dans la dernière calèche, se trouvait, vêtu de noir, le marié accompagné d'un oncle qui lui servait de père.

En apercevant cette longue suite de voitures sur la route de Grandpré, les femmes et les enfants se précipitaient vers les portes et les fenêtres des maisons, en s'écriant: voilà la noce. Les gens occupés aux travaux des champs s'arrêtaient un instant pour les regarder passer.

Arrivés à l'église, le fiancé et la fiancée furent conduits par la main, par leurs pères respectifs, jusqu'au pied des balustres.

Après la messe et la cérémonie nuptiale toute l'assistance se rendit à la sacristie où fut signé l'engagement irrévocable.

Sortis de la sacristie, les deux fiancés, devenus mari et femme, montèrent dans la même voiture, et prirent les devants, leurs pères respectifs occupant cette fois la calèche de derrière.

Il y avait dans le carillon des cloches, dans la propreté coquette des voitures, des chevaux et des attelages, dans les paroles, la tenue, la parure et les manières de tous les gens de la noce un air de gaîté difficile à décrire.

Si quelque lecteur ou lectrice désirait obtenir de plus amples renseignements sur la toilette de la mariée et celle de sa fille d'honneur, je serais obligé de confesser mon ignorance; toutefois à en juger d'après ce qui se pratiquait alors en pareille circonstance dans la classe agricole, je pourrais affirmer sans crainte que l'habillement complet de Mademoiselle Routier, qui était mise à ravir, ne coûtait pas cent francs, et celui de sa suivante encore moins. Cette question d'ailleurs, toute importante qu'elle fut à leurs yeux (auraient-elles été femmes sans cela?) ne les avait nullement empêchées de dormir.

Et les cadeaux de noces, cause d'insomnies et de palpitations de coeur chez la jeune citadine, sujet inépuisable de conversation, d'orgueil et d'admiration, à peine en fut-il question dans la famille Routier, ce qui pourtant ne nuisit en rien, j'en suis sûr, au bonheur futur du jeune ménage.

De retour chez Monsieur Routier, – car c'est là que devait se passer le premier jour des noces, – le jeune couple dut, suivant l'usage, embrasser l'un après l'autre tous les invités de la noce, à commencer par les pères, mères, frères, soeurs, et autres proches parents. Près de deux cents baisers furent ainsi dépensés dans l'espace de quelques minutes, au milieu de rires, des éclats de voix et d'un mouvement général.

Le repas n'étant pas encore servi, on alla faire un tour de voiture, après quoi les invités vinrent tous s'asseoir à une longue table, à peu près dans l'ordre suivant: le marié et la mariée occupaient le haut bout de la table appelé la place d'honneur; à leur droite le suivant et la suivante, et à gauche les père et mère de chacun des époux. Les autres convives se placèrent dans l'ordre qu'ils jugèrent convenable.

Tiré de Jean Rivard, le défricheur, *par Antoine Gérin-Lajoie. Montréal: Librairie Beauchemin Ltée, 1913.*

Questions

1. Quelles qualités propres au paysan l'auteur veut-il défendre ici?
2. L'auteur semble s'acharner à décrire la ville et les citadins sous un aspect malsain. Selon vous, quelle thèse cherche-t-il à défendre?

Les Anciens Canadiens

Voici une page souvent citée dans les anthologies de littérature canadienne-française. Il s'agit d'une description fort colorée par un maître en la matière, PHILIPPE-AUBERT DE GASPÉ (1786-1871). Le roman dont elle est extraite, *Les Anciens Canadiens*, est l'un des plus importants du XIXe siècle.

Le couvert était mis dans une chambre basse, mais spacieuse, dont les meubles, sans annoncer le luxe, ne laissaient rien à désirer de ce que les Anglais appellent confort. Un épais tapis de laine à carreaux, de manufacture canadienne, couvrait, aux trois quarts, le plancher de cette salle à manger. Les tentures en laine, aux couleurs vives, dont elle était tapissée, ainsi que les dossiers du canapé, des bergères et des chaises en acajou, aux pieds de quadrupèdes semblables à nos meubles maintenant à la mode, étaient ornés d'oiseaux gigantesques, qui auraient fait le désespoir de l'imprudent ornithologiste qui aurait entrepris de les classer.

   Un immense buffet, touchant presque au plafond, étalait, sur chacune des barres transversales dont il était amplement muni, un service en vaisselle bleue de Marseille, semblant, par son épaisseur, jeter un défi à la maladresse des domestiques qui en auraient laissé tomber quelques pièces. Au-dessus de la partie inférieure de ce buffet, qui servait d'armoire, et que l'on pourrait appeler le rez-de-chaussée de ce solide édifice, projetait une tablette d'au moins un pied et demi de largeur, sur laquelle était une espèce de cassette, beaucoup plus haute que large, dont les petits compartiments, bordés de drap vert, étaient garnis de couteaux et de fourchettes à manches d'argent, à l'usage du dessert. Cette tablette contenait aussi un grand pot d'argent, rempli d'eau, pour ceux qui désiraient tremper leur vin, et quelques bouteilles de ce divin jus de la treille.[1]

Une pile d'assiettes de vraie porcelaine de Chine,[2] deux carafes de vin blanc, deux tartes, un plat d'oeufs à la neige, des gaufres, une jatte de confitures, sur une petite table couverte d'une nappe blanche, près du buffet, composaient le dessert de ce souper d'un ancien seigneur canadien. A un des angles de la chambre était une fontaine, de la forme d'un baril, en porcelaine bleue et blanche, avec robinet et cuvette, qui servait aux ablutions de la famille. A un angle opposé, une grande canevette, garnie de flacons carrés, contenant l'eau-de-vie, l'absinthe, les liqueurs de noyau, de framboises, de cassis, d'anisette, etc., pour l'usage journalier, complétait l'ameublement de cette salle.

Le couvert était dressé pour huit personnes. Une cuillère et une fourchette d'argent, enveloppées dans une serviette, étaient placées à gauche de chaque assiette, et une bouteille de vin léger à la droite. Point de couteau sur la table pendant le service des viandes: chacun était muni de cet utile instrument, dont les Orientaux savent seuls se passer. Si le couteau était à ressort, il se portait dans la poche, si c'était, au contraire, un couteau-poignard, il était suspendu au cou dans une gaine de maroquin, de soie, ou même d'écorce de bouleau, artistement travaillée et ornée par les aborigènes. Les manches étaient généralement d'ivoire, avec des rivets d'argent, et même en nacre de perles pour les dames.

Il y avait aussi à droite de chaque couvert une coupe ou un gobelet d'argent de différentes formes et de différentes grandeurs; les uns de la plus grande simplicité, avec ou sans anneau; les autres avec des anses; quelques-uns en forme de calice, avec ou sans patte, ou relevés en bosse; beaucoup aussi étaient dorés en dedans.

Une servante, en apportant sur un cabaret le coup d'appétit d'usage, savoir, l'eau-de-vie pour les hommes, et les liqueurs

---

[1] *jus de la treille*: wine.
[2] *porcelaine de Chine*: bone china.

douces pour les femmes, vint prévenir qu'on était servi. Huit personnes prirent place à table: M. de Beaumont et son épouse, Mme Descarrières leur soeur, le curé, le capitaine Marcheterre, son fils Henri, et enfin Jules et Arché. La maîtresse de la maison donna la place d'honneur au vénérable curé, en le plaçant à sa droite, et la seconde place au vieux marin, à sa gauche.

Le menu du repas était composé d'un excellent potage (la soupe était alors de rigueur, tant pour le dîner que pour le souper), d'un pâté froid, appelé pâté de Pâques, servi, à cause de son immense volume, sur une planche recouverte d'une serviette ou petite nappe blanche, suivant ses proportions. Ce pâté, qu'aurait envié Brillat-Savarin,[3] était composé d'une dinde, de deux poulets, de deux perdrix, de deux pigeons, du râble et des cuisses de deux lièvres: le tout recouvert de bardes de lard gras. Le godiveau de viandes hachées, sur lequel reposaient, sur un lit épais et mollet, ces richesses gastronomiques, et qui en couvrait aussi la partie supérieure, était le produit de deux jambons de cet animal que le juif méprise, mais que le chrétien traite avec plus d'égards. De gros oignons, introduits çà et là, et de fines épices, complétaient le tout. Mais un point très important en était la cuisson, d'ailleurs assez difficile; car, si le géant crevait, il perdait alors cinquante pour cent de son acabit. Pour prévenir un événement aussi déplorable, la croûte du dessous, qui recouvrait encore de trois pouces les flancs du monstre culinaire, n'avait pas moins d'un pouce d'épaisseur. Cette croûte même, imprégnée du jus de toutes ces viandes, était une partie délicieuse de ce mets unique.

Des poulets et des perdrix rôtis, recouverts de doubles bardes de lard, des pieds de cochon à la Sainte-Menehould,[4] un civet bien différent de celui dont un hôtelier espagnol régala jadis l'infortuné Gil Blas,[5] furent en outre les autres mets que l'hospitalité du seigneur de Beaumont put offrir à ses amis.

Tiré de Les Anciens Canadiens, *par Philippe-Aubert de Gaspé. Montréal: Librairie Beauchemin Ltée, 1956. Tous droits réservés.*

[3]*Brillat-Savarin*: a renowned French cook.
[4]*des pieds de cochon à la Sainte-Menehould*: pig's feet, cooked according to a special recipe from Argonne, France.
[5]*Gil Blas*: the picaresque hero of an eighteenth-century novel by Alain-René Lesage.

Questions

1. Que pensez-vous du mobilier en usage à cette époque?
2. A quels détails reconnaissez-vous la culture littéraire de l'auteur?
3. De quelle façon le mode de vie de la bourgeoisie canadienne-française de l'époque reflétait-il une certaine aisance?

La Naissance d'un village

A. RINGUET est le pseudonyme du docteur Philippe Panneton (1895-1960). Grand voyageur et esprit cultivé, ce romancier nous a donné avec *Trente Arpents*, publié pour la première fois en 1930, l'un des classiques de la littérature canadienne-française. Il mourut au Portugal où il était ambassadeur canadien depuis 1957.

La population des paroisses suit une constante assez marquée dans le Québec: le nombre de familles terriennes varie peu, car la division des terres répugne au paysan. Le père préfère en général voir ses fils puînés partir pour les terres neuves, laissant à l'ainé la possession indivise du bien familial, plutôt que le déchirer entre ses enfants. Aussi bien, le cadastre en longues bandes étroites rend-il impossible le parcellement. Mais à mesure que le défrichement élargit l'étroite bande de terrain arable étranglée entre le fleuve et l'âpre flanc de la chaîne laurentienne, de nouveaux rangs se forment. C'est pourquoi un Labarre, connu de tout le monde sous le surnom de « La Patte »,[1] à cause d'une boiterie, jugea à propos d'installer en face de la fromagerie un atelier de forge et maréchalerie et "Pitro" Marcotte, une échoppe de sellier. Puis, lors du décès de Maxime Auger, la veuve ouvrit boutique dans sa maison. On y voyait, posés sur des tablettes dans la fenêtre, des verres de lampe, des lacets, des bobines de fil, des sacs de sel, des couteaux de poche, et, dans une boîte, de ces

---

[1] *un Labarre... « La Patte »*: a man named Labarre, known to everyone by the nickname "The Leg".

petits cochons en guimauve recouverts de chocolat sur lesquels les enfants s'exercent à "faire boucherie". Graduellement, son commerce augmentait. Petit à petit, les paysannes cessaient de tisser et de filer, les paysans de confectionner leurs lourdes bottes, et remplaçaient tout cela par l'article de la ville presque aussi solide, plus élégant et surtout moins coûteux. Sa boutique devint le rendez-vous des flâneurs, du jour où le député avec qui elle avait une lointaine parenté – certains le disaient en clignant de l'oeil – lui obtint une station postale. Sous prétexte de venir chercher de rares lettres, toutes les voitures s'y arrêtaient le dimanche, au retour de la messe. Les hommes s'y rencontraient aussi le soir pour jouer d'interminables parties de dames. La veuve Auger augmentait ses profits par la vente clandestine de whisky blanc. Mais comme elle était femme de tête, prudente et raisonnable, et que jamais on ne sortait de chez elle trop ivre, personne ne se mêlait de protester.

C'est elle qui avait fait venir du bas du fleuve, son pays d'origine, un sien neveu pour l'installer comme boulanger. Il avait acquis, avec l'argent de la veuve, une petite pièce de terre, derrière la fromagerie, sur la route qui montait au rang des Pommes; après quoi il s'était construit un four et une espèce de hangar et avait transformé en voiture livraison un vieux tapecu acheté d'occasion. Mais de quelle clientèle vivrait-il puisque chaque ferme boulangeait et cuisait son pain, une fois la semaine? Or l'une après l'autre, les ménagères étaient devenues ses chalandes, sans que les hommes se fussent trop plaints, le pain livré trois fois la semaine étant plus frais et dans bien des cas meilleur. Si bien qu'Antoine Cloutier avait payé son lopin de terre, s'était bâti maison, avait pris femme dans la paroisse, et élevait ses sept enfants sur un bien agrandi de deux pièces achetées à même ses bénéfices.

Tout cela, avec les maisons des fermiers, faisait à la croisée des routes un groupe de constructions basses, sans étage, faites de planches clouées verticalement sur la charpente et noircies par les intempéries, et que le voisinage de la fromagerie remplissait continuellement d'une odeur de petit-lait.[2] Le magasin de la

---

[2]*petit-lait*: curdled milk.

veuve Auger se reconnaissait à ce que seul il était précédé d'une plate-forme haute de quelques marches, sur laquelle on la voyait, l'été, tricoter à l'après-midi longue, en surveillant ceux qui passaient sur la route et ce qui se passait autour des maisons. Il y avait au-dessus de la porte une affiche jaune battant au vent sur laquelle on lisait: MAGASIN GÉNÉRAL.

Tiré de «La Naissance d'un village», dans Trente Arpents par A. Ringuet. Montréal: Éditions Fides, 1957. Tous droits réservés.

Questions

1. Pourquoi la division des terres répugne-t-elle au paysan canadien-français?
2. D'après ce texte, déterminez les facteurs qui importent le plus dans la naissance d'un village.
3. Quels liens puissants réunissent donc les habitants d'un même village?

Le Déserteur

CLAUDE-HENRI GRIGNON (1894-   ) est pamphlétaire et romancier; il est surtout connu par son roman *Un Homme et son péché* que la radio et la télévision diffusent depuis plusieurs années. L'auteur aime la terre natale et la défend avec passion.

Il s'était levé un peu avant l'aurore, à l'heure la plus silencieuse de la nuit, où en octobre, des brumes épaisses glissent doucement au bord des lacs.

Il n'avait pas de temps à perdre. Le jour était enfin venu de faire encan.[1] Il alla soigner les animaux et revint dans la maison allumer le poêle.

— C'est à matin, dit sa femme, déjà debout et préparant le déjeûner.

— Eh ben! oui, sa mére. Il faut se dépêcher à manger pis à trier nos guenilles, à mettre de côté ce qu'on veut emporter parce que les acheteux vont r'sourdre ben vite.

Isidore Dubras ne se trompait pas.

Dès six heures et demie des voitures entrèrent dans la cour. Comme le matin était froid, les chevaux fumaient et des chiens tournaient autour en sautant et en jappant. Des hommes parlaient fort et se frappaient les mains. Les visiteurs, bientôt plus nombreux, arrivèrent de partout, de Ferme-Neuve, de Mont-

---

[1]*Le jour. . . encan*: At last the day for the auction had come.

Laurier, de Saint-Michel-des-Cèdres.[2] On eût dit une grande noce.

Ils franchissaient la porte, jetaient un coup d'oeil ici et là sur les objets qui seraient vendus dans quelques minutes, puis ils sortaient, et, par groupes, en gesticulant, se dirigeaient du côté des bâtiments.

Soudain, il se fit un remous parmi cette petite foule bruyante. Elle se divisa pour laisser passer un personnage illustre, le père Gédéon Larouche, le crieur, que les intimes surnommaient « Cinq-demiards », parce que le bonhomme avait pour habitude de se griser une fois par année, et à l'occasion de cette brosse, de vider tout d'une traite une bouteille de gin de cinq demiards et de se renfermer ensuite chez lui pendant trois jours pour vomir et maudire son vice.

Crieur aux encans depuis une quarantaine d'années, le père Gédéon était bien connu dans le comté de Labelle et dans les comtés d'en-bas. Toujours vêtu de noir, portant beau le frac et le chapeau de castor gris, des chaussures toujours bien vernies, c'était en peinture l'exécuteur des hautes oeuvres. Agé de 65 ans, tête grisonnante, visage blanc, long et sévère, traversé d'une moustache dont les bouts se tenaient droits et pointus comme des alênes, il en imposait, le père Larouche, et on l'écoutait attentivement. Souvent il faisait rire ses auditeurs pour la raison bien simple qu'il ne riait jamais. Il est certain que « Cinq-demiards » n'avait pas son comparable comme crieur. On payait cher ses services, soit $10 par jour, mais on était assuré de tout vendre, les vieilles feuilles rouillées de tuyau de poêle comme les cadenas qui ne fonctionnent plus et les barattes qui coulent.

On vit donc l'exécuteur s'installer debout sur une table, près du puits, et tenant dans sa main droite un maillet de bois. Lorsqu'un objet était vendu il frappait trois coups sur le siège d'une expresse placée à sa droite, en même temps qu'il lançait un formidable « Adjugé! » Comme le temps était écho on pouvait l'entendre de très loin.

Tiré de Le Déserteur, *par Claude-Henri Grignon. Montréal: Éditions du Vieux Chêne, 1934. Tous droits réservés.*

[2]*Ferme-Neuve, Mont-Laurier, Saint-Michel-des-Cèdres:* towns in the Laurentian region.

Questions

1. Dans quelle région se situe ce texte?
2. Pourquoi un paysan canadien-français du début du xxe siècle
   quittait-il la terre?

Adagio

FÉLIX LECLERC (1914-   ) est le premier chansonnier canadien-français de réputation internationale. On lui doit plusieurs contes charmants, parmi lesquels *Banc 181* d'où est tiré le texte narratif qui suit. Ce texte décrit une situation extrême mais révélant finement certains traits typiques de la mentalité rurale canadienne-française.

Il joignit ses grandes mains osseuses; immobilité complète dans l'église, silence de cimetière; les pieds cessèrent de remuer, et les gorges de se dérhumer.[1] Le curé s'appuya sur la chaire et continua:

— Il n'y aura plus de messe ici.

Un autre silence.

— Ce soir après les vêpres, l'église fermera ses portes pour ne plus les rouvrir. . .

Le curé tordit son mouchoir dans sa poche.

— La raison en est bien simple: vous ne voulez plus de nous. J'ai conféré avec l'évêque. Cette décision a été prise. . .

Il sembla demander au ciel la force de terminer:

— Dimanche prochain, ceux qui voudront aller à la messe devront se rendre au village voisin. Ici, l'église sera fermée.

Ces paroles eurent un effet tragique. Un marguillier ne put s'empêcher de crier presque à pleine tête: « Quoi? » et il se renfonça de honte dans son fauteuil. Les gens se regardaient

---

[1] *les pieds. . . se dérhumer*: feet ceased to stir and throats to be cleared.

comme à la veille d'une panique. La voix éteinte, le curé dit une dernière fois:

— Nous partirons cette semaine. Puisque vous ne voulez plus de nous...

Il se tourna, chercha les marches comme un vieillard et descendit de la chaire, ses lunettes dans la main.

« Quoi? » On chuchotait d'un banc à l'autre. « Qu'est-ce que c'est? Qu'est-ce qu'il a dit? » Les gens par-dessus les épaules se faisaient des signes; le malaise montait dans chaque visage.

La messe reprit fort mal. Au choeur on ne chantait pas; l'organiste ne donnait pas les bons accords.

Une sorte de stupeur régnait; pêle-mêle avec des morceaux d'évangile, d'effrayantes visions, où il est dit que Dieu manifeste sa colère, Sodome et Gomorrhe, les fléaux et les persécutions, misère, châtiment, abandon, tout, pêle-mêle, passa dans le cerveau des paroissiens.

Ils regardaient le curé qui continuait cette messe. Quoi? La dernière ici? Plus de village? Qu'est-ce qu'il a dit?

A mesure que le sacrifice se poursuivait, les gens réalisaient comme des enfants que leur curé les abandonnerait, qu'il partirait. Quelques femmes pleuraient. Les hommes étaient comme perdus, et ne suivaient pas la messe; il y en avait assis, à genoux, d'autres la bouche ouverte qui regardaient le plafond. Ce serait la dernière messe? Plus de dimanche?

Rapidement la vie de chacun d'eux, la vie des villages canadiens-français surgit des profondeurs de leur âme. Qui les avait baptisés? Qui les avait confirmés et instruits, qui leur avait enseigné la communion et la confession, la charité, l'humilité, le dévouement, le courage, l'éducation, la politesse? Qui avait assisté leurs mourants? Qui avait enterré leurs morts? Qui avait fondé leur village? Qui avait amené le collège, le couvent, l'orphelinat, l'hospice, la salle paroissiale, la bibliothèque? Qui avait secondé le moulin dans la place et leur avait obtenu leurs dimanches, des heures de travail raisonnables, des salaires raisonnables, des jours chômés? Sur l'initiative de qui étaient venus les agronomes? Qui avait lancé des fils d'habitants dans les cours classiques et en avait fait des professionnels? Où était enfin le fond de la race; où était-il, ce fameux moteur qui depuis trois siècles faisait tourner ces énormes roues de religion, de langue, de droits, de traditions, de décence, de propreté des moeurs, d'idéal chrétien, de familles racées, d'esprit charitable, de politesse exquise, et de moralité publique?

Toutes ces choses passaient en se bousculant dans la tête des paroissiens.

Tiré de Adagio, *par Félix Leclerc. Montréal: Éditions Fides, 1943. Tous droits réservés.*

Questions

1. Quels sont les traits typiques de la mentalité rurale révélés par ce texte?
2. Croyez-vous qu'il existe une différence marquée entre la mentalité rurale canadienne-française et la mentalité rurale canadienne-anglaise? Soutenez votre réponse.

Caractères généraux de l'agriculture

Récemment, une équipe de sociologues de l'Université Laval a entrepris une enquête sur les paroisses agricoles du Québec. C'est de cette enquête qu'on a tiré le texte qui suit. « Sainte-Julienne » est un nom fictif.

Sainte-Julienne est considérée par ses leaders comme une paroisse agricole. Cependant, ils ajoutent très vite que jamais dans toute l'histoire de la paroisse l'agriculture n'a pu faire vivre la population, même la population proprement agricole. Traditionnellement, les cultivateurs ont dû chercher en forêt des revenus supplémentaires. C'est surtout par son travail comme bûcheron ou comme charroyeur dans les chantiers que le cultivateur a complété son revenu, le bois coupé sur son lot ne lui apportant pas un revenu suffisant, sauf durant les années 1920. D'ailleurs, le prix élevé offert pour le bois de pâte durant les années 1920 a amené la plupart des cultivateurs à « bûcher à blanc » toutes leurs réserves sylvicoles.

L'état de l'agriculture à Sainte-Julienne s'explique en grande partie par la situation géographique de cette localité; celle-ci est située dans les contre-forts des Appalaches et le sol y est mince, pierreux, fortement incliné. L'été y est bref, les gelées hâtives. De plus les marchés sont assez éloignés. A ces facteurs physiques, il faut ajouter l'utilisation de techniques culturales non adaptées à ce milieu et qui ont été apportées par les premiers colons venant des plaines fertiles du nord du comté de Dorchester.

Malgré l'échec agricole des Pères Trappistes[1] qui ont ouvert la paroisse vers 1870, les colons du nord du comté de Dorchester ont continué à affluer à Sainte-Julienne jusqu'en 1920. Depuis cette date, la population de Sainte-Julienne est demeurée stable. C'est dire que, depuis 1920, la paroisse perd chaque année 40 personnes (accroissement naturel moyen). Ces émigrants sont surtout des personnes d'âge actif (de 16 à 35 ans).

Sainte-Julienne compte actuellement 360 familles. De ce nombre, 163 habitent dans les rangs et possèdent une terre; la majorité des familles vivent donc au village. Ce n'est que depuis dix ans à peine que la population du village dépasse en nombre la population des rangs. Les familles vivant dans les rangs tendent à se concentrer en des points où les communications sont faciles, par exemple, le long de la route nationale et autour des « frontaux ». Les extrémités des rangs se vident. Ainsi, le village est non seulement le coeur de la paroisse, mais il tend à absorber toute la population.

L'état de l'agriculture à Sainte-Julienne peut être caractérisé par les faits suivants. Parmi les 163 familles résidant sur des fermes, 23 soit 14% vivent uniquement du revenu de leur exploitation agricole. Dix de ces 23 familles ont un niveau de vie assez satisfaisant. Les 13 autres vivent dans la pauvreté sinon dans la misère. Quarante-et-un des 163 « cultivateurs » (25%) tirent leur revenu principal de la terre mais doivent aller chercher ailleurs un complément de revenu pouvant former jusqu'à 50% du revenu total. Pour 65 familles (40%), l'agriculture est une occupation secondaire. Dans ces cas, le travail agricole est exécuté surtout par la femme et les enfants, le mari ne participant qu'aux gros travaux (labours, récolte du foin). Enfin, 34 familles (21%) résident encore sur des fermes mais ne font aucune culture. Ainsi, pour 61% de ces « cultivateurs », l'agriculture n'est plus une occupation principale.

Ajoutons deux autres indices significatifs. Premièrement: le nombre moyen de vaches par ferme est de 7.3. Cette moyenne est d'ailleurs biaisée à la hausse par la présence de quatre troupeaux

[1] *Pères Trappistes*: The Trappists are a cloistered order of monks who specialize in agriculture.

Maison datant du XVIII⁰ siècle, Sainte-Geneviève-de-Pierrefonds sur l'île de Montréal

Hydro-Québec: *Relations publiques*

Le barrage de la Manicouagan, Côte Nord

de 25 bêtes et plus. Deuxièmement: 72% des cultivateurs ont plus de 40 ans. L'âge moyen des chefs de famille est de 50 ans. Une quinzaine de ces chefs de famille ont plus de 70 ans. Aucun de leurs enfants n'a voulu les remplacer et ils n'ont pas trouvé à vendre leur terre; ils sont donc condamnés à finir leurs jours « loin de l'église » et à ne jamais devenir « rentiers ».

Quel que soit l'angle sous lequel on étudie la mobilité de la population active encore rattachée à Sainte-Julienne, l'analyse conduit à des résultats assez semblables. Le milieu rural étudié a subi depuis 20 ans des transformations profondes, transformations dont le rythme a été très rapide de 1946 à 1956 et qui ont impliqué surtout les jeunes travailleurs. Les aspects les plus importants de ces transformations sont l'abandon de l'agriculture et la migration massive vers la ville. Un autre fait très important est l'augmentation rapide mais de courte durée du nombre des travailleurs forestiers. Cet attrait passager du travail en forêt nous permet de prévoir l'évolution future de la structure des occupations à Sainte-Julienne.

On peut ainsi prévoir que l'abandon de l'agriculture va continuer. Le nombre des cultivateurs à plein temps va diminuer et pratiquement aucun jeune ne va s'orienter vers l'agriculture. Les ex-cultivateurs ou leurs fils vont plutôt chercher à tirer leur subsistance du travail en forêt et des autres occupations rurales. Ils vont devenir ainsi des villageois et la population du village va continuer à augmenter alors que la population des rangs va diminuer. Cependant, le fils du bûcheron, du journalier ou du camionneur, même s'il commence sa carrière en forêt, va très vite émigrer à la ville. Ainsi, après une génération, la population du village va commencer à diminuer graduellement pour devenir très peu considérable. Ce processus de migration vers la ville qui se déroule au cours d'une période s'étendant sur deux générations apparaît aussi très clairement lorsqu'on met en corrélation la carrière et le milieu de résidence. Les jeunes travailleurs qui ont grandi sur la terre s'établissent presque tous au village. Très peu émigrent à la ville. Au contraire, les jeunes travailleurs qui ont été élevés au village s'orientent très vite vers la ville. Seulement une faible minorité d'entre eux s'établissent au village.

Questions

1. Les paysans canadiens-français peuvent-ils vivre du seul produit de leur ferme?
2. Selon les auteurs, pourquoi les paysans quittent-ils peu à peu la terre?
3. Qu'est-ce qu'un « rang »?
4. Les prévisions de cette enquête vous paraissent-elles favorables? Donnez les raisons pour votre réponse.

Ville

La Ville: première version

ROBERT DE ROQUEBRUNE (1889-   ) est romancier et archiviste. L'histoire occupe une large part de ces activités; ses romans sont fortement influencés par ses recherches. Retraité, il habite aujourd'hui en France.

Au mois de mai de 1642, deux vaisseaux arrivaient en vue de l'île et carguaient leurs voiles. Des chaloupes s'en détachèrent, chargées d'une troupe de gens. On aime à penser que M. de Maisonneuve fut le premier à mettre le pied sur le sol de Montréal. Une quarantaine d'hommes le suivaient. Trois femmes et un jésuite débarquaient. Le Père Vimont allait dire la première messe de Montréal.

Les trois femmes étaient Mlle Mance, Madeleine de Chauvigny, et Charlotte Barré sa servante. Elles sont les premières citoyennes de la métropole actuelle du Canada.

Pendant que les hommes s'employaient à dresser des tentes, les femmes préparaient un autel sur lequel elles disposèrent une nappe brodée et des fleurs sauvages. Et comme on ne possédait que peu de cierges, elles attrapèrent des lucioles qu'elles enfermèrent dans des bouteilles. Le Saint-Sacrement demeura exposé toute la soirée[1] à la clarté des petites lueurs clignotantes. Le Père Vimont prononça un sermon vibrant de foi devant ces hommes

---

[1]*Le Saint-Sacrement. . . la soirée*: The Holy Sacrament (the consecrated bread and wine to be used in celebrating the Mass) was displayed throughout the night (in the monstrance on the altar).

et ces femmes pleins d'espérance. Et il leur promit que ce qui venait de commencer aurait un grand avenir. Ce petit grain, dit-il, produira un grand arbre.

La situation de ce groupe de Français était bien aventurée. Ce n'était pas très rassurant qu'une rivière, plus bas que Montréal, eût été nommée la rivière des Iroquois. Maisonneuve et ses compagnons n'eurent pas longtemps à attendre pour savoir ce que cela signifiait. La vie des habitants de la ville construite avec les arbres de la forêt et entourée de palissades de pieux, ne fut qu'un combat pendant vingt ans.

La Dauversière envoyait des hommes et des femmes qu'il recrutait en Anjou. Peu à peu Montréal se peuplait. On s'y mariait et des enfants naissaient. Mais on y mourait aussi car les Sauvages avaient tout de suite attaqué la place. Les premiers Registres de Montréal renferment des actes mortuaires où les noms sont accompagnés de la mention: tué par les Iroquois.

La ville actuelle de Montréal n'a absolument aucun vestige de la petite bourgade de bois construite par Maisonneuve et ses compagnons. Mais la statue de celui-ci se dresse sur une place appelée la Place d'Armes qui fut le lieu d'un de ses combats contre les Sauvages. Des banques, des compagnies d'assurances, des bureaux logés dans les hautes maisons qui entourent cette place forment une bien étrange société à l'homme qui disait: « Je n'ai pas d'autre ambition que de servir Dieu et le Roi.» Autour du héros, on a mis deux de ses soldats: Lambert Closse et Charles Le Moyne. Mlle Mance a été statufiée sur ce monument et aussi un autre personnage qui eut une grande importance dans les débuts de la colonie car c'est, armé de son casse-tête, un Indien.

L'île était couverte de forêts peuplées par de bien féroces bêtes et de très dangereux oiseaux: des sauvages emplumés, portant des tomahawks et des flèches. Et personne ne pouvait s'aventurer hors de l'enceinte de pieux élevée par les « montréalistes » sans risquer de se trouver nez à nez avec un ou plusieurs de ces effrayants animaux. Le petit fort de bois muni de bastions que M. d'Ailleboust, qui était ingénieur avait construit, résista toujours aux assauts répétés des Indiens. Mais bien souvent les cabanes des habitants et l'hôpital de Jeanne Mance manquèrent d'être pris, détruits et tout le monde tué. Maisonneuve et ses compagnons étaient obligés à une garde continuelle, sans cesse sur la défensive. Lambert Closse, qui était major de la ville, faisait des rondes de jour et de nuit avec sa chienne Pilote. Si la chienne grondait, c'est que des Iroquois n'étaient pas loin. Chacun prenait son fusil.

Dès la première année, des habitants qui cultivaient des coins de terre défrichée tout près du fort, avaient été tués. D'autres furent pris et emmenés captifs; ils furent torturés à mort.

Quand la ville était serrée de trop près par des bandes nombreuses, M. de Maisonneuve faisait parfois une sortie pour les chasser. Un jour de mars 1644, les dogues ayant grondé, les sentinelles signalèrent l'ennemi. D'un bastion, Paul de Chomedey put compter au moins deux cents sauvages. Il décida d'aller les rencontrer, de dégager la ville. Avec trente hommes, il sortit. Le combat dura longtemps. Maisonneuve manqua d'être tué mais il tua lui-même le chef iroquois. Quand il regagna l'abri des palissades, il était victorieux, les Sauvages avaient disparu. Mais le gouverneur avait perdu du monde, il ramenait des blessés que Mlle Mance soignait.

Elle avait organisé un hôpital dans une cabane qu'on lui avait construite. Dans les premiers temps, elle fut seule avec Jean Pouppée pour donner des soins aux blessés, pour assister les mourants. Plus tard, un autre chirurgien lui fut envoyé. Des religieuses l'aidaient. Mais au début, elle dut seconder le chirurgien Pouppée, pansant les horribles plaies faites par les flèches, secourant les mutilés. Lorsque le chirurgien Étienne Bouchard arriva, il y avait dix ans que Mlle Mance était l'hospitalière de Montréal. Elle était assistée de Mme d'Ailleboust, des colons. Ne devait-elle pas faire de véritables opérations sur des malheureux qu'on lui amenait et qui avaient été scalpés pas les Sauvages? Ils n'en mouraient pas toujours, elle en sauva plusieurs, et notamment, un homme appelé Chiquot dont le crâne n'était plus qu'une boule sanglante, la « chevelure enlevée ». Ces terribles occupations l'empêchaient de s'apercevoir des dangers qu'elle courait car souvent les Sauvages furent près d'envahir la petite ville. Mlle Mance manqua un jour d'être capturée dans l'hôpital par des Indiens qui avaient franchi les palissades.

Pendant vingt ans, les "montréalistes" ont eu à soutenir des combats. Le danger était surtout très grand en été et en automne parce que les hommes étaient aux champs, parfois éloignés les uns des autres. Tout à coup une bande de Sauvages surgissait, tuait, emmenait des captifs. Un jour, c'est treize colons qui sont pris, torturés. Le mois suivant, dix Français sont encore tués ou pris. Être « pris » était le pire. Cela signifiait une mort horrible dans les supplices. Mais les gens de Montréal se défendaient, se battaient comme des chevaliers croisés. Deux cents Iroquois furent repoussés par quelques colons en une bataille de deux heures. Les laboureurs, les jardiniers avaient toujours leurs fusils près d'eux. Dès une attaque, ces paysans devenaient de terribles soldats. Mais les Sauvages tentaient aussi des surprises de nuit, essayaient de s'emparer de la ville. Un habitant nommé La Vigne qui était de garde par un soir de lune, aperçut des ombres glisser le long des maisons. De grands corps nus se révélaient soudain dans un coup de lumière. Ces fantômes étaient des Indiens qui avaient escaladé les palissades. La Vigne alerta la garnison. Un combat eut lieu dans les rues. Les Sauvages furent tous tués sur place ou prisonniers.

Tiré de Les Canadiens d'autrefois, *par Robert de Roquebrune. Montréal: Éditions Fides, 1962. Tous droits réservés.*

Questions

1. De quelles préoccupations principales étaient animés les fondateurs de Montréal selon ce texte?
2. Établissez les différences qui vous frappent entre la Ville-Marie des Français et le Montréal que les Anglais trouvèrent au lendemain de 1760.
3. D'après le contexte qu'évoque ici l'auteur, essayez d'imaginer quelle sorte de femmes la colonie française pouvait exiger.

Charles Guérin

PIERRE-JOSEPH-OLIVIER CHAUVEAU (1820-90) fut avocat, député, premier ministre du Québec et, aussi, romancier. Outre certaines pièces d'éloquence et des contes fort valables, il a écrit *Charles Guérin*, roman d'où nous avons tiré cet extrait.

Un spectacle un peu moins enchanteur que celui de la nuit s'offrit à Louise. Cet endroit était un de ceux qui pouvaient le mieux lui donner un avant-goût du bruit et des misères de la ville. Sur la place de la grève, sur les quais voisins, et dans les rues étroites qu'il lui fallut parcourir, s'agitait une foule bruyante, bigarrée de costumes étrangers, parlant et entremêlant deux idiomes différents, appliquant à mille occupations diverses cet empressement brutal qui forme un si grand contraste avec les travaux lents et paisibles de la campagne.

D'abord, c'étaient des charretiers aux costumes pittoresques, dont les jurons, plus pittoresques encore, enrichissaient la langue française, tandis que les uns recevaient dans de lourdes charrettes, ou sur de longs cabrouets,[1] les cargaisons des bâtiments, et que les autres emplissaient à la rivière des tonnes d'une eau sale et triste à voir, la seule cependant que l'on boive à Québec, où il n'y a point d'aqueduc. Plus loin, c'étaient des matelots qui blasphémaient dans la langue de la fière Albion, inférieure à

---

[1]*cabrouets*: low, four-wheeled wagons used to carry heavy goods.

nulle autre sous ce rapport. Ici, c'étaient des sauvages avec leurs capots bleus, et des sauvagesses drapées dans des couvertes blanches; là, c'étaient des soldats anglais revêtus de leur uniforme écarlate, qui souvent tranchait vivement et de près sur les dites couvertes blanches. Des émigrés irlandais, portant l'habit bleu ou vert et la culotte courte traditionnelle, celle-ci boutonnée assez souvent sur la jambe nue, ce qui leur a fait donner par les Canadiens le sobriquet ironique de « bas-de-soie » (*lucus a non lucendo*);[2] des femmes enveloppées de manteaux bleus, quelques-unes portant le plus jeune de leurs enfants sur leur dos, à la manière des sauvages et des bohémiens; des habitants aux vêtements de gros drap gris de fabrique domestique, à la tuque bleue ou rouge, au tablier de cuir, et aux grandes bottes rouges, rattachées par une courroie à la ceinture, rouge aussi, le fouet sous le bras, et la pipe à la bouche; des habitantes à la jupe de droguet, au mantelet d'indienne, au large chapeau de paille, aussi vives et caquetantes que leurs maris semblaient insoucieux et taciturnes; des voyageurs des pays d'en haut, célèbres dans toute l'Amérique comme un type unique dans son genre, fiers et goguenards, avec leurs chapeaux chargés de rubans et crânement posés sur le coin de l'oreille, leurs chemises et leurs cravates éclatantes, et leurs belles et larges ceintures de poil de chèvre aux flèches de mille couleurs; tout ce monde se mêlait à la population de la ville, qui, ouvrière ou bourgeoise, française ou anglaise, se faisait également remarquer par une propreté exquise, une mise et une tenue décentes et même un peu recherchées.

Tout ce peuple parlait, criait, bruissait, bourdonnait, allait et venait, et au milieu du vacarme et du mouvement auquel se mêlaient les piétinements et les cris des animaux que l'on conduisait au marché, Louise croyait sincèrement qu'elle allait perdre la tête et ne pourrait jamais se frayer un chemin.

Tiré de Charles Guérin, *par Pierre-Joseph-Olivier Chauveau.* Québec: Éditions de la Revue Canadienne, 1900.

[2]*lucus a non lucendo*: literally "to light without any illumination", meaning "to make something out of nothing".

Questions

1. Quels effets psychologiques les contrastes décrits ici peuvent-ils normalement provoquer chez des campagnards?
2. L'adaptation à la vie urbaine pouvait-elle être favorisée par le cosmopolitisme des grandes villes?

Palissades

SYLVAIN GARNEAU (1930-53) fut poète, journaliste, comédien et annonceur à la radio; sa mort précoce aura privé le Canada français d'un poète fantaisiste de qualité.

Les maisons sous les ponts, aux abords de la ville!
Nous en avons suivi des sentiers, pauvres de nous,
Des sentiers sous les ponts. C'était, je crois, en août.
Non. Nous ne croyons pas être si malhabiles.

Nous voulions bien savoir ce qui nous arrivait.
A gauche, cette usine énorme, roide, noire.
A droite, une clôture infinie. . . Et ces gloires
Du matin qui poussaient au milieu du pavé?

Entre chaque fissure, une fleur, une ronce.
Nous longions la clôture en comptant sur nos doigts
Les blessures, les noeuds, médailles du vieux bois.
O le sang qui coulait sur les placard-annonce!

Les gamins et les chiens nous frôlaient les talons,
A peine s'arrêtant près des bornes-fontaines,
Le temps de renifler, le temps de prendre haleine.
Puis ils nous rattrapaient avant l'autre jalon.

Fillettes, c'est pour vous que, sur les palissades,
Les voyous ont gravé ces mots: Toujours, jamais.

Ces croix, pour vous haïr, ces coeurs, pour vous aimer,
Et ces flèches aussi, pour les orgueils malades.

Vous trouverez d'ailleurs des messages moqueurs
Qui livrent des secrets, des craintes et des peines.
Et d'autres, attendris, usés par les semaines,
Qu'ont écrits vos parents lorsqu'ils étaient menteurs.

Ils font, tous ces gamins, fillettes esseulées,
Les mêmes jeux que vous, au fond des cours à bois.
A l'abri des passants, ils cherchent, croyez-moi,
Ce qui reste d'amour aux forêts dépeuplées.

Au restaurant du coin, ils ont vu leurs rivaux,
Ceux qu'on aime de loin ou sur les magazines.
Et c'est pour oublier ces héros misogynes
Qu'ils complotent, le soir, craintifs, dans les caveaux.

A midi, on les voit, deux à deux, les fillettes,
Qui tiennent sur leur coeur de pauvres caméras
Et « prennent des portraits » innocents, scélérats,
Devant des magasins ou des motocyclettes.

Et le beau policier qui sirote un café
Au restaurant du coin, tout en contant fleurette
A la fille qui, elle, a d'autres amourettes,
En sortant sourira de les voir s'esclaffer.

«Palissades», par Sylvain Garneau, tiré de La Poésie canadienne.
Montréal: Éditions H.M.H., 1962. Tous droits réservés.

Questions

1. Faites voir le mouvement qui rend ce poème si vivant.
2. Dans la cinquième strophe, l'auteur résume les tourments des amours adolescents. Analysez-en brièvement le contenu pour en faire ressortir toute la densité.
3. Tout au long du poème, Sylvain Garneau note d'une façon directe ou indirecte la présence du temps. Indiquez et expliquez ces passages où apparait la dimension temporelle des choses et des êtres.
4. Quel vers, selon vous, résumerait le mieux ce poème?

Bonheur d'occasion

GABRIELLE ROY (1909-   ) est l'un des romanciers les plus importants du Canada français. D'origine manitobaine, elle a remporté le Prix Fémina (Paris, 1947) pour son roman *Bonheur d'occasion*. D'autres oeuvres, d'une grande originalité, ont suivi: *La Petite Poule d'eau, La Route d'Altamont*, etc. Gabrielle Roy décrit, avec sa sensibilité propre, la vie de sa famille, qui devient, grâce à son talent, celle des Canadiens français.

L'horloge de l'église de Saint-Henri[1] marquait huit heures moins le quart lorsqu'il arriva au coeur du faubourg.

Il s'arrêta au centre de la place Saint-Henri, une vaste zone sillonnée du chemin de fer et de deux voies de tramway, carrefour planté de poteaux noirs et blancs et de barrières de sûreté, clairière de bitume et de neige salie, ouverte entre les clochers, les dômes, à l'assaut des locomotives hurlantes, aux volées de bourdons, aux timbres éraillés des trams et à la circulation incessante de la rue Notre-Dame et de la rue Saint-Jacques.

La sonnerie du chemin de fer éclata. Grêle, énervante et soutenue, elle cribla l'air à la paroi de la cabine à signaux. Jean crut entendre au loin, dans la neige sifflante, un roulement de tambour. Il y avait maintenant, ajoutée à toute l'angoisse et aux ténèbres du faubourg, presque tous les soirs, la rumeur de pas cloutés et du tambour que l'on entendait parfois rue Notre-Dame et parfois même des hauteurs de Westmount, du côté des

[1]*Saint-Henri*: an old section of Montreal criss-crossed by railroad tracks.

casernes, quand le vent soufflait de la montagne.

Puis tous ces bruits furent noyés.

A la rue Atwater, à la rue Rose-de-Lima, à la rue du Couvent et, maintenant, place Saint-Henri, les barrières de sureté tombaient. Ici, au carrefour des deux artères principales, leurs huit bras de noir et de blanc, leurs huit bras de bois où luisaient des fanaux rouges se rejoignaient et arrêtaient la circulation.

A ces quatre intersections rapprochées, la foule, matin et soir, piétinait et des rangs pressés d'automobiles y ronronnaient à l'étouffée. Souvent alors des coups de klaxons furieux animaient l'air comme si Saint-Henri eût brusquement exprimé son exaspération contre ces trains hurleurs qui, d'heure en heure, le découpent violemment en deux parties.

Le train passa. Une âcre odeur de charbon emplit la rue. Un tourbillon de suie oscilla entre le ciel et le faîte des maisons. La suie commençant à descendre, le clocher de Saint-Henri se dessina d'abord, sans base, comme une flèche fantôme dans les nuages. L'horloge apparut; son cadran illuminé fit une trouée dans les voiles de vapeur; puis, peu à peu, l'église entière se dégagea, haute architecture de style jésuite. Au centre du parterre, un Sacré-Coeur,[2] les bras ouverts, recevait les dernières parcelles de charbon. La paroisse surgissait. Elle se recomposait dans sa tranquillité et sa puissance de durée. École, église, couvent: bloc séculaire fortement noué au coeur de la jungle citadine comme au creux des vallons laurentiens. Au delà s'ouvraient des rues à maisons basses, s'enfonçant de chaque côté vers les quartiers de grande misère, en haut vers la rue Workman et la rue Saint-Antoine, et, en bas, contre le canal de Lachine où Saint-Henri tape les matelas, tisse le fil, la soie, le coton, pousse le métier, dévide les bobines, cependant que la terre tremble, que les trains dévalent, que la sirène éclate, que bateaux, hélices, rails et sifflets épellent autour de lui l'aventure.

Jean songea non sans joie qu'il était lui-même comme le bateau, comme le train, comme tout ce qui ramasse de la vitesse en traversant le faubourg et va plus loin prendre son plein essor.

---

[2]*un Sacré-Coeur*: a statue representing Jesus with a bleeding heart.

Pour lui, un séjour à Saint-Henri ne le faisait pas trop souffrir; ce n'était qu'une période de préparation, d'attente.

Il arriva au viaduc de la rue Notre-Dame, presque immédiatement au dessus de la petite gare de brique rouge. Avec sa tourelle et ses quais de bois pris étroitement entre les fonds de cours, elle évoquerait les voyages tranquilles de bourgeois retirés ou plus encore de campagnards endimanchés, si l'oeil s'arrêtait à sa contenance rustique. Mais au delà, dans une large échancrure du faubourg, apparaît la ville de Westmount échelonnée jusqu'au faîte de la montagne dans son rigide confort anglais. Il se trouve ainsi que c'est aux voyages infinis de l'âme qu'elle invite. Ici, le luxe et la pauvreté se regardent inlassablement, depuis qu'il y a Westmount, depuis qu'en bas, à ses pieds, il y a Saint-Henri. Entre eux s'élèvent des clochers.

Questions

1. De quelles précisions use l'auteur pour évoquer la présence envahissante de l'industrie dans la ville?
2. Retrouvez la progression symbolique dont se sert l'auteur dans sa description de la réapparition des objets peu après le passage du train.

Québec je t'aime

GILLES VIGNEAULT (1928-   ), poète et chansonnier, s'est vu décerner de nombreux prix lors de galas internationaux de la chanson. Sa langue simple et colorée lui permet de rejoindre tous les publics.

Dire que j'aime une ville, c'est peut-être déjà mentir. Puisqu'à la vérité, tout ce que j'aime d'emblée dans une ville, c'est ce qui fait le moins qu'elle en est une. Ce n'est pas une place où passent trop de gens trop vite et trop souvent, c'est une autre où, mystère, il ne passe personne; c'est une pierre lavée par les saisons, un mur, un jardin mal à l'aise, une fontaine à sec, un escalier de bois pourri, un coin de parc et je ne sais quel arbre tourmenté qui se défend d'avoir poussé si loin de l'herbe. . . et l'herbe qui proteste, entre macadam et ciment. A mettre ensemble le casse-tête de tous les coins du temps, les moments de l'espace qui font que j'aime entendre battre une ville autour de moi, on ferait un village. On n'aurait plus qu'à poser chacune à sa place les maisons, puis disposer les gens, dedans et dehors et l'on se sentirait quelque part sur la planète.

Dire que j'aime Québec pourtant n'est plus mentir. Car ici, justement, tout ce qui semblerait ailleurs des regrets de campagnes, des erreurs et des mélancolies usées, tout ce fatras d'hier étouffé dans l'entrecroisement de lendemains métalliques, tout cela compose la ville comme à plaisir.

Je dis la ville et me venait le mot: village. Tellement on se fait d'univers au gré d'une tourelle, d'un pignon, d'une muraille, d'un rempart. A ce point que l'on peut devenir Québécois sans se faire citadin. Et, seulement douze ans après avoir pour la première fois passé sous les trois portes[1] et connu en pierre et en suie les trois tours Martellos, réclamer pour le Quartier Latin le respect que l'on voue aux espaces de l'enfance.

Qu'on m'y ramène demain les étudiants qui s'en vont, faculté par faculté, faire semblant d'être heureux, dans les cages obligatoires dont la laideur même est moins franche que celle de l'Hôtel-Dieu!

Qu'on m'y casse tous ces néons qui parlent le « touristroom »!

Qu'on m'y vende des fleurs à Pâques et du saumon frais de ma rivière à la Saint-Pierre.

Bien sûr. . . ! Et chaque automne qu'y renaissent la comédie et la chanson. . . ! Bien sûr. . . ! Puisque dans la rue Desjardins, ce réverbère est le plus beau du monde et ce clocher anglican de la rue Ste-Ursule, le plus haut, et, côte de la Montagne, ce toit qui me rapelle un Arlequin à demi effacé, déjà, sur le mur du grand escalier. . .

En deux ans on s'y fait un passé. En dix ans, une jeunesse. Parce qu'on n'y a point le sentiment d'habiter une ville mais que c'est plutôt la cité qui s'est lentement, gentiment, installée dans les alentours. Pendant qu'on en parlait. J'ai vécu à Québec en une douzaine d'endroits différents (instabilité des jours plus difficiles, aujourd'hui les plus chers), et je ne saurais dire quelle porte fut la meilleure, quelle fenêtre avait le plus de ciel. Des amis que j'avais, dont je croyais alors qu'ils étaient toute ma ville, j'ai gardé ceux avec qui l'on pouvait, au petit matin de quatre heures, aller voir le soleil reposer les choses à leur place et faire croire à seigneur et princesse avec une tour du château. Et ceux qui sont loin de cet âge dont le moindre escalier nous faisait une époque, je les rencontre encore au hasard des ruelles, ils ont changé leurs noms, et j'ai changé mon pas et nous nous rencontrons et nous semblons être restés les mêmes tellement ici, le temps s'est moqué des horloges. Oui! Les clochers sonnent à la même heure. . . Non! Il n'y a pas encore grand-chose d'ouvert la nuit. . . Oui! les bateaux d'été vont reprendre leur miniature de

---

[1] *les trois portes*: the three stone gates that lead into the old part of the city.

voyage. . . Non! Les touristes ne sont pas encore là. Oui! Les
calèches. . . Non! Le bonhomme Carnaval. . .[2] Oui. . . la maison
du coin Ste-Famille. Les Remparts. . . Non. . . les gratte-ciel. Tu
comprends ce que je veux dire? Le Palais Montcalm est à la
même place, le Cercle aussi mais la Huchette et l'Arlequin sont
fermés comme la Boîte aux Chansons. . .

Il en reste et il en part et je te jure que c'est la même ville.
Viens voir si je mens. Dire que j'aime une ville. . .

Questions

1. A quels détails précis reconnaît-on dans ce texte le poète amant de
   la grande nature?
2. Quelles sont les caractéristiques de Québec qui donnent à cette ville
   une place particulière au fond du coeur de l'auteur?

[2] *le bonhomme Carnaval:* the snowman that is the symbol of Quebec's winter carnival.

Vocation exceptionnelle de la métropole

L'Exposition universelle de 1967 à Montréal fera sans doute connaître à tous ceux qui l'ignoraient jusque-là la figure éminemment sympathique de JEAN DRAPEAU (1916-   ), maire de Montréal et l'un des principaux instigateurs du projet. Ce texte publié dans *Le Devoir* reflète bien l'enthousiasme du premier magistrat pour sa ville.

S'il est normal et légitime de se réjouir de l'expansion que connaît aujourd'hui la Ville de Montréal sur tous les plans, il ne s'ensuit pas qu'il faille se complaire dans les résultats acquis ni oublier que l'essor actuel est le fruit des rêves, des efforts, des énergies de plusieurs générations.

L'histoire et la géographie ont préparé, dessiné en quelque sorte à Montréal le grand rôle et la vocation singulière qui sont devenus les siens. Mais il n'a point suffi de cela: il y a encore fallu, tout au long des siècles, un certain nombre de hautes vertus qui ont caractérisé toutes les étapes du développement de notre ville: audace, ténacité, innovation. Dans les circonstances même de sa fondation, ces vertus se sont affirmées et on en retrouve l'expression à chaque tournant décisif: très tôt, Montréal fut le point de départ vers l'exploration et l'humanisation de la plus grande partie de l'Amérique du Nord; très tôt, aussi, elle fut le port d'attache en quelque sorte des découvreurs, des innovateurs, des coureurs de bois.

De même, dans l'ordre des idées et des doctrines, dans les combats de toutes sortes, Montréal se trouve presque toujours à l'avant-garde, plus prompte que le reste du Canada français à adhérer aux thèses nouvelles, du moins à les interroger et à les explorer. Ce fut vrai hier dans la longue lutte qui devait culminer dans l'insurrection de 1837-8, ce l'est encore aujourd'hui dans tous les secteurs de l'activité humaine. L'alliance de ces vertus, de cette mentalité pionnière, monitrice, de la géographie et des ressources tant humaines que matérielles (qui ne cessent de s'accroître et de se diversifier) devait conduire Montréal au rang qui est aujourd'hui le sien et la conduire en même temps au seuil d'une aventure plus exaltante encore.

Ce dont nous sommes en effet témoins depuis quelques années, ce n'est pas un point d'arrivée mais un point de départ. L'explosion démographique, l'explosion de la construction immobilière et résidentielle, la modernisation des moyens de transport et de communication, l'extraordinaire développement de la vie intellectuelle et des activités culturelles, la multiplication des relations avec le monde entier annoncent déjà que Montréal va devenir l'une des grandes villes internationales et l'un des principaux carrefours du monde occidental.

Voici que se lève cette « ville debout » que Malraux déjà saluait il y a un an; voici qu'une grande ville francophone en Amérique du Nord va témoigner avec éclat et avec dynamisme que le fait français n'est pas de l'ordre du souvenir et du musée mais de l'ordre de la création, de l'invention, de la jeunesse et de l'avenir. Coïncidant avec le réveil du Québec, l'expansion et l'affirmation de Montréal-métropole et de Montréal-carrefour international indiquent avec éloquence les vertus d'imagination, d'efficacité et de vigueur d'une culture française qui sait inspirer une civilisation de type moderne, d'une langue française qui sait exprimer pleinement avec les réalités de ce monde moderne, les aspirations, les besoins, les rêves et l'espoir du citoyen du xxe siècle.

Il nous restera —et ce ne sera pas la moindre tâche – de savoir faire que cette ville, outre d'être progressive, puissante et dynamique, devienne un haut lieu du nouvel humanisme et d'une certaine douceur de vivre. C'est peut-être là que nous avons, francophones d'Amérique, à nous définir et à nous illustrer le mieux. Le défi est immense: j'aime croire que le sont aussi les qualités de notre peuple et le contenu de la révolution tranquille.

Tiré de « Vocation exceptionnelle de la métropole », par Jean Drapeau, dans Le Devoir *(le 19 mai, 1965).* Montréal: Le Devoir. *Tous droits réservés.*

Questions

1. Reconnaissez-vous à Montréal, comme le fait ici Jean Drapeau, cette faculté d'adhérer plus rapidement que les autres villes canadiennes-françaises aux thèses nouvelles? Comment expliquer ce phénomène?
2. En quoi Montréal est-elle un « carrefour unique en terre nord-américaine »?
3. Discutez si l'affirmation de Montréal-métropole risque de rejeter dans l'ombre l'essor considérable de certaines autres villes du Canada français?
4. Comment la métropole pourra-t-elle devenir, comme le souhaite Jean Drapeau, « un haut lieu du nouvel humanisme et d'une certaine douceur de vivre »?
5. Qu'est-ce qu'un « premier magistrat »?

Famille

Je suis un fils déchu

ALFRED DESROCHERS (1901-   ), un des plus grands poètes du Québec, vit dans les Cantons de l'Est, à l'ombre du Mont Orford qu'il a chanté; là, ce poète à barbe blanche est devenu un personnage légendaire. Alfred Desrochers a écrit des vers où la perfection de la forme s'allie à la profondeur du lyrisme.

Je suis un fils déchu de race surhumaine,
Race de violents, de forts, de hasardeux,
Et j'ai le mal du pays neuf, que je tiens d'eux,
Quand viennent les jours gris que septembre ramène.

Tout le passé brutal de ces coureurs des bois:
Chasseurs, trappeurs, scieurs de long, flotteurs de cages,
Marchands aventuriers ou travailleurs à gages,
M'ordonne d'émigrer par en haut[1] pour cinq mois.

Et je rêve d'aller comme allaient les ancêtres:
J'entends pleurer en moi les grands espaces blancs,
Qu'ils parcouraient, nimbés de souffles d'ouragans,
Et j'abhorre comme eux la contrainte des maîtres.[2]

Quand s'abattait sur eux l'orage des fléaux,
Ils maudissaient le val, ils maudissaient la plaine,
Ils maudissaient les loups qui les privaient de laine:
Leurs malédictions engourdissaient leurs maux.

[1]*Tout le passé. . . par en haut*: The whole rugged past . . . commands me to go north.
[2]*j'abhorre. . . des maîtres*: like them I loathe the masters' bonds.

Mais quand le souvenir de l'épouse lointaine
Secouait brusquement les sites devant eux,
Du revers de leur manche, ils s'essuyaient les yeux
Et leur bouche entonnait: « A la claire Fontaine ». . .

Ils l'ont si bien redite aux échos des forêts,
Cette chanson naïve où le rossignol chante,
Sur la plus haute branche, une chanson touchante,
Qu'elle se mêle à mes pensers les plus secrets:

Si je courbe le dos sous d'invisibles charges,
Dans l'âcre brouhaha de départs oppressants,
Et si, devant l'obstacle ou le lien, je sens
Le frisson batailleur qui crispait leurs poings larges;

Si d'eux, qui n'ont jamais connu le désespoir,
Qui sont morts en rêvant d'asservir la nature,
Je tiens ce maladif instinct de l'aventure,
Dont je suis quelquefois tout envoûté, le soir;

Par nos ans sans vigueur, je suis comme le hêtre
Dont la sève a tari sans qu'il soit dépouillé,[3]
Et c'est de désirs morts que je suis enfeuillé,
Quand je rêve d'aller comme allait mon ancêtre;

Mais les mots indistincts que profère ma voix
Sont encore: un rosier, une source, un branchage,
Un chêne, un rossignol parmi le clair feuillage,
Et comme au temps de mon aïeul, coureur des bois,

Ma joie ou ma douleur chantent le paysage.

[3]*le hêtre /. . . dépouillé*: the beech-tree that is drained of its sap, yet not stripped of leaves.

Questions

1. Sous quels traits l'auteur peint-il ses ancêtres?
2. Croyez-vous qu'il les idéalise trop? Donnez vos raisons.
3. Pouvez-vous nommer de grands découvreurs de la Nouvelle-France?
4. Croyez-vous qu'Alfred Desrochers a la volonté de partir à l'aventure? Pourquoi?

Florence

MARCEL DUBÉ (1930-   ), auteur dramatique, a écrit des pièces de
théâtre qui représentent très bien la mentalité canadienne-française.
Son oeuvre se situe toujours entre le rire et les larmes. Il joue un grand
rôle dans la formation de la sensibilité canadienne-française d'aujourd'hui. C'est un homme simple qui est resté près du peuple dont il
est issu.

FLORENCE — Menteur! Espèce de p'tit hypocrite! Dis-le donc
ce que tu penses de ton père et de ta mère au fond de toi-même,
dis-le! T'as peur, hein! T'as peur d'avouer que des fois t'en as eu
honte.[1]

PIERRE — T'es rien qu'une. . . t'es rien qu'une. . .

*Il ne trouve pas le mot. Il lève la main vers Florence mais son
père la lui rabat durement en le regardant dans les yeux avec
sévérité. La mère a eu juste le temps de crier.*

ANTOINETTE — Fais pas ça, Pierre!

GASTON, *lentement à Florence* — Continue. . .

FLORENCE — Pourquoi que tu me forces à dire tout ça?

GASTON — Quand on est un homme, on doit être capable de
faire face à la vérité. Si c'est la vérité que tu dis, je veux y faire
face. Pourquoi que tu serais pas heureuse d'avoir la vie que ta
mère a eue?

---

[1]*T'as peur. . . as eu honte*: You're afraid to say that sometimes you've been ashamed
of your parents. (The contractions correspond to the rapidity of the speech.)

FLORENCE — Je le sais pas, j'ai dit ça sans penser, questionne-moi plus, papa.

GASTON — T'as accusé ta mère, maintenant je veux que tu m'accuses.

PIERRE — Tu devrais pas attacher d'importance à ses paroles.

GASTON, *qui pour la première fois se fâche* — Ferme-toi. Florence veut me parler, je veux qu'on la laisse me parler.

FLORENCE — Regarde, papa, regarde tout ce qu'y a autour de nous autres. Regarde les meubles, les murs, la maison: c'est laid, c'est vieux, c'est une maison d'ennui. Ça fait trente ans qu'on vit dans les mêmes chambres, dans la même cuisine, dans le même living-room. Trente ans que tu payes le loyer mois après mois. T'as pas réussi à être propriétaire de ta propre maison en trente ans. T'es toujours resté ce que t'étais: un p'tit employé de compagnie qui reçoit une augmentation de salaire à tous les cinq ans. T'as rien donné à ta femme, t'as rien donné à tes enfants que le strict nécessaire. Jamais de plaisirs, jamais de joies en dehors de la vie de chaque jour. Y a seulement que Pierre qui a eu la chance de s'instruire: c'est celui qui le méritait le moins. Les autres, après la p'tite école c'était le travail; la même vie que t'as eue qui les attendait. Y ont marié des filles de rien pour aller s'installer dans des maisons comme celle-là, grises, pauvres, des maisons d'ennui. Et moi aussi, ça va être la même chose si je me laisse faire. Mais je veux pas me laisser faire, tu comprends papa! La vie que t'as donnée à maman ça me dit rien, j'en veux pas! Je veux mieux que ça, je peux plus que ça. Je veux pas d'un homme qui va se laisser faire toute sa vie,[2] qui montera jamais en grade, simplement par honnêteté, ça vaut pas la peine d'être honnête si c'est tout ce qu'on en tire...

ANTOINETTE — Tu vas trop loin, Florence!

FLORENCE — J'aime mieux mourir plutôt que de vivre en esclave toute ma vie.

Tiré de « Florence », par Marcel Dubé, dans Écrits du Canada français, *Tome 4. Montréal: Éditions H.M.H., 1954. Tous droits réservés.*

[2] *d'un homme... sa vie*: a man who is going to let others do as they please with him all his life.

Questions

1. Quelles sont les qualités et les défauts des personnages?
2. Florence rejette-t-elle son milieu familial? Donnez les raisons pour votre réponse.
3. Qu'entendez-vous par « conflit des générations »?

Mon fils pourtant heureux

JEAN SIMARD (1916-   ), est un romancier et essayiste qui, sous des allures faciles, cache une vision cruelle du monde. Son livre *Mon fils pourtant heureux* est centré sur le manque de compréhension entre les parents et les enfants.

Ma mère et moi vivions en coquetterie, pour ainsi dire: un petit monde clos, douillet – irrespirable. Lorsqu'elle devait sortir, nous nous faisions des adieux comme pour un long voyage. Elle partie, le temps devenait immobile. Je guettais son retour, le coeur battant, comme un amant inquiet. Et lorsqu'enfin elle rentrait, je me jetais dans ses bras, enfouissais mon visage dans ses cols de fourrure, tout remplis d'un parfum de musc et de givre.

Mon premier souvenir d'amour!

Avec mon père c'était différent. Il réprouvait, comme amollissantes, ces effusions trop tendres. L'ayant senti, ma mère et moi, nous nous les défendions en sa présence... Il préférait, pour sa part, imprimer à nos relations un caractère de mâle camaraderie, compliquée de cette pudeur qu'il avait, et qui le gênait tant dans l'expression des sentiments chaleureux. Aussi son affection pour moi, réelle et profonde, n'osait-elle se manifester que sous des dehors bourrus. Avec la souplesse cabotine de l'enfance, j'entrais instinctivement dans le jeu, débitais mon rôle sans sourciller, incarnais le Rodrigue de ce Don Diègue![1]

Chaque matin, ponctuel et méticuleux, mon père satisfaisait au rite de la barbe, du savon et du rasoir: liturgie du petit lever à laquelle je participais, tel un enfant de choeur familier. Après quoi, il s'habillait, enfilant ses vêtements selon une séquence invariable, distribuant dans ses poches leur quota régulier d'objets indispensables. Au déjeuner, nous mangions côte à côte, frugalement, comme deux guerriers après l'exercice... A huit heures précises, il pliait sa serviette, embrassait sa femme sur le front, échangeait avec moi une ultime et virile accolade, partait pour le bureau.

Et jusqu'au soir, madame Navarin resserrait sur son fils les anneaux de son emprise douceâtre...

Tiré de Mon fils pourtant heureux, *par Jean Simard. Montréal: Le Cercle du Livre de France, 1956. Tous droits réservés.*

Questions

1. De quelle façon madame Navarin aime-t-elle son fils?
2. Quelles seront d'après vous les conséquences de cet amour?
3. Portez un jugement sur le comportement du père et de la mère.

---

[1]*incarnais le Rodrigue de ce Don Diègue*: [I] impersonated Roy Diaz de Bivar, son of Don Diego (an allusion to the play *Le Cid*, by Corneille).

Bonheur et famille

CLAUDE JASMIN (1930-   ), peintre, critique et romancier, a écrit quelques-unes des pages les plus violentes de la littérature canadienne-française. Il adapte facilement son talent aux nécessités psychologiques de l'heure. Toutefois, il représente bien la nouvelle génération des écrivains canadiens-français, pleine d'enthousiasme et qui veut faire entendre sa voix envers et contre tous. Deux de ses romans *La Corde au cou* et *Délivrez-nous du mal* ont été portés à l'écran.

La famille? Définissons, définissons il en restera toujours assez. Institution institutionalisée qui fait l'affaire, entendez les « affaires » de l'état, qui fait l'affaire de la police (cherchez la famille, se répète le limier moderne), des avocats et des juges et des notaires, surtout, qui fait l'affaire des bureaux de l'impôt, qui fait l'affaire des églises, de la nôtre, sainte mère accablante et accablée, enfin, institution qui fait l'affaire des « forces de l'Ordre », de l'autorité établie, ou en train de s'établir, selon le degré de civilisation!

Hommages. Passons aux hommages: hommages des forces de l'ordre aux couples mal mariés, aux couples mal unis, mal aimés et qui tiennent le coup pour sauver les apparences de la société civilisée.[1] La société organisée se nomme aussi « la belle société », voir Ferré,[2] sociologue éminent des cafés-concerts. Elle sème le

---

[1]*Hommages. . . civilisée*: Compliments. Let us turn to compliments. The compliments paid by the forces of order to couples unhappily married, to couples mismated and unloving who carry on in order to preserve appearances.
[2]*Ferré*: a French singer especially popular with young intellectuals.

Québec: Office provincial de publicité

La rivière Batiscan, Saint Stanislas

Chargement de papier journal, port de Montréal

bon ordre d'une main et de l'autre n'en finit pas de réparer les fissures des pots cassés. Les malheureux donc les mal – voir plus haut – se dirigent en rangs serrés vers la débauche – organisations hiérarchisées de la pornographie, à haute échelle: réseaux de « call-girl », clubs privés. . . ils marchent vers la bouée d'accrochage (non de sauvetage) l'alcoolisme – organismes très bien structurés – rouages pour toute condition: tavernes jansénistes, cabarets sordides ou luxueux, blind-pigs on livre à domicile, voir les « spots publicitaires » genre méta-philosophiques. « La Vie a encore ses bons. . . » – enfin, ils vont aux activités sociales du plus haut raffinement – « partouses, strip-parties, strip-pokers », autre vestige d'une société puritaine anglophone qui nous entoure et déteint. . . Mais, sérieusement, un des plus beaux fruits des malheureux a nom « la délinquance juvénile » puisqu'il faut l'appeler par son nom!

L'homme, animal raisonnable – et astucieux – échappera à son triste état de mal marié, s'il déteste les tavernes et les cabarets-bouges, par le « club de pêche – le club de chasse », ou encore par une adhésion à ces « chevaleries de ceci et de cela », toutes choses organisées en fonction (honorable) d'éloigner une des parties (toujours le « mâle ») des couples mal unis!

Une fois réunis ensemble, le *malheur* se porte mieux, se chasse (maudite boisson), s'atténue (sacrées garces à motels), se voile (petits spectacles salés « lives » ou sur pellicule 16 mm.). Et, en ce pays si chrétien, pour mieux protéger la fameuse institution, essentielle aux forces de l'ordre, on fait de la femme mariée, une mineure, enfant irresponsable, sorte d'aliénée mentale, juridiquement nulle. Le code, voyez-vous, cette chère vieille chose veille au grain.[3] Comme le music-hall, la justice a sa « Mistinguett ». Et ça n'a pas l'air près de rajeunir!

Les « rouspéteuses » et les féministes sont des fomenteurs de désordre civil. Le marché du travail, organisé et tenu par des hommes, voit à surveiller le respect des traditions. Pour un poste envié, il faudra à la femme, plus d'efforts, plus d'études et plus de diplômes qu'à n'importe quel premier homme venu. L'ignorante travaillera quantité d'heures, aux bureaux ou aux

---

[3]*cette chère. . . au grain*: (figurative) this cherished old thing provides for trouble.

usines, pour un maigre salaire de garçon-livreur. Elle apprendra, cette pécore, cette mégère, que son poste unique c'est la famille, au trousseau, au trousseau. Qu'elle s'y enferre, le moyen-âge dure longtemps au Québec, trouvez pas? La revanche des berceaux voilà son unique labeur, l'honneur de son sexe. La discrimination sexuelle fera toujours son oeuvre. Sois une vraie « mère courage »[4] et tais-toi!

Petite chanson pour choeur:

« Ménagères, ménagères, vertus des Canadiens français... une deux... » Bis.

La famille, c'est un résultat, cela existe donc, découlant nécessairement du mariage. La famille a une existence réelle. Le mariage n'en a pas, il en est complètement dépourvu. Si bien qu'on lui fait une cérémonie pour prouver son existence au moins initiale. Les amours éternelles, sans faille, sans sursaut, sans interruption, ça n'existe pas non plus. Une femme ou un homme éternellement heureux (ou fidèles, ce qui revient au même) ça n'existe pas. Remarquez donc le passage subtil de Brecht à Prévert, c'est que, tout se tient, en littérature! Il y a tant de façons de tromper et surtout, ce qui est grave, de « se » tromper. L'épouse perpétuellement satisfaite – corps et âme, c'est-à-dire plaisir et bonheur – l'époux toujours heureux, ça n'existe pas. Rien de tout cela n'existe en réalité. Une seule chose existe « cruellement, joyeusement »: l'enfance. Là nous commençons vraiment à parler de la famille. L'enfant c'est le début de la joie ou... du drame, c'est l'orée de la conscience d'un couple,[5] l'aube de sa tragédie, ou de son ivresse affectueuse, ou encore, le crépuscule d'une certaine paix, d'une solitude... à deux!

L'état, au moins, municipal, ramasse les ordures, les chats crevés, les chiens perdus et même le produit des taxes(?) mais l'état ne ramasse pas les enfants, je parle, bien entendu, des enfants « par accident », des enfants regrettés, regrettables, mal venus, intrus! Oh! rassurons-nous, je connais des parents, mais oui, qui protesteraient. Pas ceux qui sont psychologues et pédagogues, tendres et attentifs, ceux qui les battent, qui les oublient,

[4]« *mère courage* »: an allusion to *Mother Courage* by Berthold Brecht.
[5]*l'orée... d'un couple*: (figurative) the beginning of a couple's awareness.

qui les ignorent, ceux qui les font instruire juste assez pour s'y accrocher au plus tôt, ceux qui n'ont pas et qui ne prennent pas les moyens de les « élever », ceux qui ne savent – et ne veulent pas le savoir – comment le mot « éducation » s'épelle, ceux qui ne veulent pas apprendre comment le mot « instruction » s'écrit: tous ces braves gens gueuleront si le moindre projet de loi annonçait un désir nouveau de l'état national de s'occuper un peu plus de l'une des richesses « naturelles » les plus précieuses, une des ressources les plus vitales. Gueuleraient: « État, vilain état, tes oignons! Tes forêts, tes mines, tes rivières et. . . la paix! »

Marcel Godin – après Miller, il me semble – proclamait: « Le mariage est le tombeau de l'amour! » Allons, mauvais élèves, pas de gros ni de grands mots. Soyons rusés et subtils encore:
— Le mariage est parfois utile aux hommes
souvent nécessaire aux femmes
toujours essentiel aux enfants!

Mais c'est une vieille institution bourrée d'inconvénients: Pas de noviciat, les premiers et *derniers* voeux en entrant, pas d'appel, ni reprise, ni remise. La vieille baraque prend l'eau, elle s'adapte de plus en plus mal au progrès. Toutes les sciences modernes lui enfoncent des épines atrocement douloureuses à tour de. . . découvertes. Elle se plaint mais sans muer d'un iota. En cela elle est vénérable, sa vaillante résistance tient de l'héroïsme bête et borné, inutile. Chère vieille!

Tiré de « Bonheur et famille », par Claude Jasmin, dans Liberté, *3 (décembre, 1961). Montréal: Liberté. Tous droits réservés.*

Questions

1. Comment une famille, dans l'optique de Claude Jasmin, se désintègre-t-elle?
2. La désintégration de la famille est-elle un phénomène typiquement nord-américain?
3. Croyez-vous que les féministes soient des fomenteurs de désordres sévères?

Classes sociales

La Société canadienne sous le régime français

GUY FRÉGAULT (1918-   ), éminent historien du régime français au Canada, est aujourd'hui sous-ministre des Affaires culturelles au Québec. Dans le texte qui va suivre, Guy Frégault décrit la réalité sociale de la Nouvelle-France au milieu du XVIIIe siècle.

De fait, la ville exerce sur les populations rurales une attraction si forte qu'en 1749 l'intendant prend des mesures rigoureuses pour empêcher les paysans de s'installer à Québec. En 1758, une pièce officielle déplore qu'on ait « laissé les villes se peupler plus que les campagnes ». En 1754, Québec compte 7,995 habitants, Montréal 4,432 et les Trois-Rivières environ 800. Un Canadien sur quatre est citadin.

Québec, capitale du Canada et de toute la Nouvelle-France, est un centre politique et un foyer de culture. C'est la résidence des pouvoirs publics. Comme celui de la métropole, le régime politique du Canada est autoritaire. Il faut y voir à la fois l'expression d'habitudes françaises et le résultat de nécessités locales. L'unité du commandement permettra au pays d'opposer une longue résistance aux forces supérieures, mais désaccordées des colonies britanniques. Voilà en bonne partie pourquoi le Canada est à bien des égards un établissement de type militaire. Le gouverneur général, qui trône à son sommet, a des attributions surtout militaires. Les officiers qui lui font la cour tout en travaillant à leur fortune sont presque tous issus des bonnes familles du pays. Ils commandent aux troupes de la marine et, dans les expéditions, aux milices. Les premières se recrutent en France et les secondes, dans les paroisses canadiennes; dans l'organisation des forces armées, le capitaine de milice, simple habitant, joue le rôle d'un très modeste auxiliaire des officiers. Quant aux fonctionnaires qui relèvent de l'intendant, administrateur civil, ils forment deux groupes: les uns exercent le pouvoir judiciaire, les autres manipulent les finances; ceux-ci viennent généralement de France et ceux-là, y compris les membres du Conseil Supérieur, appartiennent d'ordinaire à la bourgeoisie commerçante du pays.

Foyer de culture, la capitale possède le collège des Jésuites, établi en 1635. Comme les maisons que le même ordre dirige en France, le collège de Québec répond aux besoins de la classe moyenne et de la classe supérieure. Ce serait une erreur de croire qu'il sert surtout à former des jeunes gens destinés aux études théologiques. Pour cela, il existe, à partir de 1668, un petit séminaire dont les pensionnaires vont suivre des cours au collège. Il s'agit de deux institutions distinctes: la principale est au service de la société laïque, l'autre correspond à un besoin particulier de l'Église; toutes deux sont maintenues par le clergé. Avec ses grands personnages politiques, ses dignitaires ecclésiastiques, ses magistrats et ses fonctionnaires, la société québecoise est la plus brillante de la Nouvelle-France.

Montréal a une élite moins mondaine que celle de la capitale. Lorsque Bigot[1] y fait annoncer pour la première fois sa visite, les bourgeois et leurs femmes s'empressent de prendre des leçons de danse. Mais ces bourgeois sont entreprenants. Dès 1718, le grand voyer Lanouillier[2] dit qu'ils « font presque tout le commerce de la colonie. . . et Québec ne doit être regardé que comme l'entrepôt ». Située au carrefour des voies de communication qui sillonnent le continent, la cité édifie sa fortune sur la traite. Quand l'exportation des denrées agricoles s'ajoute à celle des fourrures, Montréal prend sa large part des profits, « car,» écrivent en 1737

---

[1]*Bigot*: François Bigot (1703-75) was the commissary at Louisbourg until its fall in 1744, when he returned to France. In 1748 he came back to New France as intendant, a position which he held until 1759.

[2]*Lanouillier*: Nicolas Lanouillier (1679-1756) was general agent for the Compagnie des Indes en Nouvelle-France, and a member of New France's governing council.

le gouverneur et l'intendant, « cette agglomération a toujours été le grenier de la colonie ».

Dans l'état actuel des connaissances, il est plus difficile de décrire le genre de vie des ouvriers que celui des paysans. On sait que, par suite de la rareté de la main-d'oeuvre spécialisée, les ouvriers gagnent cher: un charpentier touche des gages plus élevés que les appointements d'un membre du Conseil Supérieur. Bien rétribués, ils n'ont qu'à obéir: un jour que les employés du chantier de construction navale, à Québec, décident de chômer, Hocquart[3] les jette en prison; moyen pour lui naturel de régler une grève.

Fort différente est la condition sociale des marchands. Ils constituent la seule classe qui se soit organisée sous le régime français. En 1717, ils obtiennent du gouvernement métropolitain le droit de se réunir tous les jours, à Montréal et à Québec, pour discuter de leurs affaires, et l'autorisation d'élire deux syndics qui les représentent auprès des pouvoirs publics. Voici une évolution intéressante: à l'occasion, ces syndics parlent au nom de la population entière d'une ville; c'est naturel parce que les négociants en sont l'élément le plus puissant.

Il n'est pas aisé d'indiquer avec précision la limite qui sépare la classe moyenne de la grande bourgeoisie et celle-ci de l'aristo-cratie. A vrai dire, ces deux derniers groupes n'en font qu'un. Au xviie siècle le roi confère la noblesse à Charles Le Moyne;[4] après comme avant son anoblissement, Le Moyne reste dans les affaires. Dans la colonie, la noblesse ajoute du prestige à l'homme qui l'acquiert ou en hérite, mais elle ne lui donne guère plus de privilèges qu'à un roturier. Il y a des roturiers qui sont seigneurs et des nobles qui ne le sont pas. Les nobles vivent comme les bourgeois. Il n'en peut aller autrement, puisque les terres sont d'un faible rapport et que les charges ne font pas subsister leurs titulaires. Titrée ou non, de petite noblesse ou de bonne bour-geoisie, la classe supérieure, enrichie par le commerce, donne le ton à la société canadienne. Elle forme une oligarchie qui se

---

[3]*Hocquart*: Gilles Hocquart (1694-1783) was intendant of New France from 1729 to 1748.

[4]*Le Moyne*: Charles Le Moyne (1626-85) was born in Normandy and came to Mont-real in 1641, where he acquired several seigniories and, in 1668, the title of Baron de Longueuil. He had seven famous sons.

partage les postes de traite, occupe la plupart des fonctions publiques et se signale dans les expéditions militaires. En réalité, c'est elle qui a construit le Canada – celui qui disparaît en 1760 – en bâtissant son économie, en dirigeant son expansion territoriale et en inspirant sa politique.

Tiré de La Société canadienne sous le régime français *(Brochure historique No. 3), par Guy Frégault. Ottawa: Société historique du Canada, 1954. Tous droits réservés.*

Questions

1. Quelle était la grande ville du Canada français au milieu du xviiie siècle?
2. Pourquoi les paysans voulaient-ils tous aller y vivre?
3. Comment la bourgeoisie commerçante est-elle devenue l'élite de la Nouvelle-France?
4. La société que décrit Guy Frégault vous paraît-elle homogène? Motivez votre réponse.

Tout change au pays de Québec

L'auteur, dont on ne connaît pas l'identité, écrit sous le pseudonyme de PIERRE MAISTRE. Il appuie ses conclusions, que tout change au pays de Québec, sur le fait que la classe moyenne canadienne-française elle-même évolue.

Il fallut reviser notre conception de bourgeois. Était-ce une classe sociale que nous condamnions avec tant de véhémence? Plutôt une manière de sentir, de vivre imprégnée d'égoïsme. Certes cet égoïsme se découvrait dans un groupe social particulier; mais ne risquions-nous pas de commettre une injustice par une généralisation hâtive et imprudente? Car le bourgeois est un fait historique et social et ceux que nous désignions ainsi étaient-ils des éléments de ce fait? Non, ils constituaient un autre phénomène, celui de la ploutocratie. Le nom n'est pas joli mais c'est tant pis pour eux! Oui vraiment nous allions commettre une injustice, car si nous jetons un regard pénétrant sur le sol que nous foulons, puis, que nous tournions ensuite ce regard sur nous-même et que notre esprit tente d'établir un lien entre ce sol et notre présence, aussitôt surgit une image d'homme. Une image simple et belle aux contours nets et précis: l'image de l'homme de l'épargne, de l'homme de la continuité familiale et nationale; l'image du bourgeois, de la classe moyenne. Et c'est à la vue de cette image que je me suis fait cette réflexion qui est d'abord une interrogation: au pays de Québec tout change. Sans souci du ridicule de mon geste, j'ai cherché moi aussi un homme:

cet homme de la continuité familiale et nationale. Plus heureux que Diogène,[1] je l'ai trouvé mais effacé, humilié et presque honteux. Je l'ai interrogé, j'ai connu son histoire qu'il m'a racontée sans colère. A certains moments de son récit, j'ai frémi et j'ai compris la force qu'il y avait encore dans cet homme-là que l'on tuait lentement.[2] J'ai compris surtout que cette histoire était celle de tout un groupe auquel j'étais indissolublement lié et de qui je tenais le meilleur de moi-même. Et alors j'ai répété avec certitude: au pays de Québec tout change puisque une société trop dure, trop injuste, trop orgueilleuse rapetissait la taille de ce bâtisseur de pays. Car voilà bien ce qu'il fût ce bourgeois jadis maître d'un sol péniblement ouvert et, aujourd'hui, réduit au rôle de pièce interchangeable dans un mécanisme barbare: l'économie moderne.

Loin de moi l'intention de me faire le contempteur de notre époque: c'est là un jeu inutile et trop facile.

Regardant mon pays de Québec, j'ai trouvé sur son visage des lignes nouvelles tracées par d'autres mains que celles de ces paysans, de ces artisans, de ces bourgeois entêtés qui fidèlement maintenaient, de génération en génération, l'intégrité de l'histoire. Le visage est-il maintenant plus beau? Je ne le crois pas. Le fard, à distance, peut masquer les rides, mais il leur enlève leur noblesse. Et j'ai trouvé le visage de mon pays tristement fardé ou mieux encore, j'ai trouvé l'âme de mon pays québécois, lourde d'apports étrangers et j'ai cru, certain jour, qu'elle allait cesser d'être elle-même. Mais un pays ne perd pas ainsi son âme du jour au lendemain, il y faut du temps, des années et des années. Il faut que ceux-là qui sont chargés de la préserver aient manqué à leur tâche ou aient été empêchés de l'accomplir.

Et présentement, dans ces jours sans grandeur que nous vivons, on livre à la classe moyenne, un assaut formidable en vue de la supprimer et l'on songe pour demain à faire de ces paysans, de ces artisans, de ces journalistes, techniciens, hommes de profession voués au service de la communauté, on songe à faire de ces

---

[1]*Diogène*: The Greek philosopher Diogenes was said to have searched, presumably in vain, for an honest man.
[2]*j'ai frémi. . . lentement*: I shuddered and I understood the strength left in this [middle-class] man who was slowly being destroyed.

indépendants, des pensionnés, des malades de l'État. Et la voix mentait qui disait à Marie Chapdelaine « au pays de Québec, rien ne change, rien ne doit changer ». Car tout a changé et tout va changer, nous l'espérons. Et si je m'attarde sur le sort de la classe moyenne, si je parais en faire une défense et une illustration, c'est parce qu'elle est le fondement même de notre société. C'est parce que son histoire des cinquante dernières années est le changement le plus profond enregistré au pays de Québec.

Tiré de «Tout change au pays de Québec», par Pierre Maistre, dans L'Action universitaire, 13 (juin, 1946). Montréal: L'Action universitaire. Tous droits réservés.

Questions

1. Qu'est-ce qu'un bourgeois?
2. La mobilité sociale est-elle une qualité ou un défaut dans une société? Donnez vos raisons.
3. Discutez la phrase suivante: «Le fard à distance peut cacher les rides, mais il leur enlève leur noblesse.»

Élise Velder

ROBERT CHOQUETTE (1905-   ) est poète et romancier. Aujourd'hui Consul général du Canada à Bordeaux, Robert Choquette a écrit plusieurs romans. Dans *Élise Velder*, d'où est tiré le texte ci-dessous, il décrit l'état d'âme des nouveaux riches canadiens-français qui n'ont pas oublié qu'ils sont d'origine paysanne.

Voilà qu'il prenait soudain, de lui et de sa famille, de lui et des nouveaux riches leurs émules, une vue d'ensemble comme jamais encore avec autant de force, autant de clarté.[1] Lui qui rêvait de devenir un chef de file, bien souvent il avait médité sur le caractère canadien, sur les moeurs, les coutumes, les traditions du Québec. Mais voilà qu'aujourd'hui, tout cela était devant lui comme à portée de la main; tout cela qui s'était jusqu'ici présenté sous forme d'idée éclatait en pleine réalité vivante. Et mieux encore depuis quelques secondes, car Olivier venait d'entrer.

Au bruit des voix, Olivier s'était avancé jusque dans la porte, des journeaux sous son bras et le chapeau basculé vers l'occiput. Il n'avait songé à l'enlever qu'après avoir d'abord identifié les visiteurs. On lui avait fait comprendre que M. Trudeau racontait son voyage en Floride, et Olivier, qui connaissait la Floride comme chacun des Latour, étayait maintenant de commentaires

---

[1]*Voilà. . . clarté*: Suddenly he could picture very clearly himself and his family, himself and the wealthy upstarts who emulated them.

le récit du voyageur. C'était la même langue chez l'un comme l'autre, et chez tous: une langue concrète, imagée, souvent archaïque, une langue paysanne; et, chez tous, même tournure d'esprit, même sens de l'humour, même intérêt dans les faits plutôt que dans les idées, dans le résultat plutôt que dans le principe. Jamais Marcel ne l'avait vue aussi nettement, cette classe des nouveaux riches du Québec. De même que la très grande majorité des Canadiens français, ces Québécois à la fortune toute neuve étaient encore sous le drap fin des habits, des fils de la terre, des campagnards. Leurs attaches toutes récentes avec la glèbe, l'oncle Magloire et la tante Léocadie en témoignaient. Et tout cela était bien. Ce n'est pas d'un jugement critique ni d'un coeur humilié que Marcel Latour constatait ces vérités. Il était d'un tempérament trop amoureux de la lutte, d'un esprit trop peu satisfait par les seules grâces intellectuelles, pour rougir d'appartenir à une classe d'hommes chez qui la santé morale et physique est encore un apanage, une classe d'hommes dont l'esprit demeure celui des pionniers, des défricheurs, des colonisateurs. A fonder un commerce, augmenter la clientèle, faire entendre leur nom dans la clameur publicitaire, ces hommes mettent la même robustesse, la même ténacité que leurs pères ont mises à abattre la forêt, épierrer les champs, guider la charrue. Marcel Latour aimait la vie mieux que la littérature, mieux que l'art — qu'il aimait bien, pourtant, à condition que le sang de la vie y coule généreux, à condition que le poème ou la toile ne s'affadissent point dans l'intellectualisme.[2] Les élégances du monde, Marcel les approuvait sans effort, mais à condition qu'on n'aille pas leur sacrifier l'essentiel. Jamais il n'avait compris aussi clairement jusqu'à quel point était injuste l'attitude de sa mère envers les Velder, jusqu'à quel point injustifiables, ses prétentions.

Tiré de Élise Velder, *par Robert Choquette. Montréal: Éditions Fides (Collection La Gerbe d'Or), 1958. Tous droits réservés.*

---

[2]*ne s'affadissent point. . . l'intellectualisme*: did not become insipid through intellectualism.

Questions

1. Qu'est-ce qu'un nouveau riche?
2. Décrivez le caractère de Marcel Latour; est-il, selon vous, un véritable lutteur?

Doléances du notaire Poupart

CARL DUBUC (1925-   ) est un humoriste, et, comme la plupart des humoristes professionnels, parfois facile et pas toujours drôle. Mais cet auteur est toujours attachant parce qu'il est honnête et que ses jugements sévères sont fondés sur une certaine réalité. Le notaire Poupart, dont il est question ici, symbolise la cocasserie de la vie.

Le notaire Poupart s'est fait une spécialité de lancer des campagnes de charité; l'originalité et l'acuité de ses remarques, à ces occasions, ont fait que la plupart des organismes charitables se disputent l'honneur de son patronage, en dépit du fait que ce soit à peu près toujours le même texte qu'il leur lit.

Vouloir s'arranger pour qu'il n'y ait plus de pauvres parmi nous,[1] c'est non seulement contrevenir à un ordre de Quelqu'un qui sait mieux, mais ça ressemble fortement à du socialisme.

Le soulagement de la misère de bon aloi est une de ces choses qui relèvent uniquement de l'entreprise privée.

Les grands organismes charitables ne doivent pas céder au chantage des gauchistes qui, sous le prétexte fallacieux de justice sociale, tentent de leur enlever le monopole de la charité.

Ce n'est pas en changeant le mot de « charité » pour celui de « justice » qu'on va nécessairement donner de la meilleure soupe aux pauvres.

Les pauvres savent qu'ils peuvent compter sur la bienveillance

[1]*Vouloir. . . parmi nous*: To contrive to end poverty in our midst.

des grandes fédérations de charité, qui les entretiennent dans une saine humilité sociale et dans la fierté de leur misère. Et ils ont raison de se méfier du paternalisme exigeant de l'État qui aurait tôt fait de leur enlever jusqu'à leur qualité émouvante de pauvres.

Le pauvre, officiellement secouru par l'État et théoriquement soulagé de sa misère, ne pourrait plus jamais compter sur la charité des autres. Jouissant du strict nécessaire, le pauvre ne pourrait même plus mendier le superflu.

Et on remarquera que les pauvres, pour leur part, ne se plaignent pas: ils sont pleinement satisfaits du système actuel qui reconnaît leur place dans la société, alors que le nouveau système socialiste tendrait à leur faire perdre leur identité, et même à les faire disparaître.

L'assurance-hospitalisation a été une première atteinte à l'intégrité du système: les pauvres sont fort mal à l'aise d'être soignés sur le même pied que les riches, et les riches, pour se distinguer des pauvres, en sont réduits à se prendre des chambres privées, qu'ils ont d'ailleurs l'impression de payer trop cher, et dans lesquelles au demeurant le rôle du gouvernement n'est pas très clair.

Il ne faudrait pas beaucoup d'expériences de ce genre pour ébranler la confiance que les pauvres portent aux grandes oeuvres de charité, dont ils diront bientôt qu'elles les ont trahis en les laissant passer sous la domination de l'État.

Le pauvre veut être apprécié pour lui-même, et il ne demande pas mieux que son acceptation reconnaissante de la charité fasse chaud au coeur à celui qui la consent;[2] comment ressentirait-il de la gratitude envers un État anonyme qui considérerait la tâche de le secourir comme un devoir et non pas comme un plaisir?

Le pauvre se sentira tout petit devant la machine à secourir de l'État, et il sera privé du sentiment d'importance que lui donnent les campagnes de charité avec tout leur appareil publicitaire.

---

[2]*fasse chaud. . . qui la consent*: warm the donor's heart.

D'ailleurs, il n'y a pas que les pauvres à considérer: les gens charitables ont aussi leurs droits, et on n'a pas d'affaire à leur enlever leurs pauvres sans les consulter.

L'exercice de la charité est un acceptable palliatif à la douleur que l'injustice sociale fait éprouver aux fortunés.

Sans nécessairement aimer qu'il y ait des gens plus malheureux que nous, nous ne pouvons nous empêcher d'apprécier qu'ils dépendent de nous. Un État qui viendrait automatiquement secourir tous les pauvres nous priverait de la grande joie de nous dire que, si nous le voulons, nous pouvons faire le bien. Les pauvres, dans notre société chrétienne et non socialiste, ont cet avantage d'être toujours à notre disposition.

> *Tiré de* Doléances du notaire Poupart, *par Carl Dubuc. Montréal: Éditions du Jour, 1961. Tous droits réservés.*

Questions

1. Qu'est-ce qu'un homme cocasse?
2. Quels sont les éléments de ce texte qui créent l'humour?
3. Quelle distinction faites-vous entre l'humour et l'ironie?

Économie

Marcel Faure

JEAN-CHARLES HARVEY (1891-1967), romancier et journaliste, se fit le critique impitoyable de la société canadienne-française. Dans son roman *Marcel Faure*, paru en 1922, il suggéra un projet de réforme sociale. Le texte qui suit est consacré à l'aliénation économique du Canada français.

En face de la prise de possession, par des aventuriers étrangers, de nos rivières, de nos lacs, de nos forêts, de nos énergies industrielles, commerciales et financières, la lutte s'offrait à nous, lutte de guet, d'observation, d'imitation et de mise en garde, mais lutte quand même, aussi noble que les plus sanglantes, parce qu'elle remplace le coup d'épée par l'escrime de l'intelligence et de la pensée. Quoi de plus beau! Nous ne l'avons pas faite. Convaincus, par auto-suggestion, que notre idéalisme atavique devait nous tenir au-dessus des biens de ce monde, induits par notre éducation même à mépriser les nations commerciales, nous avons vécu en marge des réalités de la matière, laissant nos voisins, concrets et pratiques, entrer dans notre maison et s'y installer en maîtres.

Telle était la pensée de Marcel Faure au moment où le train arrivait à la gare du Palais. Fils d'un père canadien-français et d'une mère anglaise, il avait une conception nette des qualités et des défauts des deux races. Si l'une manquait d'idéal, l'autre était dépourvue de sens pratique. Or, dans un pays naissant, les questions pratiques priment tout: défricher, cultiver, agrandir, fonder, conquérir, bâtir, outiller, créer la richesse, cela requiert des volontés déterminées et des prodiges d'organisation. Cette volonté et ce prodige se trouvaient en Marcel.

Il était bien l'homme capable de faire pénétrer les éléments nouveaux dans l'âme canadienne. Sans abandonner l'idéalisme français, charme de la vie, il avait su concentrer ses facultés sur les questions d'affaires. Son père, marchand intelligent et tenace, l'avait initié de bonne heure à l'administration commerciale. A douze ans, il connaissait parfaitement la provenance, la qualité et le prix des diverses marchandises; il pouvait tracer l'histoire de chaque article emmagasiné chez lui. Une foule de constatations quotidiennes l'attristaient. Plus que tout autre, il se rendait compte que la plupart des objets nécessaires à la vie ou au confort de la civilisation étaient importés de l'étranger. Un jour, il dit à M. Fabien Faure, son père: « Savez-vous pourquoi les Anglais nous traitent de race inférieure? »

— Pourquoi?... Parce qu'ils ne nous regardent qu'à travers leurs préjugés.[1]

— Il y a une autre raison: chaque jour, des milliers d'entre eux lisent des articles dirigés contre nous; ces articles, ce sont les étiquettes des marchandises qu'ils achètent et dont aucune ne porte la marque de notre nationalité. Ils nous jugent par nos fruits. Or, à part les fruits du sol, qu'avons-nous fait pousser dans la plus vieille province du Dominion?

Tiré de Marcel Faure, *par Jean-Charles Harvey.* Montmagny (Québec): L'Imprimerie de Montmagny, 1922. *Tous droits réservés.*

Questions

1. L'idéalisme est-il un défaut dans le monde des affaires? Donnez les raisons pour votre réponse.
2. Définissez l'expression « sens pratique ».
3. Jean-Charles Harvey rend-il justice dans ce texte à la pensée canadienne-anglaise? Quels facteurs l'auteur a-t-il perdus de vue?

[1]*Parce. . . préjugés:* **Because they see us only through their prejudices.**

La Conquête économique

ÉDOUARD MONTPETIT (1881-1954), professeur d'économie politique et secrétaire-général de l'Université de Montréal, a été l'un des plus brillants intellectuels qu'ait produits le Canada français. Intelligence lumineuse, et souvent prophétique, Édouard Montpetit a représenté pendant longtemps l'esprit français au Québec.

Notre vie économique va seule, au gré des manoeuvres et des intérêts individuels. Nos institutions devraient s'en préoccuper, dégager ses ressorts profonds, organiser ses rouages. Pas d'économie dirigée, mais une ferme volonté de rénovation par la conscience de nos forces que l'école révélera. Prenons, au surplus, les hommes comme ils sont, plutôt que de les refaire par des mesures artificielles, sachons ce dont nous sommes capables, l'immense richesse que nous tenons de nos origines et que nous portons en nous. L'avenir se moulera sur ces caractères spontanés.

Car il ne s'agit pas de copier tel pays qu'on nous donne en exemple, comme si nous n'en avions pas assez de rester nous-mêmes; mais de diriger notre population vers l'aspect économique du problème national. L'agriculture mise à part – et encore! – nous nous sommes occupés trop peu de nos intérêts matériels, vivant comme si nous devions subir toujours l'asservissement de la pauvreté.[1] Par bonheur, un réveil se produit; il est lent,

[1]*nous nous sommes. . . de la pauvreté*: we have been too little concerned with our material interests, living as if we should always submit to poverty.

malhabile, plutôt sentimental, mais il signale une force qui prend conscience de soi. Deux choses y aideront puissamment, deux initiatives dont on n'aperçoit pas tout de suite la fécondité et qui, elles aussi, se précisent: la connaissance de nous-mêmes et du pays où nous vivons; le recours à l'association, dont nous n'abuserons jamais. Dirigeons l'école de ce côté, avec fermeté. Ceux qui vivront dans cinquante ans verront le résultat.

Notre vie économique prendra forme à mesure que nous apprécierons ceux de ses éléments qui nous sont propres et dont, par conséquent, nous pouvons disposer. Elle n'ira plus au petit bonheur. On la confierait avec avantage, comme on a commencé de faire, à une sorte de Conseil de recherches, qui établirait et classerait nos richesses et placerait en pleine lumière l'ensemble du domaine promis à notre activité. Nous n'avons pas tiré profit de notre terre pleine de promesses, en fertilité, en minéraux, en puissance hydraulique. La seule certitude de ces biens, et l'espoir de trésors enfouis dans les régions encore inexplorées de notre royaume, grand comme deux fois la France et davantage, exercera déjà sur nous une influence psychologique, en avivant le sens d'une propriété, resté vague à ce point que nous n'avons pas senti la main étrangère refermée sur elle.

Cette mesure établie, notre volonté ordonnera l'exploitation de la nature, première source de notre indépendance économique. Dire que nous n'y avons pas songé serait ridicule, comme il serait injuste de négliger les travaux que nous avons poursuivis en vue d'un progrès que l'exemple des autres nous suggérait et que nous-mêmes avons sollicité; mais il reste beaucoup à faire pour nous installer en maîtres sur notre territoire.

Tiré de La Conquête économique, *par Édouard Montpetit. Montréal: Éditions Bernard Valiquette, 1942. Tous droits réservés.*

Questions

1. Expliquez l'expression « économie dirigée ».
2. Dans quelle mesure les problèmes économiques conditionnent-ils les problèmes politiques?
3. Quel est le portrait d'Édouard Montpetit qui se dégage de ce texte?

Les Plouffe

ROGER LEMELIN (1919-   ) est l'un des créateurs de la littérature canadienne urbaine. Ses oeuvres, essentiellement canadiennes-françaises, reflètent une personnalité dynamique. Ses romans ont été traduits et publiés dans plusieurs pays. *Les Plouffe*,[1] roman télévisé de l'Atlantique au Pacifique, l'a rendu populaire dans tout le Canada.

L'aumônier alla dignement s'asseoir et un gros homme à la cravate gauchement nouée, dont le veston enveloppait avec peine la poitrine trop épaisse, laissa sa chaise d'orateur et, d'un pas lourd et décidé marcha vers le microphone comme vers un adversaire. Il s'était à peine levé que la foule criait son espérance. Les chapeaux volaient en l'air en même temps que les cris, et les applaudissements rythmaient les sourires d'espoir. « Vive Jos Bonefon! » « Hourra pour un brave! » « Il a gagné ses épaulettes! »[2]

Sans sourire, Jos Bonefon sortit un grand mouchoir et épongea le front rouge de son immense tête. D'un geste concentré, il fouilla dans sa poche et sortit l'aide-mémoire qu'il s'était préparé.

— Pas besoin de papier, Jos. On te connaît. Parle avec ton coeur.

Il ouvrait la bouche et allait commencer à parler, quand un

---

[1] *Les Plouffe*: *The Plouffe Family*, also televised in English.
[2] *«Il a gagné ses épaulettes»*: "He has won his stripes"; frequently sung in Quebec in response to some popular and successful win.

tumulte se produisit. Quelques femmes toutes en larmes, appa-
remment venues de concert, s'accrochaient à ceux des grévistes
qui étaient leurs maris et les suppliaient de les suivre. Alors
éclata la voix de stentor de Jos Bonefon:
« Les femmes, laissez vos maris tranquilles et retournez à vos
cuisines. Vos maris sont ici pour faire la grève et ils vont la faire.
On n'est pas des lâches. Je sais que le prote de l'atelier[3] est allé
dans vos maisons pendant que votre mari était parti et vous a
dit que s'il ne retournait pas tout doucement à l'ouvrage il
n'aurait plus jamais d'emploi et votre famille crèverait de faim.
On connaît le truc. Vous ne crèverez pas de faim, cria-t-il à pleins
poumons, car nous allons gagner notre point, et nous allons
faire reprendre Théophile Plouffe et les cinq autres typographes
qui ont été jetés dehors comme des torchons, pour des motifs qui
n'ont rien à voir avec leurs devoirs professionnels. »
La foule était électrisée. Elle criait, haletait, applaudissait.
Soumises, rougissantes, les femmes lâchaient leurs époux et, les
mains croisées, écoutaient le gros homme rustaud qui, avec son
air de bouledogue, sa voix retentissante, les hypnotisait.
« Les gars, je n'ai pas besoin de vous parler de mon passé.
Vous me connaissez! J'étais typographe, vous m'avez choisi
comme officier de l'union. Et je vous jure que je remplirai mon
devoir de représentant comme j'ai rempli mon métier de typo. »
— Fesse dans le tas, Jos, donne du gaz![4]
« D'abord pourquoi sommes-nous ici ce soir? Pour protester
de toutes nos forces d'honnêtes gens. Nous sommes ici pour
réclamer la justice! La grève est légale. *L'Action Chrétienne*
n'avait pas le droit de renvoyer Théophile Plouffe car il n'a pas
la limite d'âge et elle n'avait pas non plus le droit de renvoyer
cinq autres employés qui s'étaient réunis pour discuter son cas.
C'est de la dictature. Vivons-nous à Moscou ou à Berlin? »
— C'est encore pire, on vit à Québec! cria quelqu'un.
Fouetté,[5] l'orateur détachait sa cravate.
« En tous les cas, on a une union et on va s'en servir. La grève
dure depuis soixante jours. Nous ne sommes guère plus avancés.

---

[3]*le prote de l'atelier*: the overseer in a printing-shop.
[4]*Fesse (frappe) dans le tas, donne du gaz*: Speak out freely and "step on the gas".
[5]*Fouetté*: Emboldened.

L'Action Chrétienne refuse obstinément de se soumettre à l'arbitrage auquel nous avons droit. Et que fait le Ministère du Travail qui se doit d'imposer cet arbitrage? Il ne bouge pas. Il a peur. De qui? De qui? Pourquoi les lois ouvrières, les unions ne font-elles pas ce qu'elles doivent faire pour nous? Il est temps que nous redressions la tête, que nous fassions valoir nos droits. *L'Action Chrétienne* est une ennemie jurée du syndicalisme. Dans les rangs même de ses employés, il existe une Gestapo qui dénonce tout à la direction.»

— On les connaît ceux-là, Jos!

Jos Bonefon, emporté, se levait sur le bout des pieds, et les bras en l'air vociférait:

« Et le plus écoeurant,[6] c'est que le journal est publié quand même comme si vous étiez encore là. Qui vous remplace, vous les pères qui avez des enfants à nourrir? Des gamins de seize à dix-sept ans, gracieusement fournis par un orphelinat de Québec qui possède un atelier d'imprimerie. Et parce qu'il s'agit de *L'Action Chrétienne*, on nous demande poliment de ne pas faire de piquetage. C'est de l'esclavage à l'état pur. En 1916, on avait remplacé les grévistes par des religieuses, aujourd'hui on les remplace par des orphelins.

— Honte! honte! hurlait la foule.

Les poings se serraient, les cris sortaient à peine des gorges contractées. Les autres orateurs, mal à l'aise, s'agitaient dans leurs chaises et jetaient des regards désolés sur l'aumônier qui hochait la tête. Jos Bonefon s'épongeait encore le front. Il reprit:

« Rappelez-vous la grève de la Dominion Textile. Sous des manchettes de huit colonnes, *L'Action Chrétienne* dénonçait le manque de collaboration de cette compagnie avec l'union. Pourtant, cette compagnie se prêta à l'arbitrage et reprit tous ses employés, grâce à Son Eminence, dont *L'Action Chrétienne* ignore les ordres aujourd'hui.

— Vive le Cardinal! cria-t-on de toutes parts.

« N'est-ce pas édifiant, cette rébellion d'un journal catholique contre son chef, ce chef respecté à qui *La Revue des Deux Mondes de Paris* consacrait dernièrement un long article, disant

---

[6]*le plus écoeurant*: the most sickening thing.

de lui que malgré les honneurs et son rang ecclésiastique il était demeuré un homme du peuple, avec le peuple, réglant des différends ouvriers et prouvant qu'il est par là le champion de notre classe ouvrière? Il est temps, Messieurs, que cette dictature finisse. Paradez dans les rues de la ville, criez vos revendications et de notre côté, nous de l'union, nous ferons pression sur le gouvernment et nous supplierons Son Eminence d'intervenir en notre faveur comme il est intervenu dans la grève de la Dominion Textile.»

Tiré de Les Plouffe, *par Roger Lemelin. Paris et Montréal: Librairie Ernest Flammarion, et Québec: L'Institut littéraire de Québec Ltée, 1955. Tous droits réservés.*

Questions

1. Selon vous, qu'est-ce qui fait l'ambiguïté particulière du débat que Lemelin agite devant nous?
2. Soulignez les motifs de grève qui vous paraissent acceptables.

Un Manque de maîtrise

ROLAND PARENTEAU (1921-   ) appartient à la nouvelle génération des hommes d'affaires et des économistes canadiens-français qui sont à l'origine de la transformation de l'économie québécoise.

Les Canadiens français, si on les considère comme peuple, ne possèdent pas la maîtrise de leur vie économique et nous avons déjà mentionné cette faiblesse fondamentale d'une nation qui, réagissant vigoureusement à un environnement sinon hostile, du moins indifférent, s'est créé des structures complètes dans tous les domaines, sauf l'économique, où la brèche est de taille.[1]

La communauté canadienne a réussi à se forger, au cours des années, des cadres complets: elle possède et contrôle ses propres institutions d'enseignement, de bien-être social; celles-ci sont non seulement tout à fait distinctes des institutions analogues des communautés anglo-saxonnes de l'Amérique du Nord, mais elles s'inspirent de conceptions tout à fait différentes, fortement imprégnées de l'influence de l'Église. La vie politique (du moins sur le plan provincial et municipal), la vie culturelle, les loisirs, la vie familiale, se déroulent, pour la plupart des Canadiens français, à l'intérieur de leur propre société, et sans échanges, à proprement parler, avec les milieux anglo-saxons du Canada, voire même ceux du Québec.

Nulle part ce phénomène n'est plus apparent que dans une

---

[1]*la brèche est de taille*: the gap is huge.

grande ville comme Montréal, où vivent côte à côte deux communautés qui se mêlent très peu, si ce n'est pour la vie professionnelle et dans les relations de travail. Il s'agit en quelque sorte d'une ségrégation mais qui n'est pas imposée par la loi ni par une des communautés sur l'autre.

En revanche, sur le plan professionnel et économique, les échanges entre les deux principales communautés ethniques sont constants. Mais les relations qui s'établissent sur ce plan entre Canadiens français et Anglo-Canadiens sont des relations de subordonnés à supérieurs. La vie économique du Québec, en effet, est dominée par les Anglo-Saxons, qui effectuent leurs affaires à l'échelle nationale, sans se préoccuper des frontières provinciales. Malgré les velléités de certains Canadiens français, qui poursuivent le rêve chimérique d'une *Laurentie* tout à fait autonome, la province de Québec ne vit pas en fait sous un régime économique autarchique. On serait même tenté de dire qu'aucune frontière *économique* n'existe entre le Québec et les États-Unis, tant les échanges de produits, de capitaux et de techniciens sont considérables et faciles, et cela en dépit des tarifs douaniers.

Les légumes en conserve et les céréales préparées que consomme le Canadien français viennent en grande partie de l'Ontario, sa viande vient de l'Ouest. Son automobile, son réfrigérateur, son appareil de T.S.F., de marque américaine, viennent aussi de l'Ontario. Il dépose son argent dans des banques canadiennes d'envergure nationale, dont les plus importantes sont dirigées par des Anglo-Canadiens. Ainsi en est-il des compagnies d'assurances, qui seront pour la plupart canadiennes-anglaises, britanniques, françaises ou américaines.

Les Canadiens français possèdent bien quelques institutions en propre, mais celles-ci sont en général d'envergure assez restreinte. A peu près absents dans la grande entreprise, si ce n'est à titre d'actionnaires minoritaires ou pour détenir certains postes de gérance, ils possèdent quelques entreprises de moyenne importance et dominent dans le commerce de détail et les petits ateliers, bien que, là encore, les Juifs, les Syriens, les Britanniques, y fassent leur marque. Bien plus, les entreprises moyennes aux mains des Canadiens français sont de type archaïque, étant fondées sur la fortune d'une famille. Très peu ont des titres offerts en Bourse. Un économiste a calculé récemment qu'aux seules Bourses de la province de Québec (situées toutes deux à Montréal), seulement 1% des actions échangées appartenaient à des entreprises canadiennes-françaises.

Les observations qui précèdent, malgré leur caractère peut-être pessimiste, ne doivent pas faire croire que nous regrettons cet état de chose. La situation actuelle est sans doute inéluctable. Celui qui veut analyser objectivement les choses et ne pas se contenter d'observations superficielles fortement épaulées par la propagande officielle ne peut s'empêcher de constater ce divorce déjà signalé entre une vie sociale et culturelle quasi-autonome et une vie économique, où la pénétration anglo-saxonne a eu raison de toutes les velléités nationalistes du passé.

Durant toute son histoire, le peuple canadien-français, infime minorité de langue française et de foi catholique parmi une population trente fois supérieure en nombre, a toujours résisté pour préserver son patrimoine culturel. Il a organisé seul la plupart de ses institutions, très souvent en réaction contre le milieu anglo-saxon qu'il en venait presque à considérer comme ennemi. Ce réflexe vital de résistance à l'assimilation, victorieux sur plusieurs plans, s'est concentré sur l'organisation et la consolidation d'une certaine mesure d'autonomie politique, d'institutions autochtones de bien-être social et d'enseignement à tous les degrés.

Mais, absorbé par ces tâches, il a négligé de se donner à temps (aurait-il pu le faire d'ailleurs? C'est là une autre question) des institutions économiques, de sorte qu'à l'heure actuelle il n'est pas maître chez-lui. Il n'en a pas toujours été ainsi. Avant que le phénomène moderne de l'industrialisation ne s'implante au Canada français, il y a moins d'un siècle, il existait une certaine autarcie économique.

La principale activité économique pendant longtemps fut l'agriculture: la culture du sol s'effectuait non pas selon le type américain, consacré à la monoculture et fortement mécanisé, mais selon les modes traditionnels d'entreprise familiale qui tirait du sol la plus grande partie de sa subsistance. A cette forme d'activité s'ajoutaient d'autres *industries* de type primaire comme la pêche et la chasse, l'exploitation de la forêt. En marge de ces formes primitives d'activité, on faisait subir une transformation rudimentaire aux produits du sol dans une foule d'ateliers ruraux, qui étaient aussi aux mains des Canadiens français.

Que le grand commerce, en particulier d'importation et d'exportation, que les transports, que la finance fussent alors en pleine province de Québec aux mains de la minorité anglo-saxonne, n'avait guère d'importance puisque ces activités affectaient assez peu la vie rurale des Canadiens français. Un certain équilibre avait ainsi fini par s'établir au cours du xixe siècle, avec la coexistence d'une communauté française agricole et artisanale et d'une communauté anglo-saxonne commerçante et financière.

Cet équilibre, cependant, ne s'est maintenu au cours du xixe siècle que grâce à un exode considérable de population hors de la communauté. En effet, la croissance démographique exceptionnelle des populations rurales du Québec eut vite fait de provoquer l'occupation complète du territoire cultivable assez restreint en étendue. La colonisation de quelques territoires plus éloignés, comme le lac Saint-Jean, les Laurentides et, plus récemment, l'Abitibi, pouvait servir de débouché à quelques fils d'agriculteurs.

Mais l'excédent restait énorme et n'a pu être écoulé à une certaine époque que par l'expatriation vers l'ouest du Canada et surtout vers le Sud, dans les régions limitrophes des États-Unis. Cet exode prit, vers la fin du xixe siècle, l'allure d'une véritable saignée pour le groupe ethnique qu'il affectait.

L'industrialisation, dans sa première phase, qui prit place approximativement de 1860 à 1910, voulut exploiter précisément cette situation démographique particulière. Les industries qui s'établirent alors un peu partout dans la province de Québec (surtout textile et chaussures) étaient attirées non pas tant par l'abondance des richesses naturelles que par le bon marché de la main-d'oeuvre, qui, chassée des terres, cherchait un emploi à la ville. Les capitaux étaient parfois autochtones, parfois importés, mais en grande majorité aux mains d'Anglo-Saxons. Les industries travaillaient pour le marché local ou national, mais ne réussissaient à supporter la concurrence étrangère que grâce à la protection tarifaire. La phase plus récente d'industrialisation obéissait à de tout autres motifs. Ce sont les matières premières qui attirent désormais les capitaux, ainsi que le bon marché de la houille blanche. Contrairement au type d'entreprise de la période précédente, celle-ci fonctionne surtout avec des capitaux d'importation, les techniciens viennent aussi de l'étranger, les produits, une fois ouvrés, se dirigent vers les marchés extérieurs. En somme, toute initiative est extérieure au milieu, et le type le plus courant de cette forme d'entreprise, c'est la filiale de la compagnie américaine, fabriquant au Canada des produits mis au point aux États-Unis pour le marché américain. La direction est assurée par des techniciens itinérants formés dans les écoles américaines.

Tout ce que le milieu offre, ce sont les matières premières et la main-d'oeuvre subalterne. A l'heure actuelle, 25% de la valeur de la production manufacturière de la province de Québec viennent d'usines d'origine américaine, sans compter les entreprises dues à l'initiative des capitalistes britanniques, encore nombreux, quoique en déclin, et même français, allemands, belges ou suisses. On peut dire, sans crainte d'exagérer, qu'aucune entreprise nouvelle de quelque importance ne peut être lancée sans une collaboration extérieure au milieu, soit sous forme de brevets, de capitaux ou de techniciens. C'est donc dire qu'à l'avenir, du fait de la complexité de plus en plus accentuée de l'organisation de l'entreprise, il est à peu près impossible à un peuple aussi mal pourvu au point de départ[2] que les Canadiens français de se donner lui-même les institutions économiques essentielles. Jamais celles-ci ne pourront supporter la concurrence des entreprises déjà existantes et qui ont leur siège social soit en Ontario ou aux États-Unis.

Tiré de « Un Manque de maîtrise », par Roland Parenteau, dans La Chronique sociale de France, *65 (septembre, 1957). Lyon: Chronique sociale de France. Tous droits réservés.*

---

[2]*aussi mal pourvu. . . départ:* starting with such small assets.

Questions

1. Pourquoi dans une ville comme Montréal, les Canadiens français et les Canadiens anglais se voient-ils si peu?
2. Est-ce là ce qu'on entend par les deux solitudes? Pourquoi?
3. Comment les Canadiens français ont-ils réagi lorsqu'ils ont constaté qu'ils ne dominaient pas leur économie?
4. La conclusion de Roland Parenteau vous semble-t-elle réaliste? Motivez votre réponse.

Émigration et décapitation sociale

MICHEL BRUNET (1917-   ), professeur d'histoire et secrétaire-général de la Faculté des lettres de l'Université de Montréal, représente la tendance nationaliste canadienne-française au sein des historiens du Québec et est l'un des porte-parole les plus lucides du Canada français d'aujourd'hui. Ses interventions dans la vie politique et culturelle du Québec ont toujours connu d'immenses répercussions.

Les Canadiens de la classe dirigeante, qui refusèrent de se soumettre aux conquérants, émigrèrent. Ils avaient pressenti que leur avenir personnel était compromis dans une colonie où les principaux canaux de promotion sociale seraient dorénavant occupés par les Britanniques. Les anciens administrateurs n'avaient pas à s'interroger longtemps pour savoir qui leur succéderaient. Les hommes d'affaires les plus puissants comprirent que leurs entreprises ne pourraient pas prospérer à l'intérieur du système commercial britannique. Les commerçants anglais étaient mieux placés qu'eux pour en profiter.

Il est vrai que plusieurs de ces émigrants avaient été forcés de retourner en France pour y rendre compte de leur administration et de leurs fortunes scandaleuses. Cependant, il ne faut pas s'imaginer que tous ceux qui quittèrent le Canada appartenaient exclusivement au groupe des fonctionnaires et des commerçants coupables de concussion. La majorité se composait de familles honorables qui ne voulaient pas subir l'humiliation de l'occupation étrangère et qui désiraient continuer à profiter de tous les avantages que leur apportait l'Empire français: pensions royales, accès aux charges publiques, relations d'affaires avec les capitalistes de la métropole, protections officielles, contrats avec le gouvernment, etc. On calcule qu'au moins deux mille Canadiens quittèrent leur pays natal durant les années qui suivirent la capitulation de Montréal.

Peut-on parler de décapitation sociale? Certains historiens, s'appuyant sur le fait que l'émigration des classes dirigeantes n'a pas été massive, soutiennent que la société canadienne a conservé ses cadres. Se sont-ils demandé quel a été le sort des anciens dirigeants demeurés au Canada? Leur déchéance, qui était inévitable dans une colonie conquise où se constitua une nouvelle équipe d'administrateurs et d'entrepreneurs d'origine britannique, demeure le phénomène social le plus frappant de la première génération après la Conquête. La société canadienne n'offrait plus à ses membres les plus ambitieux et les plus dynamiques l'occasion et les moyens de s'illustrer[1] dans les différents domaines de la vie collective. A l'époque coloniale française, aucune carrière n'était fermée aux Canadiens. L'Empire français comptait sur leur contribution pour se maintenir et prospérer. Songeons, par exemple, à l'histoire prestigieuse de la famille Le Moyne. Sous la domination britannique, la situation était toute différente. L'administration, l'armée, la marine, le commerce extérieur furent de véritables chasses gardées pour les Britanniques. Il ne pouvait pas en être autrement. Mais il faut le savoir. Les nouveaux venus, comme membres du groupe dominant, imposèrent aux Canadiens une concurrence que ceux-ci furent incapables de soutenir.

Les Canadiens durent apprendre à limiter leurs ambitions et leurs horizons. Ceux-ci devinrent proportionnels à leurs chances de promotion sociale. Privée de l'appui indispensable de sa métropole nourricière, réduite à ses seules ressources, subissant la domination d'une classe dirigeante étrangère, la collectivité canadienne vécut dans un état permanent de subordination.

Tiré de Les Canadiens et les débuts de la domination britannique *(Brochure historique No. 13), par Michel Brunet. Ottawa: Société historique du Canada, 1963. Tous droits réservés.*

[1]*s'illustrer*: to distinguish themselves.

Questions

1. Quel fut le principal effet économique de la conquête du Canada par les Anglais en 1759?

2. Expliquer l'expression « décapitation sociale ».

Barrage de la Manicouagan

Le barrage de la Manicouagan est l'un des plus grands barrages au monde. Il a été entièrement pensé et réalisé par un groupe de jeunes ingénieurs et techniciens canadiens-français. C'est la seule grande entreprise en Amérique où tout le travail se fait en français. Les Canadiens français considèrent le barrage de la Manicouagan comme un exemple à suivre dans tous les domaines.

Parmi les réalités du Québec d'aujourd'hui, Manicouagan en est peut-être la plus significative. C'est que par le jeu combiné de la science, de la technique, de l'investissement et de la reproduction amplifiée du capital, l'Hydro-Québec y poursuit audacieusement un vaste programme d'équipement industriel.

La décision de « la Commission », en 1959, d'aménager le bassin Manicouagan-Aux-Outardes, a tout de suite provoqué un mouvement de curiosité. En effet, la construction d'un ensemble hydroélectrique de 6,000,000 de hp, en plein coeur des hautes terres de la Côte Nord, n'est concevable que si les moyens les mieux élaborés sont mis entre les mains de bâtisseurs courageux, stimulés par l'importance de l'oeuvre à réaliser. C'est le cas de Manicouagan 5 et 2 où, depuis décembre 1959, des équipes, dépassant 5,500 hommes en effectif, oeuvrent avec un équipement et des méthodes de construction les mieux adaptés au pays.

Dès 1955, prospecteurs, ingénieurs et arpenteurs s'aventuraient jusqu'aux sources lointaines des rivières Manicouagan et Aux Outardes, où leurs études révélèrent un bassin dans lequel les neiges d'hiver immobilisent un volume de plusieurs milliards de pieds cubes d'eau, que l'été écoule en puissants torrents vers le Saint-Laurent.

Mais, jusqu'à ces dernières années, ce gisement énergétique fabuleux était bien défendu: l'éloignement des centres de production industriels, l'absence de routes d'accès, l'ampleur des moyens techniques et l'envergure des ressources financières présentaient des problèmes insurmontables.

Cependant, la consommation d'énergie électrique doublant en moins de dix ans, l'Hydro-Québec devait immédiatement envisager la réalisation de Manicouagan, pour répondre à l'augmentation de la consommation de la prochaine décade. Après les constructions remarquables de Bersimis I et II, de Beauharnois, de Carillon, Manicouagan présente, à la fois, le caractère de défi et celui d'une maturité économique sans précédent dans l'histoire de l'industrie canadienne.

Tiré de Service Presse-Information. *Montréal: Service Presse-Information de l'Hydro-Québec, 1965. Tous droits réservés.*

Questions

1. Qu'est-ce qu'une centrale hydro-électrique?
2. Quels sont les principaux éléments qui ont concouru à la création du projet de la Manicouagan?
3. Pourquoi a-t-il fallu attendre avant d'exploiter le gisement énergétique de la Manicouagan?

Bibliographie: Vie sociale et économique

Campagne

Daneau, Yvon, *L'Aménagement des régions rurales*. Montréal: Éd. de l'U.C.C., 1963. 132 pp.

Dugré, Adélard, *La Campagne canadienne; croquis et leçons*. Montréal: Imprimerie du Messager, 1925. 252 pp.

Harvey, Jean-Charles, *Des bois, des champs, des bêtes*. Montréal: Éd. de l'Homme, 1965. 132 pp.

———— et Marcel Cognac, *Visages du Québec*. Montréal: Cercle du Livre de France, 1965. 208 pp.

Hayois, Giovanni, *Le Milieu rural*. Québec: Presses de l'Université Laval, 1952. 75 pp.

Lacombe, Patrice, *La Terre paternelle*. Montréal: Beauchemin et Vallois, 1871. 80 pp.

Létourneau, Firmin, *Histoire de l'agriculture au Canada français*. Gardenvale: Harpell, 1959. 400 pp.

Magnan, Jean-Charles, *Confidences*. Montréal: Fides, 1960. 207 pp.

Marion, Séraphin, *Traditions du Québec*. Montréal: Éd. Lumen, 1946. 245 pp.

Melançon, Claude, *Percé et les oiseaux de l'île Bonaventure*. Montréal: Éd. du Jour, 1963. 94 pp.

Ringuet, A. (Philippe Panneton), *Trente Arpents*. Montréal: Fides, 1957. 306 pp.

Potvin, Damase, *Restons chez-nous*. Montréal: Granger, 1945. 221 pp.

Ville

Bédard, Roger-Jean, *La Bataille des annexions*. Montréal: Éd. du Jour, 1965. 224 pp.

Brown, Clément, *Québec, croissance d'une ville*. Québec: Presses de l'Université Laval, 1952. 75 pp.

Choquette, Robert, *Montréal*. Montréal: Leméac, 1965. 192 pp.

Gray, Clayton, *Le Vieux Montréal*. Montréal: Éd. du Jour, 1964. 143 pp.

Hollier, Robert, *Montréal, ma grand'ville – a grand city*. Montréal: Déom, 1963. 160 pp.

Lacoste, Norbert, *Les Caractéristiques sociales de la population du grand Montréal*. Montréal: Faculté des Sciences sociales, Université de Montréal, 1958. 267 pp.

McLean, Eric, *Le Passé vivant de Montréal*. Montréal: McGill University Press, 1964. 295 pp.

Maillet, Andrée, *Les Montréalais*. Montréal: Éd. du Jour, 1963. 145 pp.

Morin, Victor, *La Ville aux clochers dans la verdure / The City of Spires in the Green*. Montréal: La Patrie, 1923. 61 pp.

Regnier, Michel, *Montréal, Paris d'Amérique*. Montréal: Éd. du Jour, 1961. 160 pp.

Roquebrune, Robert de, *Le Quartier Saint-Louis*. Montréal: Fides, 1966. 199 pp.

Vincent, Rodolphe, *Québec, ville historique*. Montréal: Centre de Psychologie et de Pédagogie, 1966. 24 pp.

Famille

Brunet, Louis-Alexandre, *La Famille et ses traditions*. Montréal: Sénécal, 1881. 378 pp.

Déry, Édouard, *La Famille canadienne-française*. Ottawa: Imprimerie St-Joseph, 1953. 66 pp.

Dionne, Narcisse-Eutrope, *Les Canadiens-français: origine des familles*. Québec: Laflamme et Proulx, 1914. 611 pp.

Falardeau, Jean-Charles, *Orientation nouvelle des familles canadiennes-françaises*. Ottawa: Conseil canadien du bien-être social, 1949. 120 pp.

Filion, Gérard, *La Terre et la famille*. Montréal: Éd. de l'U.C.C., 1947. 112 pp.

Garigue, Philippe, *La Vie familiale des Canadiens-français*. Montréal: Presses de l'Université de Montréal, 1962. 142 pp.

Léger, Pierre, *La Canadienne-française et l'amour*. Montréal: Éd. du Jour, 1965. 125 pp.

Lemieux, Gérard, *Vu et vécu: la vie familiale des jeunes ruraux*. Montréal: Éd. du Sol, 1955. 38 pp.

Poulin, Gonzague, *Problèmes de la famille canadienne-française.* Québec: Presses de l'Université Laval, 1952. 75 pp.

Ricour, Pierre, *Quand chante la source.* Montréal: Fides, 1961. 140 pp.

Tremblay, Maurice, et Gérald Fortin, *Études des conditions de vie, des besoins et des aspirations de familles salariées canadiennes-françaises.* Québec: Centre de Recherches sociales de l'Université Laval, 1963. 3 vols.

Classes sociales

Barbeau, Victor *et al., L'Avenir de notre bourgeoisie.* Montréal: Valiquette, 1939. 138 pp.

Daniel, F., *Histoire des grandes familles françaises du Canada.* Montréal: Sénécal, 1867. 2 vols.

Frégault, Guy, *La Société canadienne sous le régime français.* Ottawa: Société historique du Canada, 1954. 16 pp.

Gérin, Léon, *Le Type économique et social des Canadiens.* Montréal: Fides, 1948. 221 pp.

Groulx, Chanoine Lionel-Adolphe, *La Déchéance incessante de notre classe moyenne.* Montréal: Imprimerie populaire, 1931. 16 pp.

Henripin, Jacques, et Yves Martin, *La Population du Québec et de ses régions.* Québec: Presses de l'Université Laval, 1964. 85 pp.

Maillet, Andrée, *Les Remparts de Québec.* Montréal: Éd. du Jour, 1965. 192 pp.

Ryan, Claude, *Les Classes moyennes au Canada français.* Montréal: L'Action nationale, 1950. 61 pp.

Économie

Angers, François-Albert, *Initiation à l'économie politique.* Montréal: Fides, 1963. 444 pp.

Barbeau, Raymond, *La Libération économique du Québec.* Montréal: Éd. de l'Homme, 1963. 158 pp.

Barbeau, Victor, *Mesure de notre taille.* Montréal: Éd. Le Devoir, 1936. 243 pp.

Bouchette, Robert Errol, *L'Indépendance économique du Canada français.* Montréal: Wilson, 1913. 293 pp.

Cimon, Paul, *L'Entreprise au Québec/Quebec Business.* Montréal: Éd. du Jour, 1964. 140 pp.

Fauteux, Joseph-Noël, *Essai sur l'industrie au Canada sous le régime français.* Québec: Proulx, 1927. 2 vols.

220 *Bibliographie*

Gérin, Léon, *Aux sources de notre histoire. Les conditions économiques et sociales de la colonisation en Nouvelle-France*. Montréal: Fides, 1946. 275 pp.

Groulx, Chanoine Lionel-Adolphe, *Directives*. Saint-Hyacinthe: Éd. Alerte, 1959. 260 pp.

Hughes, Everett C., *Rencontre de deux mondes: la crise d'industrialisation au Canada français*. Montréal: Parizeau, 1944. 388 pp.

Laurin, J.-E., *Histoire économique de Montréal et des cités et villes du Québec*. Montréal: Laurin, 1942. 287 pp.

Letourneau, Firmin, *Cours d'économie politique*. Gardenvale: Harpell, 1952. 400 pp.

L'Heureux, Eugène, *La Participation des Canadiens français à la vie économique*. Québec: Éd. L'Action catholique, 1930. 62 pp.

Minville, Esdras, *Histoire économique du Canada*. Montréal: Beauchemin, 1935. 126 pp.

Montpetit, Édouard, *La Conquête économique*. Montréal: Valiquette, 1942. 3 vols.

Ouellet, Fernand, *Histoire économique et sociale du Québec, 1760-1850*. Montréal: Fides, 1966. 639 pp.

Raynauld, André, *Croissance et structures économiques de la province de Québec*. Québec: Éd. du Ministère de l'Industrie et du Commerce, 1961. 658 pp.

Troisième Partie

Vie politique et nationale

Introduction

Voici la partie la plus importante de cette anthologie. Elle comprend quatre chapitres: Politique, Constitution, Nationalisme et Survivance. Tels sont les grands thèmes qui ont animé la vie politique et nationale des Canadiens français. Il va sans dire que les divisions adoptées ici sont forcément arbitraires: le nationalisme a pour but de remettre en question la constitution; de même, le problème de la survivance touche de près celui du nationalisme; tous ces domaines sont connexes.

Les problèmes que cette partie soulève marquent en profondeur non seulement la vie politique et nationale, mais aussi la vie économique et culturelle des Canadiens français.

Il y a toujours eu des nationalistes canadiens-français. Mais rares sont ceux qui ont pris conscience de la véritable ampleur du problème et qui ont accepté jusqu'au bout toutes les conséquences de cet état de fait. Ce n'est qu'aujourd'hui que les véritables ressources – psychologiques et culturelles – du nationalisme canadien-français commencent à se manifester.

Les textes sur la politique concernent les moeurs et la vie politiques au Canada français.

Les textes sur la constitution sont récents et décrivent ou expliquent la crise constitutionnelle que traverse présentement le Canada. Les textes du Père Richard Arès et de Jacques-Yvan Morin, entre autres, sont des prises de position très nettes en faveur d'un statut particulier pour le Québec.[1] Les textes sur le nationalisme offrent un large éventail d'opinions. On voit d'abord celles de Jules-Paul Tardivel et d'Henri Bourassa, deux journalistes polémistes, pour qui le nationalisme consiste à détacher tout le Canada de l'Angleterre impérialiste. On doit se rappeler que ces deux textes datent d'avant 1930. Le texte suivant pose le problème crucial des minorités canadiennes-françaises hors du Québec. Voilà une réalité qui, trop souvent, échappe aux observateurs. Certains textes représentent une tendance néo-nationaliste au Québec; elle trouve sa place dans une anthologie mais ne rend pas compte de toute la réalité québécoise. Celle-ci évolue rapidement, elle est très diversifiée, et une seule opinion peut difficilement la cerner[2] ou lui faire exprimer toute sa vigueur.

Les auteurs, dont les textes apparaissent au dernier chapitre de cette anthologie, se penchent sur le problème de la survie au Canada français. Ils préconisent certaines réformes sociales et culturelles qui permettront au Canada français de conserver l'identité qui lui est propre.

---

[1]*sont des prises. . . pour le Québec*: take a definite stand in favour of a special status for Quebec.
[2]*la cerner*: to grasp it [Quebec as it really is].

Politique

Genèse et historique de l'idée séparatiste au Canada français

MAURICE SÉGUIN (1912-   ), professeur d'histoire du Canada à l'Université de Montréal, est un émetteur d'idées. Célèbre beaucoup plus par son enseignement que par ses écrits, le professeur Séguin anime les historiens qui l'entourent. C'est le type de l'intellectuel engagé qui fait sentir sa présence par la vérité de ses analyses.

Devant le sens à donner à l'histoire nationale du Canada français, les esprits adoptent deux attitudes. La position la plus répandue, celle qui depuis 1840 domine l'interprétation traditionnelle de l'histoire du Canada, se rattache à l'idéologie fédéraliste. Constatant que la nationalité, l'ordre communautaire spontané, ne se confond pas nécessairement avec l'État, cette école conclut qu'une collectivité minoritaire peut accepter un partage de pouvoirs dans une union fédérale, consentir à une certaine centralisation sans perdre pour autant la maîtrise de l'essentiel de sa vie nationale et qu'elle peut conserver ses chances d'épanouissement politique, économique et culturel. C'est la thèse des autonomistes qui croient pouvoir se contenter d'une fraction d'indépendance.

L'autre attitude, très peu répandue après 1840, chez un peuple où l'on a abondamment parlé de nationalité et de nationalisme, pousse jusqu'à ses conclusions logiques la notion d'autonomie pour aboutir aux principes des nationalités dans toute sa rigueur. Être un peuple minoritaire dans une fédération, c'est être un peuple annexe. L'État n'est pas la nation, mais l'État est le principal instrument de l'épanouissement national. Il n'y a pas d'égalité politique entre le peuple majoritaire et le peuple minoritaire dans n'importe quelle fédération. Le peuple majoritaire a, à sa disposition, l'autonomie interne et externe. Le peuple minoritaire ne peut mettre à son service qu'une autonomie interne.

L'annexion politique, dans une économie moderne et dynamique, entraîne inévitablement la subordination économique. L'infériorité politique et l'infériorité économique se conjuguent en s'aggravant.[1] La culture elle-même, au sens le plus général du terme, intimement liée aux réalités politiques et économiques, est fortement perturbée au point qu'on ne peut même pas parler, pour le peuple minoritaire, de véritable autonomie culturelle. Pour cette école indépendantiste, l'indépendance politique complète est absolument nécessaire. Elle est à rechercher en elle-même comme un bien et elle est considérée comme un moyen irremplaçable pour assurer une maîtrise suffisante de la vie économique et culturelle.

Dans l'optique indépendantiste, la situation du Canada, dans l'empire français, se trouve non pas idéalisée mais revalorisée. C'est la seule époque de son histoire où le séparatisme s'enracine dans la réalité. Pendant plus de 100 ans, les Canadiens d'origine française vivent seuls dans un État séparé. Ils défendent ce séparatisme par les armes mêmes, sans dévier vers quelque doctrine fédéraliste, sans chercher à devenir une minorité dans un grand tout dominé par une nation étrangère.

Aussi longtemps que le Canada français demeure seul, aussi longtemps que la cause de sa naissance et de son épanouissement comme peuple, la métropole française, se tient derrière lui pour le protéger militairement, pour le coloniser avec ses hommes, ses institutions, ses capitaux métropolitains, il est apte à devenir une nation normale. Quand ce Canada sentira sa faiblesse et se rendra compte du déséquilibre entre les forces anglaises et françaises en Amérique, il ne se tournera pas vers une alliance ou une fédération qui serait une annexion avec des colonies britanniques plus fortes, mais il se tournera vers sa mère patrie

---

[1]*se conjuguent en s'aggravant*: interlock as they get worse.

pour exiger plus de colons, plus de capitaux ou une meilleure protection.

Ceci ne veut pas dire que le Canada de 1700 ou de 1750 possède déjà tout ce qu'il faut et que parvenu à son terme dans une aventure coloniale, il est à la veille de devenir une nation moderne complètement équipée. Politiquement, le Canada, comme les autres colonies (anglaises, espagnoles ou portugaises) de l'époque, est encore une province sous la juridiction d'une métropole, mais d'une métropole naturelle et à distance dont le pouvoir, un jour, cesserait nécessairement si la France réussissait sa colonisation. Économiquement, les Canadiens sont loin d'avoir développé à fond toutes les ressources de la vallée du Saint-Laurent; comme ils sont loin d'être les maîtres d'une industrie, d'un commerce, d'une finance hautement évolués. Quel pays avait atteint ce stade en 1700 ou en 1750 en Amérique et même en Europe? Ce Canada a donc besoin de capitaux, de colons, de techniques de France ou d'ailleurs pour continuer un développement économique encore embryonnaire. Il peut avoir recours à des capitaux étrangers et même à des immigrants étrangers qu'il assimilera. Mais, aussi longtemps que les Canadiens conservent dans l'empire français leur autonomie coloniale, il y a possibilité de devenir une nation, un État français à côté d'une ou plusieurs nations anglaises en Amérique du Nord; nation française qui, comme toutes les autres nations du monde, aurait eu ses déficiences, ses problèmes intérieurs, ses luttes de partis, ses luttes de classes et ses conflits avec les nations voisines, mais nation française qui aurait eu l'immense avantage d'être dotée de l'autonomie interne et externe et d'être présente par elle-même au monde.

Ce Canada, qui étend son emprise commerciale sur une immense partie du territoire au sud des Grands Lacs, est un obstacle à l'expansion vers l'ouest des colonies britanniques. Une des plus faibles colonisations entre en conflit avec la plus dynamique des colonisations d'Amérique. Mal défendu par sa Métropole, le Canada succombe finalement aux attaques concertées des Anglo-Américains et de la Grande-Bretagne. Pour ceux qui savent apprécier à sa juste valeur l'indépendance nationale, cette conquête anglo-américaine est un désastre majeur dans l'histoire du Canada français, une catastrophe qui arrache cette jeune colonie à son milieu protecteur et nourricier et l'atteint dans son organisation comme peuple. Le Canada français ne sera plus seul. Sur le même territoire, dans ce Québec même, naît un deuxième Canada, une autre colonisation, anglaise cette fois; colonisation qui s'imposera dès le début par sa suprématie politique et économique et qui, finalement, consolidera par le nombre cette suprématie en devenant majorité.

Tiré de «Genèse et historique de l'idée séparatiste au Canada français», par Maurice Séguin, dans Revue Laurentie, *119 (juin, 1962).* Montréal: L'Alliance Laurentienne. *Tous droits réservés.*

Questions

1. Qu'entendez-vous par «histoire nationale du Canada français»?
2. Expliquez la phrase suivante à propos de la Nouvelle-France: «Une des plus faibles colonisations... d'Amérique».
3. Pourquoi n'est-il pas possible de parler de l'autonomie culturelle du Canada français?

Examen de conscience

JULES FOURNIER (1884-1918), journaliste qui, avec Henri Bourassa (1868-1952) et Olivar Asselin (1874-1937), fit partie de la première équipe du *Devoir*. Maître de l'ironie, Jules Fournier défendit la liberté de pensée et s'attaqua avec esprit aux puissances de son temps.

Le mal dont nous souffrons exige en effet plus que des changements de ministère. Il est profond et touche à la source même de notre vie nationale.

Appelés à vivre dans un pays de démocratie, nous entendons absolument à rebours l'esprit de parlementarisme. Après soixante ans de gouvernement responsable, il nous reste encore à apprendre que ce régime est avant tout le gouvernement du peuple *par le peuple*; que les ministres sont là seulement pour obéir à nos ordres, et que c'est à nous de leur dicter en tout temps, et non pas seulement une fois tous les cinq ans, les actes qu'ils doivent accomplir pour notre compte. Ainsi l'on fait en Angleterre, où ce n'est pas dans les parlements que s'élabore et se façonne principalement la politique de la nation, mais bien dans les assemblées publiques et dans les banquets, dans les Chambres de Commerce et dans les réunions sociales, dans les clubs et dans les journaux, et où les ministres, si éminents qu'ils soient, ne sont en somme que chargés d'exécuter les volontés du peuple. Pour nous, au contraire, il semble que ce ne sont pas des ministres que nous possédons mais bien des dictateurs à qui nous avons donné carte blanche pour la durée entière de leur terme d'office. Par suite, nous nous croyons dispensés de prendre la moindre part à la conduite des affaires du pays, et nous négligeons complètement les questions publiques.

Nous n'avons pas l'air de nous douter que ce n'est pas du tout cela que l'on appelle le gouvernement populaire et nous ne paraissons même pas soupçonner de différence entre un peuple qui se gouverne lui-même comme le peuple anglais, et un peuple comme le nôtre, gouverné seulement par quelques-uns. C'est cependant une véritable oligarchie sous laquelle nous vivons entre les élections, puisque nos ministres, n'ayant à tenir compte d'aucune espèce d'opinion publique, sont les seuls maîtres de nos destinées.

Ce serait peut-être le lieu de se demander si cette indifférence que nous constatons chez nos compatriotes à l'égard de la chose publique, si cette impuissance à comprendre et à utiliser le parlementarisme n'est pas un trait commun à tous les peuples latins. Chose certaine, ce régime, d'institution pour eux relativement récente, paraît plutôt les embarrasser et ils n'ont pu encore en pénétrer le fonctionnement. C'est qu'on n'a pas en vain derrière soi trente siècles de monarchie. L'esprit des vieilles institutions persiste sous des formules nouvelles et l'absolutisme d'un Colbert ou d'un Richelieu survit dans un Combes ou dans un Clémenceau.[1] On dira sans doute que la République (pour nous en tenir à l'exemple de la France) a toujours la ressource de déposer ses ministres, et cela est parfaitement vrai, mais c'est la seule différence qu'il y a entre ceux-ci et leurs devanciers d'il y a deux cents ans: le peuple, dans l'intervalle des grandes consultations électorales,[2] ne prend pas plus de part au gouvernement qu'il n'en prenait sous la Royauté...

Ce trait de race ne s'accuse pas moins ici que chez nos cousins d'Europe. Quand nous avons une fois désigné, en jetant notre bulletin dans l'urne, les hommes qui nous paraissent le plus

---

[1]*Colbert; Combes; Clémenceau*: Jean-Baptiste Colbert, a French statesman under Louis XIV after 1661; Émile Combes, the French premier from 1902 to 1905; Georges Clémenceau, the French premier from 1906 to 1909, and from 1917 to 1919.

[2]*grandes consultations électorales*: general elections.

dignes de confiance, nous croyons être quittes envers le pays[3] pour les cinq années à venir.

Jamais nous n'aurions l'idée de diriger nous-mêmes la politique de la nation ou seulement d'y collaborer, en prêtant aux affaires publiques, dans une certaine mesure, l'attention que nous accordons à nos propres affaires.

Il n'y aura pourtant jamais d'autre moyen pour nous d'assurer notre progrès matériel et moral. – « Aide-toi et le Ciel t'aidera »; ce mot est vrai surtout des collectivités, et l'histoire n'offre pas d'exemple d'un peuple que l'on ait sauvé malgré lui...

Tiré de Examen de conscience, *par Jules Fournier. Montréal: Éditions Fides (Collection Classiques Canadiens), 1957. Tous droits réservés.*

Questions

1. Pourquoi le Canada français est-il apathique devant la chose publique?
2. Êtes-vous d'accord avec l'assertion de Jules Fournier que nos ascendances européennes influent sur notre comportement politique? Donnez vos raisons.
3. Quelles sont les qualités du style de Jules Fournier? Donnez quelques exemples de clarté dans l'exposition.

---

[3]*nous croyons être. . . le pays:* we think we have fulfilled our obligations to the country.

Réflexions sur la politique
au Canada français

PIERRE-ELLIOTT TRUDEAU (1920-   ), professeur de droit, membre
du Cabinet fédéral, et l'un des fondateurs de la revue *Cité Libre*, a
toujours défendu le principe de la liberté politique.

Si donc l'on vit, au siècle dernier, les Canadiens français se
lancer à corps perdu dans la politique, on ne saurait attribuer ce
phénomène à un engouement soudain pour le « gouvernement
responsable ». Nous n'avions alors qu'une passion: survivre. Et à
cet effet le suffrage universel pouvait bien s'avérer un instrument
commode. Aussi bien, en important pièce à pièce le système
parlementaire anglais, notre dessein secret n'était pas seulement
d'en user mais d'en abuser. A d'autres la recherche du gouvernement idéal: nous faisions flèche de tout bois.[1] (Tout dernièrement, dans *Esprit*, page 185, Frank Scott exprimait la même
idée, dans un sens nullement injurieux, en écrivant que le
Canadien français « s'est servi de la démocratie plutôt qu'il n'y
a adhéré comme à une doctrine ».)

Or le parlementarisme anglais repose sur des prémisses assez
claires: deux partis qui, par des moyens différents, veulent poursuivre un bien commun identique, établissent des règles de jeu
au terme desquelles le parti majoritaire aura le droit d'organiser
cette poursuite, à charge toutefois de céder la place à l'autre dès

---

[1]*nous faisions flèche de tout bois*: (figurative) we used every means.

que celui-ci aura prouvé, en cessant d'être minoritaire, que ses moyens à lui seraient plus acceptables.

Le jeu suppose donc premièrement l'entente sur le bien à poursuivre, et deuxièmement la possibilité périodique pour la minorité de devenir majorité. Or d'une part il n'y eut jamais au Canada entente sur le but à poursuivre, car l'élément français a toujours réclamé l'égalité absolue avec l'anglais, ce que les gouverneurs d'avant l'Acte d'Union de même que la députation canadienne-anglaise d'après, n'ont jamais voulu considérer. D'autre part, le bascul des majorités et des minorités[2] ne pouvait se faire puisque fondamentalement cette division ne relevait pas de variations électorales, mais d'une répartition ethnique assez stable.

Il ne se présenta ainsi aux nôtres que deux possibilités. Ou bien saboter la machine parlementaire par une obstruction systématique, comme le firent les Irlandais à Westminster; qui sait? cette méthode pure de compromis nous aurait peut-être valu le « home rule » laurentien, et nous ferions aujourd'hui de la politique honnête – dans un État sans conséquence. Ou bien, jouer en apparence le jeu parlementaire, mais sans nous croire moralement liés par ses postulats de base; c'est à ce choix que se rallièrent les ancêtres, en refusant de cantonner pour toujours leur canadianisme à l'intérieur du Bas-Canada.

Ils comprirent que pour longtemps encore ce gouvernement du peuple par le peuple ne serait pas pour le peuple mais surtout pour la partie anglophone de ce peuple. Dès lors, c'est avec des restrictions mentales qu'ils adhérèrent au contrat social: ils ne crurent pas qu'une « volonté générale » pût naître sans entente ethnique; et ne pouvant pas aspirer à jouir en égaux d'un bien commun canadien, ils se rabattirent secrètement sur la poursuite de leur bien particulier. C'est-à-dire qu'ils formèrent une communauté à l'intérieur de la communauté; pour préserver la première ils trichèrent contre les règles de la seconde. La ruse et le compromis dictèrent leurs choix de partis ou d'alliances: dès le gouvernement de l'Union, le peuple semblait se désintéresser de toute idéologie sauf de la nationaliste. Pour

---

[2]*le bascul... minorités*: the seesaw of majorities and minorities.

lui, Tory et Clear-Grit, conservateur et libéral, ne se rappor-
taient pas à des techniques d'administration, autant qu'à une
alternance qui faciliterait les enchères et les concessions:[3] aussi
bien, on trouva plus simple de parler de bleu et de rouge.[4] C'est
ainsi que la condamnation du libéralisme par l'Église et les
avantages de la réciprocité pour notre peuple n'empêchèrent pas
Laurier de gagner en 1896 et de perdre en 1911: notre peuple
ne votait pas pour ou contre une idéologie philosophique ou
économique, mais uniquement pour le champion de nos droits
ethniques; Laurier[5] d'abord, Bourassa[6] ensuite.

*Tiré de «Réflexions sur la politique au Canada français», par
Pierre-Elliott Trudeau, dans* Cité Libre *(décembre, 1952). Montréal: Cité Libre. Tous droits réservés.*

Questions

1. Dans quelle mesure le suffrage universel a-t-il permis aux Canadiens
   français de survivre?
2. Quelles sont les options accessibles aux Canadiens français?
3. Pourquoi les Canadiens français votèrent-ils pour Laurier et Bourassa?

[3]*une alternance. . . les concessions*: an alternation which made bids and grants easier.
[4]*de bleu*: Conservative; *de rouge*: Liberal.
[5]*Laurier*: Sir Wilfrid Laurier, Prime Minister of Canada from 1896 to 1911.
[6]*Bourassa*: Henri Bourassa, founder and editor-in-chief of *Le Devoir*, also active in
   politics, and a member of parliament from 1896 to 1907 and from 1925 to 1935.

Enquête

Nous présentons ici un extrait d'une enquête effectuée en 1961 sous la direction de JEAN-CHARLES FALARDEAU (1914-   ), du département de sociologie de l'Université Laval. Les enquêteurs ont interrogé une dizaine d'experts canadiens-français sur l'histoire politique du Québec, afin de reconnaître les étapes marquantes de cette histoire et d'en signaler les événements et les personnages déterminants.

Si l'on superpose ces canevas de nos divers informateurs, il en ressort un relief d'événements auxquels tous accordent une importance en tant que jalons de notre évolution politique. Relevons les principaux.

1. *La conquête*: Tous estiment que la conquête a été l'événement majeur dans la vie collective canadienne-française, sauf l'historien Michel Brunet, pour qui, après 1755 (date de la nomination du Canadien Vaudreuil comme gouverneur-général de la Nouvelle-France), la date importante à souligner est 1774.

2. *La Confédération*: Quelles que soient les interprétations que l'on donne de cet événement, il a été un des grands moments décisifs, un rite de passage déterminant,[1] dans l'histoire canadienne-française. Aux yeux de Jean-C. Bonenfant, c'est le moment où débute effectivement « la dualité » du Canada – « même si cette dualité s'est avérée beaucoup moins réelle que Cartier[2] pouvait le croire à son époque ». Pour Michel Brunet,

[1]*un rite de passage déterminant*: a ritual marking a decisive transition.
[2]*Cartier*: Sir George Etienne Cartier contributed greatly to the acceptance of Confederation.

1867 est la date de « la création de l'État provincial (québécois) ». François-A. Angers, pour sa part, interprète la Confédération et ses suites d'une façon maintenant plus que familière :

> Les Canadiens français y gagnent un gouvernement qui peut devenir bien à eux par le jeu des majorités, mais un gouvernement provincial, à souveraineté limitée. Par ailleurs, par l'intermédiaire de leurs porte-parole officiels, principalement Sir Georges-Étienne Cartier, ils sont censés avoir accepté définitivement l'association avec le conquérant, c'est-à-dire une position minoritaire probablement permanente, dans tout le champ défini par les jurisdictions du gouvernement fédéral. Le quiproquo sur le sens véritable de cette étape constitutionnelle surgira plus tard, lorsqu'il faudra se rendre compte que les Canadiens anglais n'ont pas du tout compris ainsi la Confédération...

3. *Le conflit radicaux-ultramontains:*[3] Cette lutte idéologique est mentionnée sinon avec fréquence du moins avec une insistance suffisante pour nous justifier de l'inclure comme dominante d'une période significative de notre histoire. « On peut », note Pierre Laporte, « suivre à la trace l'idéologie des ultramontains presque sans interruption jusqu'à nos jours. »

4. *L'affaire Riel et l'ère de Honoré Mercier.*[4]

5. *L'industrialisation:* L'invasion de la révolution industrielle dans le Québec est vue comme une seconde « conquête », pacifique celle-là, mais qui, de plusieurs façons, a accentué le sentiment de dépossession ressenti par les Canadiens français. « Les Canadiens français », écrit encore Angers, « y font d'abord assez bonne figure. Mais l'invasion du capital américain, les conditions dans lesquelles elle (la révolution industrielle) s'effectue, aboutissent à une dépossession rapide et soulignent le peu de

---

[3]*Le conflit radicaux-ultramontains:* The nineteenth-century conflict in Quebec between members of the clergy, who followed the ultramontane doctrine of the supremacy of the Church over the State, and liberal-minded political and intellectual leaders, who were against the clergy's social and intellectual monopoly and its interference in politics.

[4]*L'affaire Riel... Mercier:* The trial and execution of Louis Riel (1844-85), who had led the North West rebellions of 1870 and 1885, stirred up violent political and racial feelings in Canada; the leader of the Quebec Liberal party from 1883 to 1891, and premier of Quebec from 1887 to 1891, Honoré Mercier (1840-94) was noted for strong nationalistic leanings.

réalité de ce soi-disant gouvernement des Canadiens français par les Canadiens français qu'est le gouvernement de Québec. . . »

6. *L'époque du nationalisme*: Tous ne précisent pas les confins chronologiques de cette période qui connut d'ailleurs divers soubresauts. Le nom de Bourassa la domine et elle coïncide avec la phase la plus dense de sa carrière, soit, des débuts du siècle jusqu'après les années 1920.

7. *La crise de la « conscription »*: La période de la guerre de 1914-1918 a été le moment d'une des très grandes déceptions, pour ne pas dire de plusieurs déceptions, des Canadiens français. Comme le souligne Jean-C. Bonenfant, la politique fédérale, pour la première fois, se fait sans eux et contre leurs principes. Cette politique, au surplus, les déjoue et les contrarie au moins à deux plans: par les décisions touchant les formes et le degré de participation du Canada à la guerre; par les décisions touchant la question scolaire en Ontario. Comme l'écrit François-A. Angers: « A la vérité, ce n'est pas tant la participation aux guerres de l'Angleterre et, finalement, la conscription qui sont le vrai problème. Le véritable point de cristallisation, c'est le *Règlement 17*, la prise de conscience par les Canadiens français,[5] encore une fois, qu'ils ne sont pas de véritables égaux, que leurs libertés sont foulées aux pieds alors même qu'on leur demande d'aller se battre pour la liberté.»

8. *Le régime Taschereau*:[6] « Dans le Québec », écrit Bonenfant, « l'État organisa tout un système d'assistance publique; il développa les forces hydrauliques et construisit des routes et des ponts. . . Les idées conservatrices de grand bourgeois de M. Taschereau marquèrent pour longtemps notre vie économique. C'est l'époque où le parti libéral s'établit solidement au pouvoir à Québec pour contribuer ainsi, inconsciemment, à la disparition de l'idée de dualité des partis politiques. . . Il semble bien que la permanence des libéraux au pouvoir ait influencé pour longtemps notre vie politique. Elle créa un fonctionnarisme

---

[5]*la prise de conscience. . . français*: the awakening of French Canadians to the fact; the realization by French Canadians.

[6]*Le régime Taschereau*: Referring to the autocratic and paternalistic regime of Louis-Alexandre Taschereau, who was premier of Quebec and leader of the Liberal party from 1920 to 1936.

puissant dont personne à l'époque n'osait même réclamer l'indépendance et elle permit l'infiltration des amis du gouvernement dans une foule de postes stratégiques des administrations municipales et scolaires et parfois même d'organismes normalement étrangers à la politique ».

9. *Le régime Duplessis*:[7] Cette période fait suite à la crise économique des années 1930, au sursaut provoqué par *l'Action Libérale Nationale* et est marquée, en particulier, par l'affirmation d'un autonomisme provincial irréductible.

Tiré de « Enquête », par Jean-Charles Falardeau, dans Recherches sociographiques, 2 (1961). *Québec: Presses de l'Université Laval.* Tous droits réservés.

Questions

1. Pourquoi la conquête de 1759 peut-elle être considérée l'événement majeur de la vie collective des Canadiens français?
2. Que pensez-vous des jalons de la vie politique des Canadiens français établis par ces experts? A votre avis, sont-ils significatifs?

[7]*Le régime Duplessis*: Referring to the near-dictatorship of Maurice Duplessis, who was premier of Quebec and leader of the Union Nationale party from 1944 to 1960.

La Dualité canadienne à
l'heure du Québec

PAUL GÉRIN-LAJOIE (1920-   ), avocat et homme politique, fut élu
à l'Assemblée législative pour la première fois en 1960, et nommé
Ministre de la Justice dans le premier Cabinet Lesage. Il fut l'animateur principal de la réforme de l'éducation et le premier Ministre de
l'Éducation, au Québec.

Toutes les provinces, on le reconnaît heureusement de plus en
plus, ont des intérêts qui dépassent leurs frontières: dans le
cadre de la Confédération canadienne, elles sont bien davantage
que de simples administrations régionales, subordonnées à un
pouvoir central qui pourrait seul prétendre à la responsabilité
de veiller au progrès du pays.

Et cela vaut doublement pour le Québec. Notre province n'est
pas que la deuxième en importance des provinces canadiennes.
Le tiers des Canadiens, même s'ils n'y sont pas nés, la considèrent
comme leur mère-patrie. Comme les autres provinces, le Québec
vise, c'est évident, au bien-être de sa population: mais il veut
aussi rester la garantie efficace du maintien et du progrès du
groupe français en Amérique du Nord.

. . . Les structures politiques de notre pays, son fondement
constitutionnel même ont été imaginés en fonction de l'aménagement de cette dualité qui constitue l'une des principales
particularités du Canada dans une Amérique anglo-saxonne,
républicaine et expansionniste.

D'autre part, l'expression de « dualité canadienne » recouvre une réalité politique que les seuls textes constitutionnels ne peuvent complètement décrire: le Québec et l'autre Canada – le Québec et les autres provinces.

Aucune interprétation des textes ni aucune velléité d'uniformisation n'ont encore réussi à surmonter un fait[1] qu'exprime le langage courant de tous les Canadiens français lorsqu'ils disent que le Québec n'a jamais été et ne sera jamais « une province comme les autres ».

« A l'heure des États-Unis »,[2] l'avenir de notre pays dépend de nous, Canadiens de l'Ouest, de l'Est et du Centre, Canadiens de langue anglaise comme de langue française. Il repose sur la façon dont nous saurons aménager politiquement cette réalité humaine qui fait que le Québec aura toujours un caractère profondément différent de celui des neuf autres provinces; le Canada sera, dans l'ordre politique comme dans l'ordre constitutionnel, dans la pratique autant que dans les mots, la « dualité canadienne », ou il ne sera pas!

. . . Présent à la naissance du Canada, le Québec peut être quotidiennement présent à sa survie, s'il y trouve les conditions de son progrès.[3] Nombre de Canadiens anglais envisagent ouvertement – et prédisent même publiquement – l'annexion du Canada aux États-Unis dans l'hypothèse d'une sécession du Québec. L'annexion doit être envisagée également à plus ou moins brève échéance dans l'hypothèse où le dynamisme québécois serait privé des moyens d'action nécessaires à une dualité canadienne véritable, et où le rouleau compresseur d'une uniformisation progressive ferait du Québec « une province comme les autres ».

Les Canadiens français ne veulent plus être considérés comme une minorité « tolérée ». Ils se considèrent à part entière et de plein droit comme l'un des deux peuples qui composent le Canada. De plus, à la différence de leur partenaire dans le continent nord-américain, ils ne peuvent pas se laisser porter par le

---

[1]*Aucune interprétation. . . surmonter un fait*: No explanation of the [constitutional] texts or inclination to uniformity has yet succeeded in overcoming one fact.
[2]*«A l'heure des États-Unis»*: "In this American age" (referring to the position of the United States as a world power).
[3]*Présent. . . son progrès*: Present at the birth of Canada, Quebec can also participate daily in its survival, as long as it finds conditions for its own progress there.

courant: ils doivent collectivement, chaque jour « gagner leur vie » d'arrache-pied. « Dans une Confédération comme la nôtre, une minorité vit toujours dangereusement, » disait récemment monsieur le premier ministre Lesage. Les Canadiens français doivent donc exiger comme groupe distinct tous les instruments économiques et les moyens d'action politique nécessaires à la préservation de leur identité culturelle et à la réalisation de leurs aspirations propres.

> *Tiré de ‹La Dualité canadienne à l'heure du Québec›, par Paul Gérin-Lajoie, dans* La Dualité canadienne à l'heure des États-Unis *(Conférence prononcée dans le cadre du* IV⁰ *Congrès des Affaires canadiennes 1964). Québec: Presses de l'Université Laval, 1965. Tous droits réservés.*

Questions

1. En quoi le fait d'avoir « des intérêts qui dépassent leurs frontières » vaut-il doublement pour la province de Québec?
2. Êtes-vous d'accord avec l'explication que donne l'auteur sur la réalité politique, c'est-à-dire « la dualité canadienne »? Pourquoi?

Constitution

Crise aiguë au Canada français

JEAN-MARC LÉGER (1927-   ), avocat et journaliste, s'est signalé par ses nombreuses interventions dans le domaine politique et culturel. Il souhaite que les Canadiens français nouent des liens plus étroits avec la France dont ils partagent la civilisation.

Depuis vingt-cinq ans, et singulièrement depuis la fin du dernier conflit, le Canada traverse ce qu'il n'est pas exagéré d'appeler une crise constitutionnelle dans laquelle, on le comprendra, le Québec joue un rôle infiniment plus grand que les autres provinces. Nous assistons à une crise de croissance de la Confédération. Il était d'ailleurs relativement aisé de la prévoir. Tout d'abord, l'histoire enseigne qu'au sein d'une confédération, il est une tendance du gouvernement central à augmenter toujours ses pouvoirs au détriment de ceux des États constituants:[1] il n'est que de se rappeler les exemples des États-Unis et de la Suisse. Par ailleurs, le tempérament comme la tradition politique des Anglo-Saxons répugne à toute forme de régime fédéral et, ne s'en accommodant, avec plus ou moins de bonne grâce, que par apportunisme, ils s'efforcent sans cesse de le ramener à la formule du régime unitaire. Cette tendance devait jouer avec d'autant plus de force au Canada qu'elle[2] puisait à d'autres facteurs des raisons puissantes de s'affirmer: les débats qui entourèrent la naissance

---

[1] *il est une tendance... États constituants*: the central government tends to add to its powers at the expense of those of the constituent states.
[2] *Cette tendance... qu'elle*: This trend was to be even stronger in Canada because it.

de la confédération canadienne se ramenèrent en fait à une lutte entre Anglo-Saxons partisans d'un État central doté de la plus large mesure possible de pouvoir et Canadiens français défenseurs de la réalité des États provinciaux. Les premiers entendaient bien que ce pays restât le *British country* qu'ils avaient réussi à en faire en un siècle. Chaque domaine reconnu comme ressortissant à la juridiction du pouvoir provincial[3] était une chance de plus donnée au Québec d'affirmer son caractère français et, partant, de rompre l'unité nationale *que les Anglo-Saxons n'ont jamais comprise que comme unité britannique*. Finalement, l'on s'accorda sur un *gentlemen's agreement*, mais il importe d'avoir sans cesse présent à l'esprit le fait que les Anglo-Canadiens n'ont pas consenti à la formule fédérative de gaieté de coeur; ils s'y sont résignés comme à un moindre mal, la considérant comme une concession nécessaire – pour certains, temporaire, – aux Canadiens français. Si la tendance à la centralisation s'explique par une constante du régime fédératif et la pente de l'esprit anglo-saxon, d'autres facteurs tendent aussi à la favoriser.

Les conditions mêmes de la vie économique contemporaine, comme le primat d'efficacité si cher au Nord-Américain, inclinent à considérer l'existence de onze gouvernements (le gouvernement central ou fédéral et les dix gouvernements provinciaux), comme superflue, voire encombrante. Les grandes firmes possédant des succursales dans les diverses provinces du pays comme les centrales syndicales ouvrières rêvent de n'avoir affaire qu'à un et non plus à dix gouvernements. Au reste, l'ampleur même des revenus dont il dispose permet au gouvernement central de prendre des mesures de caractère social à l'application desquelles collaborent les gouvernements provinciaux, de plus en plus considérés tour à tour comme les percepteurs, puis les agents de distribution d'Ottawa. Telle est l'invasion du fédéral, si considérable la place qu'il a prise dans la vie politique du pays, que la majorité des citoyens se représentent spontanément notre régime constitutionnel comme un ensemble que domine-

---

[3]*Chaque domaine. . . pouvoir provincial*: Each sphere of action recognized as being under the jurisdiction of provincial authority.

rait Ottawa et cela leur semble une révélation que d'entendre dire que les gouvernements provinciaux et le gouvernement fédéral sont sur un pied d'égalité parfaite.

A la faveur du premier et du deuxième conflit mondial, le gouvernement fédéral, sous le prétexte d'un besoin grandissant de fonds, demanda aux gouvernements provinciaux de lui céder divers domaines de taxation fort importants, notamment l'impôt sur les revenus des particuliers et des corporations. Toutes les provinces, après des résistances plus ou moins fortes, y ont consenti et remis à Ottawa, en retour de versements périodiques, le droit de percevoir une part substantielle de leurs revenus. Comme il était à prévoir, cette « location » des droits des provinces s'est poursuivie[4] dans l'après-guerre.

Tiré de « Crise aiguë au Canada français », par Jean-Marc Léger, dans Esprit, *20 (août-septembre, 1952). Paris:* Esprit. *Tous droits réservés.*

Questions

1. Définissez la nature de la crise que traverse en ce moment la Confédération canadienne.
2. Depuis quand cette crise dure-t-elle?
3. Que veut dire Jean-Marc Léger par l'expression « invasion du fédéral »? A votre avis, a-t-il raison?

---

[4]*cette «location».* . . *poursuivie*: this "renting out" of provincial rights was continued.

Le Statut particulier, minimum vital

RICHARD ARÈS (1910-   ), un Jésuite et éminent spécialiste des questions sociales, a publié de nombreux ouvrages sur la société canadienne dans son ensemble et s'est spécialisé en particulier dans les problèmes démographiques. Il est membre de la rédaction de la revue *Relations*, publiée par les Jésuites.

Premier temps, la communauté canadienne-française ne se sent chez elle que dans la seule province de Québec; deuxième temps, cette province, elle la veut de plus en plus tout entière à elle avec un État qui jouira du maximum possible de pouvoirs et de liberté. Bref, le fédéralisme traditionnel ne lui dit plus rien qui vaille et elle aspire à autre chose, à un régime qui lui assure plus de liberté et de sécurité, et le moins qu'on puisse lui octroyer hors des cadres du fédéralisme traditionnel, c'est précisément un statut particulier.

Pour elle, il s'agit là du minimum exigible[1] dans les circonstances actuelles. A la crise qui menace le Canada, bien des solutions ont été proposées qui, toutes, peuvent se ramener à deux grandes catégories: les solutions traditionnelles de type fédéraliste et les solutions novatrices qui font appel à un au-delà du fédéralisme ordinaire. Or, en proie qu'il est aujourd'hui à la fièvre nationaliste,[2] conscient de sa force et de son dynamisme, le

---

[1]*minimum exigible*: minimum requirement.
[2]*en proie. . . fièvre nationaliste*: prey to the present nationalist fever.

Québec, surtout le jeune Québec, proclame sa non-confiance à l'égard des solutions traditionnelles, qu'elles aient nom statu quo, fédéralisme coopératif ou nouveau fédéralisme, et met de plus en plus ses espoirs dans ces nouvelles et audacieuses formules que sont le statut particulier, l'État associé et l'indépendance.

Chacune de ces formules a ses partisans et ses adversaires, même dans les rangs du mouvement nationaliste. Ceux qui croient à la nécessité et à la possibilité pratique de l'indépendance trouvent insuffisantes et insatisfaisantes les deux autres formules; ceux qui mettent de l'avant la thèse des États associés réclament pour le Québec plus que le statut particulier et moins que l'indépendance totale. Tout le monde cependant, dans le mouvement nationaliste, semble d'accord pour demander une réforme allant au delà du fédéralisme traditionnel, pour exiger une solution qui sorte des vieux cadres posés par la constitution de 1867. Or, je le répète, le minimum en la matière, le premier pas hors des sentiers battus, le plus bas échelon acceptable au Québec d'aujourd'hui comme une pause dans son ascension vers la pleine liberté, c'est la formule du statut particulier.

J'ajoute qu'il s'agit là pour le Québec d'un minimum vital. Je veux dire que les circonstances sont telles – circonstances géographiques, économiques, sociales et politiques – que la politique fédérale du traitement commun pour toutes les provinces, sous prétexte que le Québec ne serait qu'une province comme les autres, ne peut aboutir qu'à bloquer l'élan vital du Québec et à l'empêcher de s'acquitter de ses responsabilités à l'égard de la nation canadienne-française. Est-il besoin de rappeler que cette nation est seule en Amérique du Nord et que si, au dire de la Commission Laurendeau-Dunton, elle constitue une société distincte, elle n'en est pas moins une société constamment menacée dans son existence et qui, pour simplement survivre, ne peut plus se passer du concours de l'État et d'un concours sans cesse grandissant? Comment l'État québecois pourrait-il lui apporter un tel concours si on le traite comme n'importe quel autre État provincial? S'il lui faut passer son temps et dépenser son énergie à combattre les projets centralisateurs du gouvernement fédéral? S'il se voit constamment forcé d'aller mendier à Ottawa la

liberté fiscale dont il a besoin pour mettre en vigueur la politique culturelle et sociale qu'exigent les intérêts vitaux de la
communauté canadienne-française?

On ne saurait mieux dire: s'il faut au Québec un statut particulier, c'est précisément qu'il possède une vocation particulière,
c'est qu'il renferme dans ses frontières une nation dont son État
a tout particulièrement la charge. « Le Québec », vient d'écrire
Peter Desbarats dans son ouvrage *The State of Quebec*, « n'est
pas, comme les autres provinces, partie d'un grand Canada, du
moins aux yeux de ses citoyens de langue française. C'est une
nation en elle-même, une nation qui n'a jamais acquis l'appareil
extérieur de la nationalité, mais qui assume les bien plus importantes qualités[3] internes d'une nation dans l'esprit de ses gens...
Les autres provinces font partie d'une plus grande nation.»

*Tiré de «Le Statut particulier, minimum vital», par Richard Arès,
dans L'Action nationale, 54 (juin, 1965). Montréal: L'Action nationale. Tous droits réservés.*

Questions

1. Énumérez les solutions que proposent les nationalistes canadiens-
   français pour résoudre le problème constitutionnel au Canada.
2. Qu'est-ce qui distingue le Québec des autres provinces canadiennes?
3. Quel est le minimum vital dont le Québec a besoin pour s'épanouir?
4. Qu'entendez-vous par « liberté fiscale »?

---

[3]*les bien plus... qualités*: the much more important internal attributes.

État et nation au Canada français

JACQUES-YVAN MÓRIN (1931-   ), professeur de droit à l'Université de Montréal, est l'un des porte-parole les plus sérieux de l'opinion nationaliste avisée au Québec. Il est partisan d'une confédération canadienne rénovée et a exposé ses pensées, surtout par le truchement de la télévision, à d'immenses auditoires. Orateur excellent, quoique sévère, il sait se faire comprendre des foules sans abandonner ses allures de professeur.

Le Canada français possède, en vertu de l'A.A.N.B. de 1867, un État embryonnaire,[1] auquel on confie des compétences restreintes dans le but de prouver sa langue et ses institutions traditionnelles. Mais il n'était pas question que la législation provinciale se mêlât des questions économiques et des grandes questions de politique interne ou étrangère. Seul l'État central, dominé, comme l'avait recommandé Lord Durham, par la majorité britannique, pourrait s'occuper de ces questions essentielles. Nous fûmes, avec beaucoup de sollicitude et d'égards, vassalisés en tant que nation.

Or voici que par un juste retour des choses, le Canada français prend conscience de sa situation politique et revendique le droit de disposer librement de lui-même. Il déclare d'une voix de plus en plus forte qu'il veut l'égalité, garantie de son épanouissement. Il invoque à son profit la philosophie politique de l'Occident et le *self-government* que l'Empire britannique lui-même a

---

[1] *un État embryonnaire*: an embryonic State (a State in the making).

reconnu à ses dominions, à l'Irlande et aux pays d'Asie et d'Afrique.

Mais qu'est-ce que l'égalité? Par quelles institutions se traduit-elle? Certes, il ne s'agit pas seulement d'égalité des collectivités en présence, sur tous les plans. Or, l'histoire – et singulière-ment l'histoire du Commonwealth britannique – enseigne qu'il n'existe pas d'égalité ou de liberté collective sans structures politiques largement autonomes. Les dominions n'ont atteint « l'égalité de statut »,[2] confirmée en 1931 par le Statut de West-minster, qu'après avoir obtenu le plein contrôle de leurs affaires internes et une large mesure d'autonomie externe, y compris le pouvoir de conclure des traités et de faire des lois à portée extra-territoriale. Est-il possible d'envisager une évolution semblable pour le Québec? C'est la question qui se pose à l'heure actuelle.

Le problème est de réconcilier le nouveau concept de l'État qui se fait jour au Québec avec l'existence d'un certain nombre de facteurs qui nous lient au contexte nord-américain: nos minorités dans le reste du Canada et nos liens économiques avec l'ensemble du continent. Il y a là une question d'équilibre extrêmement délicate, d'autant plus délicate que l'équilibre est instable et se modifiera sans cesse au cours des années à venir.

Il n'est pas impossible de tracer les grandes lignes de cet équilibre, du moins pour l'avenir prévisible. La solution se trouve quelque part du côté du statut particulier ou de la formule des États associés. Plus on voudra retarder l'inévitable, plus la solution sera radicale.

Les relations entre le Québec et le reste du Canada s'engagent à l'heure actuelle dans une dangereuse impasse. D'une part, le Québec, par sa seule présence, risque plus que jamais de con-stituer une hypothèque pour le fédéralisme anglo-canadien. D'autre part, le Canada anglais, en voulant imposer à la popula-tion québécoise les solutions qu'il croit les meilleures, est amené à nier implicitement le *self-government* plus étendu qu'elle ré-clame. A l'heure actuelle, l'affrontement des deux nationalismes – car il existe une nation anglo-canadienne, moins homogène certes que le Canada français, mais non moins réelle – atteint les

---

[2]«*l'égalité de statut*»: equal legal status.

dimensions d'une crise: l'équilibre de 1867 est définitivement rompu. Sans doute pourra-t-on alléger cette crise par une série de compromis savamment dosée, notamment en matière fiscale. Toutefois, ce ne seront là que des «cataplasmes» qui n'atteindront pas les causes profondes du malaise. La tâche qui s'impose à nos hommes d'État est d'établir un nouvel équilibre, qui permette aux deux Canadas d'atteindre leurs objectifs socio-économiques et culturels respectifs, sans se brider mutuellement.[3]

Sur le plan économique, en particulier, le Québec se voit de plus en plus comme le centre des décisions portant sur son développement économique, jouissant de tous les pouvoirs nécessaires à la planification régionale et du contrôle absolu de ses ressources naturelles. En outre, comme la véritable planification n'existe qu'en fonction d'objectifs sociaux, le Québec tend à devenir un *État social (Welfare State)* autonome, possédant la plupart des compétences en matière de sécurité sociale et la liberté d'établir lui-même les propriétés dans ce domaine.

Tiré de «État et nation au Canada français», par Jacques-Yvan Morin, dans L'Action nationale, *54 (juin, 1965). Montréal: L'Action nationale. Tous droits réservés.*

Questions

1. Qu'est-ce que l'Acte de l'Amérique du Nord Britannique?
2. Qu'est-ce qu'une nation vassale?
3. Quel est ce nouveau concept de l'État au Québec dont parle le professeur Morin?
4. Discutez la phrase suivante: «Plus on voudra retarder l'inévitable, plus la solution sera radicale.» Est-ce vrai dans tous les domaines?

[3]*sans se brider mutuellement*: without holding one another back.

Rapport préliminaire de la Commission royale d'enquête sur le bilinguisme et le biculturalisme

Cette Commission a été créée par le gouvernement fédéral, le 19 juillet 1963. Elle a reçu le mandat de faire enquête et rapport sur l'état actuel du bilinguisme et du biculturalisme au Canada, ainsi que de recommander les mesures à prendre pour que la Confédération canadienne se développe d'après le principe de l'égalité des deux peuples qui l'ont fondée, compte tenu de l'apport des autres groupes ethniques à l'enrichissement culturel du Canada. Le texte reproduit ci-dessous est extrait du *Rapport préliminaire* de la Commission. Il traite surtout de la différence de sens attribuée au mot « nation » par les francophones et les anglophones.

Ces notions et expressions – « partenaires égaux », « deux groupes fondateurs », « pacte » intervenu entre ces deux groupes – sont traditionnelles au Canada français. L'expression « deux nations » est venue récemment illustrer de façon plus vive le désir que soit reconnue la dualité du pays. Les Canadiens français, qui avaient coutume de s'appeler « race » ou « nationalité », se définissent de plus en plus comme « nation ». « Comment prétendez-vous », a demandé un homme de Sherbrooke, « avec une question de bilinguisme établir la bonne entente au Canada, si on n'accepte même pas au départ l'existence d'une nation canadienne-française? » Bien des non-séparatistes ont souvent exprimé au Québec cette idée d'une nation canadienne-française, ayant une langue commune, un territoire commun, une histoire et une culture ou mode de vie communs. Pour eux, c'est le fondement de leur idéal d'égalité culturelle. En outre, lorsque les Canadiens français du Québec estiment former une nation, ils en déduisent naturellement, sinon logiquement, que les autres Canadiens, dans leur ensemble, constituent également une nation. Centrés sur eux-mêmes et sur ce que nous pouvons appeler leur propre réalisation, ils voient le reste du pays comme une seule et même entité – « les Anglais », les autres. L'expression « deux nations » sonne encore à nos oreilles, tant nous l'avons entendue dans nos réunions tenues au Québec.

La question a paru fort différente à la plupart des Canadiens de langue anglaise que nous avons rencontrés. Ils pouvaient admettre que certaines acceptions du mot « nation » conviennent aux Canadiens français du Québec; mais, à leur avis, le même terme ne saurait normalement s'appliquer à tous les habitants non français de l'ensemble du pays. Tout ce qui les unirait, c'est une commune citoyenneté qu'ils partagent aussi avec les Canadiens du Québec. Un participant d'Halifax soutenait que le puissant sentiment d'identité culturelle que les Canadiens français expriment par le mot « nation » pourrait peut-être se développer dans l'avenir au Canada anglais. Il ajoutait: « Si nous en avons le temps, nous, du Canada anglais, nous pourrons peut-être définir notre identité, et ensuite, travailler de concert avec ceux qui, au Canada, ont déjà pris conscience de leur identité culturelle. »[1] Cependant, la plupart des Canadiens dont l'ascendance n'est pas française ont semblé confondre « nation » et « Canada » – et considérer le pays comme un seul État-nation.

La différence de sens attribuée au mot « nation » n'est-elle qu'affaire de vocabulaire? Pour beaucoup l'expression française « un pays, deux nations » signifie peut-être presque la même chose que l'expression anglaise « une nation, deux cultures » ou même « une nation, deux langues ». On sent pourtant que cette dernière expression a beaucoup moins de portée. Un chef de groupe à Terre-Neuve s'en est ainsi expliqué: « Le noeud du problème c'est que nous comptons des gens qui se considèrent

---

[1]The actual words:
"If we have time, we in English Canada can perhaps define what our identity is and then, knowing that, perhaps we can work with those in Canada who already know what their cultural identity is."

comme des Canadiens français, alors qu'ils devraient se considérer comme des Canadiens qui parlent français.»[2]

Il semble que des participants de langue française aient appliqué à leur propre groupe le terme « nation » pour bien souligner leur conception d'un Canada binational, tandis que des participants de langue anglaise désignaient ainsi l'ensemble du Canada, pour bien marquer la nécessité de « l'unité nationale ». La différence même de sens et d'emploi du terme « national » indique l'écart qui sépare les vues des uns et des autres.

Un homme de Saskatoon s'inquiétait de la puissance explosive du choc de ces idées contradictoires, en disant que « l'avenir du pays est fort douteux si le caractère binational de l'État canadien n'est pas reconnu par les Anglais tout autant que par les Français ».[3] Pourtant, même après cet énoncé brutal du problème, l'idée d'une dualité nationale a paru demeurer étrangère à la plupart des participants à Calgary – et ailleurs.

Fait remarquable, plusieurs Canadiens de langue française, surtout ceux qui préconisent un nouveau statut politique pour le Québec, donnaient au mot « nation » presque le même sens que des Canadiens de langue anglaise que nous avons entendus. Pour eux, la nation et l'État doivent coïncider; il ne peut exister deux nations dans un seul État; mais alors cet « État national » doit être, bien entendu, canadien-français.

Tiré de Rapport préliminaire de la Commission royale d'enquête sur le bilinguisme et le biculturalisme. *Ottawa: L'Imprimeur de la Reine, 1965. Tous droits réservés.*

[2]The actual words:
 "The crux of the whole issue is that we have people looking on themselves as French-Canadians, when they should be looking on themselves as Canadians who speak French."
[3]The actual words:
 "Unless the bi-national character of the Canadian state is recognized by the English as well as by the French, the future of this country is very much in doubt."

Questions

1. Énumérez brièvement les opinions respectives des participants aux séances dont il est question dans ce texte.
2. Croyez-vous que le Canada anglais comprend mieux le Canada français qu'il y a quelques années? Motivez votre réponse.
3. Êtes-vous en faveur de rencontres fréquentes entre les jeunes anglophones et les jeunes francophones? Donnez vos raisons.

Nationalisme

Le Lien colonial

JULES-PAUL TARDIVEL (1851-1905), journaliste et écrivain, défendait un nationalisme pan-canadien; selon lui, il s'agissait d'abord de maintenir l'Empire britannique à bonne distance du Canada. Il partageait l'illusion des Canadiens français selon laquelle leur nation était, au Canada, sur un pied d'égalité avec celle des Canadiens anglais. Il voyait aussi, et avec raison, un danger suprême dans l'annexion aux États-Unis.

1er septembre 1881.

Certain journal canadien-français[1] de cette ville affecte depuis quelque temps un attachement excessif au « lien colonial ». Cet espèce d'engouement pour la « métropole » qui se manifeste tout à coup chez notre confrère, nous agace autant qu'il nous mystifie.

Il faut rendre justice à l'Angleterre, sans doute, mais il faut le faire sans tomber dans le lyrisme, chose déplorable.

Si le Canada français n'a pas été traité comme l'Irlande, il faut se rappeler que c'est une simple question de géographie qui en est la cause. Notre proximité des États-Unis nous a valu bien des « faveurs » que nous aurions vainement demandées à la « sympathie » et à la « générosité » de la fière Albion. N'oublions pas cela. Et n'oublions pas non plus que si nous n'avons pas été absorbés, écrasés, anéantis, ce n'est pas la faute de l'Angleterre. Elle y a travaillé constamment pendant près d'un siècle.

Aujourd'hui, il est vrai, nous jouissons d'une pleine liberté:

---

[1]*Certain... canadien-français*: i.e. *Le Canadien de Québec.*

Vue aérienne de Montréal

Vue aérienne de la ville de Québec

Le Parlement sous le givre, la ville de Québec

Photo Armour Landry

La ville de Québec à la tombée du jour

mais si l'Angleterre nous a rendu justice, c'est en partie parce qu'elle ne pouvait pas, ou qu'elle n'osait pas faire autrement, et en partie aussi parce que nous maltraiter n'était pas une affaire payante.

Tout cela, il me semble, n'exige point, de notre part, une reconnaissance sans borne, encore moins l'aplatissement.

Et ce lien colonial, bien coupable serait celui qui voudrait le briser par des moyens violents; mais bien naïf serait le journaliste qui prétendrait que ce lien doit exister éternellement. Le Canada n'est plus d'aucune utilité pour l'Angleterre, qui, par conséquent, ne doit pas tenir mordicus à nous garder sous sa tutelle.

Et de notre côté, avons-nous un besoin impérieux du « lien colonial »? Qu'est-ce que ce lien nous donne en vérité?

L'honneur de faire partie de l'Empire britannique sur lequel le soleil ne se couche jamais. C'est un grand honneur, indubitablement, mais cet honneur n'est accompagné d'aucun avantage matériel bien apparent, et il pourrait bien nous causer des désagréments sérieux.

Par exemple, que l'Angleterre et les États-Unis s'avisent un bon matin de se quereller et de régler leur différent à coups de canons, c'est vraisemblablement notre pays qui serait le principal théâtre d'une guerre dans laquelle nous n'aurions aucun intérêt.

Le « lien colonial », dit-on, nous empêchera un jour d'être englobés par notre puissante voisine. C'est plutôt le contraire qui est vrai. Comme nous venons de le dire, une guerre entre les États-Unis et la Grande Bretagne est chose fort possible. Advenant cette guerre, et advenant une victoire américaine, ce qui est encore possible, quel serait le sort du Canada? Notre pays serait annexé infailliblement à la République voisine, sans que nous eussions rien fait pour mériter ce châtiment.

Nous voulons être bien compris: Nous ne désirons pas que l'on commence une agitation politique pour obtenir la rupture du « lien colonial »; cette rupture, nous en sommes certains, ne manquera pas de s'opérer tôt ou tard sans que nous y mettions la main. Du reste, notre position est satisfaisante, pour le moment, et nous aurions tort de nous en plaindre.

Nos observations n'ont d'autre but que de faire comprendre à qui de droit que le lyrisme n'est pas de mise en parlant de l'Angleterre et du « lien colonial ». Soyons justes, soyons respectueux, mais soyons dignes. Surtout, tenons-nous debout pour parler à la Grande Bretagne. Nous avons droit à cette position, n'y renonçons pas.

Tiré de Mélanges, *par Jules-Paul Tardivel. Québec: L'Imprimerie de la Vérité, 1887.*

Questions

1. Croyez-vous que l'auteur avait raison en prévoyant une dissolution du « lien colonial » qui rattachait le Canada à l'Empire britannique? Motivez votre réponse.
2. A cette époque (1881), le danger d'annexion aux États-Unis était réel. Quels inconvénients seraient survenus, d'après vous, à la suite d'une telle annexion?

Henri Bourassa à Notre-Dame

Paul Racine, un Jésuite, enseigna le français durant plusieurs années au Collège Sainte-Marie à Montréal. Il rédigea en 1941 la brochure *Henri Bourassa à Notre-Dame* à l'usage des élèves du collège. Le texte qui suit est un discours célèbre que HENRI BOURASSA, le plus grand orateur de son temps, a prononcé le 10 septembre 1910 en l'église Notre-Dame à Montréal. L'archevêque de Westminster, représentant de Rome à un congrès catholique à Montréal, vient de souhaiter que les Canadiens français, tout en demeurant catholiques, s'intègrent dans la civilisation nord-américaine anglaise. Bourassa, prince de l'esprit nationaliste canadien-français qui n'a jamais dissocié la langue française du Catholicisme romain, répond au prince de l'Église.

Je remercie du fond du coeur l'éminent archevêque de Westminster d'avoir bien voulu toucher du doigt le principal obstacle à cette union (*mouvement*) et d'avoir abordé le plus inquiétant peut-être des problèmes internes de l'Église catholique au Canada. (*Mouvement.*)

Sa Grandeur a parlé de la question de langue. Elle nous a peint l'Amérique tout entière comme vouée dans l'avenir à l'usage de la langue anglaise; et au nom des intérêts catholiques elle nous a demandé de faire de cette langue l'idiome habituel dans lequel l'Évangile serait annoncé et prêché au peuple.

Ce problème épineux[1] rend quelque peu difficiles, sur certains points du territoire canadien, les relations entre catholiques de langue anglaise et catholiques de langue française. (*Mouvement.*)

[1]*Ce problème épineux*: This thorny problem.

Pourquoi ne pas l'aborder franchement, ce soir, au pied du Christ et en chercher la solution dans les hauteurs sublimes de la foi, de l'espérance et de la charité? (*Longues acclamations.*)

A ceux d'entre vous, mes frères par la langue, qui parlez parfois durement de vos compatriotes irlandais, permettez-moi de dire que, quels que puissent être les conflits locaux, l'Église catholique tout entière doit à l'Irlande et à la race irlandaise une dette que tout catholique a le devoir d'acquitter. (*Applaudissements.*) L'Irlande a donné pendant trois siècles, sous la persécution violente et devant les tentatives plus insidieuses des époques de paix, un exemple de persévérance dans la foi et d'esprit de corps dans la revendication de ses droits que tout peuple catholique doit lui envier, au lieu de lui en faire reproche. (*Applaudissements.*)

A ceux d'entre vous qui disent: L'Irlandais a abandonné sa langue, c'est un renégat national; et il veut s'en venger en nous enlevant la nôtre, je réponds: Non. Si nous avions passé par les épreuves que l'Irlandais a subies, il y a longtemps peut-être que nous aurions perdu notre langue. (*Mouvement.*)

Quoi qu'il en soit, la langue anglaise est devenue l'idiome de l'Irlandais comme celui de l'Écossais. Laissons à l'un et à l'autre, comme à l'Allemand et au Ruthène, comme aux catholiques de toutes les nations qui abordent sur cette terre hospitalière du Canada, le droit de prier Dieu dans la langue qui est en même temps celle de leur race, de leur pays, la langue bénie du père et de la mère. (*Longs applaudissements.*) N'arrachez à personne, ô prêtres du Christ! ce qui est le plus cher à l'homme après le Dieu qu'il adore. (*Applaudissements frénétiques, longues acclamations.*)

Soyez sans crainte, vénérable évêque de Westminster: sur cette terre canadienne, et particulièrement sur cette terre française de Québec, nos pasteurs, comme ils l'ont toujours fait, prodigueront aux fils exilés de votre noble patrie comme à ceux de l'héroïque Irlande, tous les secours de la religion dans la langue de leurs pères, soyez-en certain. (*Applaudissements.*)

Mais en même temps, permettez-moi – permettez-moi, Éminence, de revendiquer le même droit pour mes compatriotes,[2] pour ceux qui parlent ma langue, non seulement dans cette province, mais partout où il y a des groupes français qui vivent à l'ombre du drapeau britannique, du glorieux étandard étoilé, et surtout sous, l'aile maternelle de l'Église catholique *(longues acclamations)*, de l'Église du Christ qui est mort pour tous les hommes et qui n'a imposé à personne l'obligation de renier sa race pour lui rester fidèle. *(L'auditoire debout fait à l'orateur une longue ovation.)*

Je ne veux pas, par un nationalisme étroit, dire ce qui serait le contraire de ma pensée – et ne dites pas, mes compatriotes – que l'Église catholique doit être française au Canada. Non; mais dites avec moi que, chez trois millions de catholiques, descendants des premiers apôtres de la chrétienté en Amérique, la meilleure sauvegarde de la foi, c'est la conservation de l'idiome dans lequel, pendant trois cents ans, ils ont adoré le Christ.

Tiré de Henri Bourassa à Notre-Dame, *par Paul Racine. Montréal: Éditions de l'Entraide, 1941. Tous droits réservés.*

Questions

1. Que signifie l'expression « mouvement de la foule »?
2. De quelle façon Bourassa fait-il preuve de courage dans son intervention?
3. Quelles sont les valeurs que défend Bourassa?

[2]*de revendiquer. . . compatriotes*: to claim the same right for my countrymen.

L'Être minoritaire

JEAN ÉTHIER-BLAIS (1927-   ) est professeur de littérature française à l'Université McGill et critique littéraire au journal *Le Devoir*. Le texte que l'on va lire est consacré au problème des minorités françaises hors du Québec et à leur devenir.

Il n'est pas dit que les Québécois (c'est ainsi que nous les nommerons pour les différencier de leurs frères de la *diaspora*[1] canadienne-française) soient d'avis qu'il faille tout sacrifier au principe de la liberté politique. Il est par ailleurs à peu près sûr que les minorités françaises du reste du Canada entendent ne lui sacrifier rien du tout. C'est sans leur concours que l'indépendance (si tel est jamais le fait) verra le jour au Québec. Il est facile de prouver, chiffres en mains que, sauf au New-Brunswick, les Canadiens français non-Québécois vont, du point de vue démographique, s'amenuisant. Il est de même évident que, pour tout ce qui touche à l'évolution de leurs droits depuis la Confédération, ces mêmes minorités ne sont pas en période d'expansion. L'Ontario, par exemple, n'a pas dévié pour l'essentiel, à l'échelon gouvernemental, de l'état d'esprit qui fut à l'origine du célèbre Règlement 17. Si l'on s'en tenait donc à des preuves fondées sur des données démographiques et historiques, il ne serait pas difficile, dans l'abstrait, de persuader les minorités

---

[1] *la diaspora*: the dispersion (here referring to the spread of Canadians of French origin throughout Canada).

canadiennes-françaises, qu'il y va de leur intérêt historique et démographique de souhaiter l'indépendance, d'oeuvrer pour elle. Mais des raisonnements de cet ordre, si logiques qu'ils puissent être, et puisqu'ils font appel à la fois aux chiffres et au sentiment, si éloquents qu'ils soient, ne recouvrent qu'une réalité bien faible. Ils n'accèdent pas à la démarche profonde de la psychologie minoritaire, telle qu'on la trouve, non plus dans le Québec, mais dans les autres provinces de la Confédération canadienne. Telle qu'on la trouve chez les Franco-ontariens.

Cet exemple est choisi à dessein. Franco-ontarien, je le suis moi-même, issu d'une minorité d'occasion. Le Québec, vu du nord de l'Ontario, forme un bloc compact, qui serre facilement les rangs, qui peut se défendre, qui brave parfois. Il y a la nation québécoise, une, différente, qui aux yeux d'une minorité lointaine, apparaît comme non-contaminée. Et puis, il y a toutes ces autres minorités, disséminées à travers un vaste pays, soucieuses de s'organiser une vie paisible et qui, de loin, sans fierté, regardent s'effriter le colosse. Minorités rejetons d'une minorité, chez qui s'amplifient ces désordres intimes inhérents à l'état minoritaire. Ces minorités, il faut bien le dire, le Québec, sans doute pour des raisons à lui, parmi lesquelles on trouve des motifs d'ordre constitutionnel, les a un peu laissées se débrouiller toutes seules. Je le dis bien haut, il fallait redresser la Constitution avant que de laisser les modalités d'application du Règlement 17 suivre leur cours. C'est de cet abandon (tout relatif dans les faits, mais d'une immense portée psychologique) qu'est issue cette première caractéristique du tempérament minoritaire d'outre-Québec: une affirmation *contre* la Province-mère, la naissance d'un nouveau type de Canadien français, qui, loin de penser en fonction du Québec et comme lui, a tendance à penser contre. Pour tout dire, l'ombre d'aucun clocher franco-ontarien ne s'étendra au-delà des frontières de l'Outaouais.

Nous sommes donc en présence d'un phénomène d'exacerbation minoritaire où une petite minorité, se détachant de sa mère, minorité elle-même, se retourne, non sans raisons valables, contre elle.

Ces différences fondamentales dans l'optique politique sont singulièrement aggravées par l'extension qu'a prise récemment le concept de Québec comme État national des Canadiens français. D'où le développement rapide d'une dualité de nature du Gouvernement du Québec qui, d'une part, symbole vivant de cet État national, défend de plus en plus les intérêts du Québec contre ceux du Canada et, qui d'autre part, toujours comme État national, hésite à prendre position dans cette guerre latente qui oppose les Canadiens français, minorité, aux Canadiens anglais, majorité. Il s'ensuit donc de l'illogisme pratique de cette situation, que, du point de vue des Canadiens français d'outre-frontière, le Gouvernement du Québec n'est pas d'abord au service de la population québécoise pour ensuite agir, par devoir, en faveur des minorités, mais bien qu'il existe *uniquement* en fonction des intérêts immédiats et à long terme de la collectivité vivant à l'intérieur des frontières du Québec. Pour un Franco-ontarien, par exemple, il sera donc difficile de croire au Québec comme à l'État véritable des Canadiens français. A quoi sert d'élargir idéologiquement cette notion, si ce n'est ensuite, en pratique, que pour la resserrer?

Ces minorités ont raison d'être fières. Elles ont survécu, parce qu'elles l'ont voulu, toutes racines dehors.[2] Elles s'en sont créé de nouvelles, en Acadie, dans l'ouest, en Ontario. C'est contre cette fierté naturelle, encore toute jeune, et forte, que choppera d'abord la doctrine séparatiste. Les penseurs séparatistes le sentent, qui orientent, tout naturellement du reste, leur pensée vers le seul Québec et font parfois bon marché, en paroles du moins, des groupes minoritaires. Ils les savent pour une bonne part étrangers à leurs préoccupations immédiates; ayant des intérêts qui leur sont propres; difficiles à persuader du bien-fondé des aspirations autonomistes. Car il est important de souligner qu'on n'arrache pas facilement un être à un sol et que celui du Québec ne saurait évoquer à l'esprit des minoritaires que des images lointaines. Il y a environ 600,000 Canadiens français en Ontario; ils y vivent pour la plupart en paroisses fermées, reproduisant tant bien que mal un type de société hérité d'ancêtres venus du Québec. Cette position de repli ne les a pas empêchés d'être profondément marqués (plus sans doute qu'ils ne vou-

---

[2]*parce qu'elles. . . racines dehors*: they have survived because they have willed it, their roots unprotected.

draient l'admettre) par le génie anglo-saxon. Le bilinguisme intégral y est fatalement de rigueur; les statistiques soulignent à quel point l'emploi de ce « fatalement » est de mise ici. L'anglicisation est lente parmi eux, mais elle progresse. Il y a plus grave: l'esprit change imperceptiblement. On ne parle pas encore l'anglais chez soi; mais tout l'agir est déjà anglo-saxon. La conclusion qui s'impose inéluctablement à l'esprit, c'est que les minorités, et je pense en tout particulier à la franco-ontarienne, sont psychologiquement prêtes à accepter l'anglicisation. La présence d'un groupe homogène au Québec freine le processus d'assimilation. L'isolement affaiblit, il donne tort. Et cette inertie dont le Québec a donné tant et de si éclatants exemples n'est pas faite pour renverser la vapeur.

Tiré de « L'Être minoritaire », par Jean Éthier-Blais, dans Liberté, *21 (mars, 1962). Montréal: Liberté. Tous droits réservés.*

Questions

1. Pourquoi les Canadiens français hors du Québec s'assimilent-ils à l'élément anglais?
2. Combien de Canadiens français y a-t-il dans la province d'Ontario?
3. Comment le Québec peut-il aider les Canadiens français du reste du Canada?

Pour une relève

Le chanoine LIONEL GROULX (1878-1967) a été de toute évidence l'historien canadien-français qui a le plus influencé sa génération. La parution de la plupart de ses oeuvres était considérée comme un événement. *L'Appel de la race*, un roman, suscita une véritable polémique. Plus récemment, dans *Les Chemins de l'avenir*, il livrait tout son espoir et sa confiance dans l'avenir des siens. Ce texte est extrait d'une conférence prononcée devant 15,000 jeunes gens au Colisée de Québec, le 21 juin 1952, lors du 3e Congrès de la langue française.

Le péril de l'heure s'est fait un autre visage qui n'est guère plus rassurant. Et il s'appelle, au Canada, le centralisme politique. Péril majeur, puisqu'il met en question la forme de gouvernement derrière laquelle nous croyions avoir abrité notre avenir: le fédéralisme. Débarrassé de toutes ses feintes, qu'est-ce autre chose, en définitive, le centralisme, que la reprise à la fois subtile et radicale de la pensée politique qui est au fond de notre histoire depuis 1760: politique assimilatrice de 1763, politique des oligarques si ardemment combattue par nos parlementaires de 1810 à 1840, politique de l'Union des Canadas destinée à nous tuer nationalement si nos pères n'avaient réussi à la contourner et à la briser, politique unitariste de 1867, également combattue et écartée par nos chefs de ce temps-là. Le centralisme, c'est le coup mortel dirigé contre un état de choses, une liberté, des droits pour lesquels nous avons lutté pendant cent ans: le *self government* des provinces, c'est-à-dire aujourd'hui un Québec libre, ni serf, ni colonie d'Ottawa. Depuis trois siècles, nous avons assez souffert, ce me semble, du colonialisme, pour n'être pas tentés d'y retourner.

La question revêt, sans doute, pour nous de la vieille province, une importance capitale. Me permettrez-vous de vous dire, jeunes compatriotes de la dispersion, qu'elle vous intéresse tout autant? M. Henri Bourassa disait en 1916 et il avait raison: « Si nous laissons s'affirmer le principe faux que la langue et la civilisation françaises n'ont pas de place dans les provinces anglaises, de quel droit nous opposerons-nous à l'application rigoureuse du même principe dans toute la Confédération canadienne? Le peuple français du Québec, ajoutait-il, minorité dans la Confédération, n'a ni plus ni moins de droits à sa conservation ethnique que la minorité française dans chacune des provinces anglaises. Si la majorité anglaise, dans l'une quelconque de ces provinces, a le droit de supprimer la langue et la civilisation françaises, la majorité anglaise du Canada possède le même droit à l'égard de la province de Québec.»

Compatriotes canadiens-français de tout le Canada, c'était là affirmer notre étroite solidarité et une solidarité dont on pourrait se souvenir davantage en cette province et en d'autres temps qu'à l'époque des congrès de la survivance. Mais si nous comprenons qu'à la façon dont vous êtes traités dans chacune de vos provinces, il vous est assez égal d'avoir affaire à une majorité anglo-protestante de chez vous ou à la majorité anglo-protestante d'Ottawa, vous comprendrez également, espérons-nous, que, libres, nous, dans notre État provincial, maîtres de nous gouverner comme nous l'entendons, nous ayons quelque répugnance à confier notre sort à la même espèce de gens qui, au mépris des textes constitutionnels les plus formels, vous ont spoliés de vos droits les plus sacrés et ne les vous ont jamais restitués. Sur un point aussi grave, prenons garde de ne pas nous entendre. Vous le rappellerai-je? Il est rare qu'on fortifie ses positions en sacrifiant sa citadelle.

Évidemment aujourd'hui les centralistes se contentent d'ouvrir la brèche; mais vous, collégiens et étudiants, savez à quoi vous en tenir, j'imagine, sur la politique du cheval de Troie. On disait jadis, au temps de Montcalm et de Vaudreuil: *Québec tombé, c'est toute la Nouvelle-France qui succombe.* Au lieu de ville, parlez province; le mot reste encore vrai. Car enfin, la vieille province peut être oublieuse, être hélas, pour les fils qu'elle a laissés partir, fréquent objet de scandale. Mais, Québec tombé, qui voudrait encore se battre en Amérique, pour une survivance française?

Tiré de Pour bâtir, *par Lionel Groulx. Montréal: L'Action nationale, 1953. Tous droits réservés.*

Questions

1. Quel est, selon le chanoine Groulx, le péril qui menace le Canada?
2. Que conseille l'auteur à la jeunesse réunie devant lui à Québec?
3. Pourquoi les Canadiens français de la province de Québec doivent-ils craindre un régime politique fédéral trop centraliste?

Nationalisme et révolution sociale

PAUL CHAMBERLAND (1939-   ) est poète et directeur de *Parti Pris*, une revue qui a servi à exprimer les idées fondamentales de la jeunesse canadienne-française. Paul Chamberland définit, dans le texte qui suit, la question nationale selon les idées d'un jeune homme qui croit à l'évolution rapide de la situation politique au Canada.

Nous discernons, dans le Québec actuel, malgré des apparences confuses, un alignement des forces sociales et politiques qui caractérise une situation prérévolutionnaire. La révolution, ici, prend nettement un *visage national*, elle est même une révolution de type nationaliste. Elle vise à la libération de la nation canadienne-française du Québec opprimée par la nation anglo-canadienne, représentée par Ottawa, et à l'épanouissement de la société québécoise selon les besoins et la vie quotidienne de ses membres et de ses groupes.

Le malentendu commence dès que nous avons posé le problème du « nationalisme » et sa résolution dans une révolution nationale qui accomplisse l'indépendance du Québec.[1] *La majorité des indépendantistes et des anti-séparatistes* fondent leur option respective sur l'existence et la valorisation de *sentiment national* qui justifie, ou ne justifie pas, la révolution nationaliste. Les premiers, par fierté ou fanatisme, les seconds, par souci de

---

[1]*Le malentendu. . . du Québec*: The misunderstanding starts as soon as we raise the question of nationalism and its solution in a national revolution which would achieve the independence of Quebec.

« réalisme » ou simplement par mauvaise foi. L'argument « sentimental » prête à confusion; d'où la faiblesse des indépendantistes face à leurs adversaires.

Une révolution ne se fait pas au nom d'un sentiment, si puissant et légitime soit-il. Le sentiment national, comme tout autre sentiment communautaire, réfléchit les conditions objectives de la situation nationale. Au Québec, le sentiment national est violemment revendicateur, ce qui en fait un nationalisme.[2] *Le nationalisme manifeste une aliénation profonde de la nation*, et cette aliénation est déterminée par des contradictions et des servitudes[3] qui affligent la nation. La révolution doit se fonder sur ces contradictions en vue de les supprimer.

Si la révolution nationale était accomplie au nom du seul nationalisme, elle risquerait, sous couvert de l'indépendance, de perpétuer les conflits dont la résolution exige, comme première étape, l'indépendance; l'indépendance serait ratée, déviée par la pression d'une idéologie aveugle. Par ailleurs, certains anti-séparatistes, se figent dans leur attitude par crainte d'une telle mystification. Ou plutôt ils craignent que le nationalisme, comme sentiment, obnubile la conscience nationale par rapport à ses problèmes réels. Dans le mouvement séparatiste, ils redoutent l'oubli des tâches sociales et politiques concrètes qu'implique une révolution nationale; ils se refusent à l'idée de l'indépendance en raison même des entreprises sociales que nécessite le développement de la nation.

Nous pensons que ces deux attitudes méconnaissent également la complexité de la situation. Nous estimons que *l'on ne peut dissocier la libération nationale de la solution des problèmes sociaux, économiques et politiques de la nation*. La seule façon de « dépasser » le nationalisme, c'est de mettre en marche et accomplir la révolution nationale. Cette révolution, pour être efficace, ne peut être que sociale.

Tiré de «Nationalisme et révolution sociale», par Paul Chamberland, dans Revue Parti Pris, *1 (novembre, 1963). Montréal: Éditions Parti Pris. Tous droits réservés.*

[2]*le sentiment. . . nationalisme*: national feeling is violently asserted, in fact it is nationalism.
[3]*est déterminée. . . des servitudes*: is caused by the inconsistencies and liabilities.

Questions

1. Quelle est la différence entre « révolution » et « évolution »?
2. Quel est « l'argument sentimental » dont parle Chamberland?
3. Pourquoi Paul Chamberland est-il séparatiste?
4. Sur quoi reposent les craintes des anti-séparatistes au Québec?

Survivance

Notes

FÉLIX-ANTOINE SAVARD (1896-   ), romancier, auteur dramatique, et poète, a écrit quelques-unes des pages les plus inspirées de la littérature canadienne-française. On lui doit le magnifique roman-poème qu'est *Menaud, maître-draveur*.[1] Félix-Antoine Savard vit dans les environs de Québec, dans une vieille maison, en pleine nature. C'est un homme qui séduit par sa douceur et la profondeur de sa culture.

J'ai beaucoup mieux à faire qu'à m'inquiéter de l'avenir: j'ai à le préparer. Si l'avenir renferme une part d'imprévisible, il promet, dans son ensemble, une nécessité qui me suffit. Je ne doute point que de la volonté droite il ne sorte du bon; je ne vois rien de tel qui puisse sortir de l'inertie.

L'avenir! quelle part de notre durée si proche de nos actes actuels! Et quel lien mystérieux et indissoluble unit ce que je fais à ce qui sera!

On n'improvise pas l'avenir! On ne le gagne pas d'un seul coup comme ces victoires éblouissantes et gratuites qui n'ont jamais existé que dans l'imagination des faibles. Les gains qu'on a le droit d'espérer supposent des forces préparées de longue main,[2] des résistances, des réserves entassées, une économie judicieuse de toutes les chances du présent. Les admirables sursauts dont on parle, qu'on escompte aux temps de crise, ne seront pas, ou ne seront que le jeu spontané d'énergies accumulées dans

---

[1]*maître-draveur*: master logger (one who makes log-drives).
[2]*des forces. . . main*: energies in readiness long beforehand.

l'âme des peuples. Attendre le salut de ces mouvements, sans préparer ce qui les rend possibles, c'est tenter Dieu.

Ce qu'on appelle commodément le miracle de notre vie, comme peuple, est l'oeuvre de vertus telles que, si nous les avions encore, nous ferions bien d'autres prodiges.

Bref, il est dans l'ordre que l'avenir soit préparé. Cela ne se fait point avec des discours, mais avec un peuple à la chair saine, à l'intelligence droite, au coeur solide et valeureux.

Le plus sûr est donc que j'aide les miens à refaire certains gestes qui ne cesseront jamais d'être générateurs de vie et d'indépendance. Qu'importent les misères, la calamité des temps où je travaille? Le goût du pain et de la liberté dans l'avenir est bon et me réconforte. Qu'importent les ingratitudes et les rebuffades? Je lève haut les pieds au-dessus des embarras et des corps-morts. Je vois, au bout de la ligne, un horizon de temps où je ne serai plus, mais dont je sais qu'il sera un peu ce que j'aurai voulu qu'il soit.

Ouvrir des terres, s'il comporte tout un monde d'espoirs, cela ne va pas sans laideurs ni dégoûts. Mais il y a une projection dans l'avenir de tous ces muscles, de tous ces nobles désirs et travaux.[3] Et voilà ce que je fixe et qui me soutient.

Ô joie d'être un artisan de la solidité! Avenir auquel j'insuffle vie et liberté! Masse confuse d'hommes et d'événements que je sens palpiter dans mes mains!

Tiré de L'Abatis, *par Félix-Antoine Savard. Montréal: Éditions Fides, 1960. Tous droits réservés.*

Questions

1. Qu'entend l'auteur par les « chances du présent »?
2. Quelles vertus d'antan nous faudrait-il retrouver pour assurer l'avenir?
3. Que veut dire l'expression « artisan de la solidité »?

---

[3]*Mais il y a . . . désirs et travaux*: But all this physical effort (*muscles*), all these noble hopes and works reach into the future.

Quand il est question de nommer la vie tout court, nous ne pouvons que la balbutier

ANNE HÉBERT (1916-   ), poète et écrivain canadien, habite maintenant Paris. Sa poésie est austère et sèche. Parmi ses plus beaux poèmes mentionnons: «Les Songes en équilibre» (1942) et «Le Tombeau des rois» (1953). En tant que romancière elle a signé *Les Chambres de bois* et *Le Torrent*. Le texte qui suit souligne à quel point Anne Hébert croit à la forme du langage dans la vie d'une nation.

La position du Canadien de langue française en Amérique du Nord demeure un non-sens et une gageure.[1] Ayant réchappé, tant bien que mal, un héritage français désuet, professant le culte d'un passé bien révolu, subissant quotidiennement les assauts d'une langue étrangère dans la force de l'âge, le Canadien français courbe le dos et savoure son humiliation. Il persiste comme une épine plantée au coeur du continent américain.

La terre que nous habitons depuis trois cents ans est terre du Nord et terre d'Amérique: Nous lui appartenons biologiquement comme la flore et la faune. Le climat et le paysage nous ont façonnés aussi bien que toutes les contingences historiques, culturelles, religieuses et linguistiques. Mais notre réalité profonde nous échappe,[2] parfois c'est à croire que tout notre art de vivre consiste à la refuser et à la fuir. Et d'ailleurs notre éducation ne nous a-t-elle pas enseigné, avant toute chose, à éviter soigneusement toute confrontation avec la réalité. Comment

[1]*demeure. . . gageure*: remains a paradox and a gamble.
[2]*Mais notre. . . échappe*: But our real character baffles us.

s'étonner que notre premier regard sur le monde, au matin de notre pays, ne soit pas ce regard tranquille et sûr de l'enfant qui prend possession au réveil de tout ce que ses yeux découvrent autour de lui: cette terre dont nous sommes matière vivante, parmi les villes et les forêts, les champs et l'eau, cette terre quotidienne et sensible qui est nôtre, la voyons-nous vraiment et prenons-nous conscience de notre être, enraciné dans un lieu particulier du monde, avec toutes ses contradictions existentielles?

Notre regard est très souvent celui d'un vieil adolescent qui risque sur le monde et lui-même un oeil embué par un trop long sommeil, s'ingéniant, par mille stratagèmes fatigants et vains, à prolonger son état léthargique le plus longtemps possible. Cette complaisance pour le flou, le noir et la demi-conscience risque fort de compromettre ce destin de vivant et d'éveillé qui est le nôtre de par notre seule condition humaine.

La langue puérile, équivoque et humiliée qui est la nôtre reflète parfaitement cette complicité intérieure que nous entretenons avec l'informe. Nous craignons, d'une terreur égale, la lumière en nous qui force la pensée, la suscite et lui donne forme, et le passage au grand jour de cette pensée devenue expression et langage. Nous refusons de parler une langue adulte, nous cramponnant de toutes nos forces au petit nègre[3] d'une enfance archaïque.

Pendant des générations nous nous sommes plus ou moins tus comme des trappistes contrariés.[4] Qu'y avait-il d'autre à faire durant les longues soirées dans la solitude de l'hiver, le front contre la vitre givrée, essayant de percer la nuit et la neige, pour ensuite retourner à la patiente contemplation du feu dans le poêle? La rêverie nous a tenu lieu de pensée et d'activité intérieure tandis que nous nous ressassions nos malheurs. De même que l'éternelle psalmodie du chapelet n'a-t-elle pas très souvent fait fonction de prière et de vie spirituelle tout court? Avec quelle délectation morose avons-nous pratiqué l'absence et le songe jusqu'à l'absurde!

La langue française parlée dont nous avons fait provision en

---

[3]*petit nègre*: "pidgin French" (jargon).
[4]*nous nous sommes... contrariés*: we have been more or less silent, like Trappists (an order of monks who are bound by rule to observe silence).

1759 était sans doute simple et fruste. Le vocabulaire surtout paysan ne manquait pas de richesse colorée et de variété brute. Nous avons plus ou moins conservé tout cela, accueillant des anglicismes, ajoutant quelques expressions de notre crue, bien inventées selon notre vérité la plus concrète. Mais nous avons perdu le fil de l'évolution de la langue française moderne. C'est un peu comme si nous avions conservé à travers les siècles la tradition médicale du XVIIe siècle, nous contentant de l'enrichir de remèdes populaires et de simples autochtones.

Depuis quelques années, le Canada français emboîte le pas.[5] Nous découvrons des professions, des techniques, des métiers nouveaux. Lorsqu'il s'agit de simple technique, nous apprenons très vite les termes précis, les explications justes, même s'il faut souvent les importer d'une langue étrangère.

Mais quand il est question de nommer la vie tout court (amour, haine, ennui, joie, deuil, chimère, colère, saisons, mort), cette chose étonnante qui nous est donnée sans retour, nous ne pouvons que balbutier. Combien d'hommes supérieurs sur le plan de leur profession, demeurent-ils démunis, comme des petits paysans bredouillant, pour exprimer une idée, un sentiment qui leur tiennent pourtant à coeur.

Il y a là un terrible décalage, entre la vie vécue et la vie exprimée,[6] que nous ne pouvons accepter sans révolte. A mesure que notre expérience de la vie s'approfondit ne devrait-il pas y avoir approfondissement parallèle de la langue qui dit la vie?

Pendant longtemps il s'est agi de vivre, malgré tout, en dépit de tout, contre tout. Cette mauvaise quarantaine a trop duré. Il faut sans tarder exister fortement autour de nous, au rythme de la vie présente du monde. Le salut est à ce prix.

Il appartient à l'artiste, à l'écrivain et à l'étudiant de saisir ce que peut avoir à la fois de pathétique et de passionnant, cette prise de conscience et cette recherche de la vérité, dans la lumière de l'expression retrouvée.

---

[5]*emboîte le pas*: have hit their stride.
[6]*Il y a là... exprimée*: There is an awful gap between real life and the way we express it.

Tiré de «Quand il est question de nommer la vie tout court, nous ne pouvons que la balbutier», par Anne Hébert, dans Le Devoir *(le 22 octobre, 1960), Montréal:* Le Devoir. *Tous droits réservés.*

Questions

1. En quoi la position du Canadien de langue française est-elle «un non-sens et une gageure»?
2. Quels résultats attendre d'une éducation qui enseigne comme l'affirme Anne Hébert «à éviter soigneusement toute confrontation avec la réalité»?
3. Que pensez-vous de la solution prônée par l'auteur quant à l'avenir du Canada français?

Vivre ou survivre

ANDRÉ CHAMPAGNE est le pseudonyme d'un membre du clergé québécois qui préfère demeurer inconnu. Il s'intéresse aux problèmes économiques, politiques, et sociaux du Québec.

Les Canadiens français se posent depuis longtemps la question de leur survie. Certains en font une spécialité. Ce qui en irrite d'autres, au point que ces derniers refusent de prendre au sérieux de tels problèmes. On sait qu'en général les gens dits de gauche (souvent gens de droite un peu pressés)[1] considèrent les « questions nationales » comme pas tellement sérieuses et les confient au soin de ceux qui en font une habitude, une sorte de manie.

Ce qui ajoute à l'irritation des « anti-nationalistes », c'est que beaucoup de ceux qui se sont intéressés de près aux problèmes de survivance étaient soit des gens incultes soit des hommes dont l'horizon social était remarquablement borné. Pour un chanoine Groulx,[2] d'intelligence vive et à l'esprit libre et ouvert, combien de freluquets, pour qui la méditation de la revue *Nouvelle France* ou de *Tradition et Progrès* étanche la soif de savoir et de réfléchir.

---

[1] *les gens dits. . . un peu pressés)*: the so-called "leftists" (frequently conservatives in a slight hurry).
[2] *le chanoine Groulx*: Lionel Groulx (1878-1967), a French-Canadian historian. (An extract from his *Pour bâtir* appears on pp. 268-70 of this book.)

Il serait néanmoins injuste de porter un jugement sur les mouvements patriotiques en ne considérant que le menu fretin qui frétille dans leur sillage.[3] Tout comme on n'a pas le droit de juger la force de l'Église catholique par les parades des zouaves pontificaux, ni la profondeur de la théologie protestante par les cantiques de l'Armée du Salut. Ni le civisme des Canadiens français par les exposés doctrinaux de l'honorable Gérald Martineau.[4] Ni la lucidité de notre laïcat catholique par les éditoriaux de *Notre Temps*.

Faut-il poser encore le problème de la survie du Canada français? On se demande habituellement si la chose est possible ou non. Il faudrait encore se demander: est-ce opportun ou non? Est-il avantageux pour l'humanité qu'un petit groupe humain comme le nôtre se maintienne différencié, refusant de plonger dans le vaste univers de la culture américaine, pour profiter des multiples richesses de cet univers?

Je pense qu'il peut être utile et enrichissant pour l'ensemble de l'humanité qu'un petit peuple comme le nôtre conserve son originalité, ses caractères propres, son complexe politico-religioso-culturel multicolore, riche en qualités qui l'emportent sur les défauts et les faiblesses.

Mais encore faudrait-il s'appliquer sérieusement à assurer le progrès de cette richesse humaine et culturelle. Et se décider à accomplir cette tâche d'une décision avouée et définitive. Et quitter cet état d'âme qui nous caractérise présentement: magma de sentiments équivoques et bâtards,[5] manque de respect de soi-même qui affaiblit les réclamations de respect que l'on fait entendre aux oreilles des Anglo-Saxons, floraison d'une langue pâteuse, visqueuse, repoussante pour des esprits racés, sauf les anthropologues; ce mercantilisme touristique ridicule, qui éloigne de nous les visiteurs raffinés, mercantilisme inintelligent, cultivé aussi bien par les étudiants de Laval que les gamins de ruelles quémandant des sous; cette incapacité de se manifester

[3]*le menu fretin. . . leur sillage*: the small fry who gambol in their wake.
[4]*Gérald Martineau*: a major leader in Duplessis's Union Nationale party during the Duplessis régime.
[5]*magma. . . et bâtards*: mixture of ambiguous and spurious feelings.

comme des hommes créateurs et authentiques.

Telle qu'elle se manifeste actuellement, notre culture est trop équivoque dans ses manifestations pour impliquer un enrichissement. Il faudrait purifier et densifier. C'est vrai que les enfants illégitimes ont régénéré certaines familles royales au sang affaibli. Il est moins certain que des cultures bâtardes aient la propriété de régénérer l'intelligence.

Devenons d'authentiques Américains ou devenons nous-mêmes authentiquement. Mais pas en même temps l'un et l'autre. C'est de la bouillie.

Il serait à souhaiter que les Anglo-Saxons qui nous voisinent comprennent la gravité de ce problème. Il est de leur intérêt, s'ils veulent cohabiter avec des voisins de qualité humaine convenable, d'aider le Québec à être lui-même, au lieu d'handicaper son développement culturel par des mesquineries stupides, dont le traitement infligé aux protestants de langue française constitue un exemple entre plusieurs.

Faut-il être nationaliste? L'essor actuel des groupements qui se disent nationalistes oblige à poser la question de façon différente. De quelle manière l'être, tel devient le problème. Comment assurer aux éveils d'instinct et de sentiment patriotiques la part d'intelligence et de raison indispensable,[6] sans quoi ces courants qui reprennent vigueur contribueront une fois de plus à faire dépenser en pure perte ou en luttes peu utiles des énergies qu'un petit peuple comme le nôtre possède en quantité limitée? Comment rendre humaniste un nationalisme qui, à cause de mauvaises habitudes enracinées, mésestime si aisément ce qui fait l'homme? Chercher réponse à cette question pourrait aider beaucoup à renouveler chez nous la vertu de patriotisme.

---

[6]*Comment assurer. . . indispensable*: How can awakening patriotic impulses be assured of the essential amount of sagacity and common sense.

Questions

1. Comment peut-il « être utile et enrichissant pour l'ensemble de l'humanité qu'un petit peuple » comme celui des Canadiens français « conserve son originalité » etc.?
2. Est-il possible de devenir à la fois d'authentiques Américains du Nord et de vrais Canadiens français? A quelles conditions?
3. Comment les Canadiens de langue anglaise peuvent-ils aider le Québec?

Le Chevalier de neige

GATIEN LAPOINTE (1931-   ) est maître ès arts de l'Université de
Montréal, et séjourne depuis quelque temps en Europe. Sa poésie
possède la beauté des chants en l'honneur de la terre.

Première image premier chant sous la rosée
Comme une lueur dans nos pas
Un matin de souvenirs naturels

Mon pays a franchi ses frontières d'exil
Mon pays vient parler sur la place du monde

Nous levons les yeux à hauteur de feu
Nos chantiers ont la chaleur du pain brut
Nos villes ont la face ardente des forêts
Nous appelons le bonheur d'aujourd'hui
Et l'espérance patiente des bêtes
Nous appelons la mesure de l'homme
Pour le premier visage des saisons

Neige comme un reflet sur nos épaules
Neige plus forte qu'une enfance

Notre sang fleurira sur les veines du sol
Notre langue a le poids de nos poings nus

Notre jeunesse affirme un songe nécessaire
Car nos yeux sont les yeux souffrants de l'arbre
Nos bouches sont des feuilles en plein vent
Et nos bras des branches portant la pluie
Et toute la mémoire du soleil

Mon pays a franchi ses frontières de mort
Mon pays sort debout sur le seuil du printemps
Là-bas à l'est le fleuve se mêle à la mer

La mer a pris mon pays par la main
Pour la douceur et les tourments du monde. . .

«Le Chevalier de neige», par Gatien Lapointe, tiré de La Poésie
canadienne. *Montréal: Éditions H.M.H., 1962. Tous droits réservés.*

Questions

1. Quels vers situent ce poème exclusivement au Québec?
2. De quel fleuve parle-t-on dans la sixième strophe?
3. Par quels vers s'exprime une certaine volonté de libération?

Bibliographie: Vie politique et nationale

Politique

Barrette, Antonio, *Mémoires*. Montréal: Beauchemin, 1966. 448 pp.

Bergeron, Gérard, *Du Duplessisme au Johnsonisme*. Montréal: Éd. Parti-Pris, 1967. 400 pp.

Bernard, Michel, *Le Québec change de visage*. Paris: Plon, 1963. 217 pp.

Boissonnault, Charles-Marie, *Histoire politique de la province de Québec*. Québec: Éd. Frontenac, 1936. 373 pp.

Bouchard, Télesphore-Damien, *Mémoires*. Montréal: Beauchemin, 1960. 3 vols.

Buies, Arthur, *L'Ancien et Futur Québec*. Québec: Darveau, 1876. 43 pp.

Denman, Norris, *Comment organiser une élection*. Montréal: Éd. du Jour, 1962. 140 pp.

Drapeau, Jean, *Jean Drapeau vous parle*. Montréal: Éd. de la Cité, 1957. 132 pp.

Garigue, Philippe, *L'Option politique du Canada français*. Montréal: Éd. du Lévrier, 1963. 176 pp.

Hamelin, Jean, John Huot, et Marcel Hamelin, *Aperçu de la politique canadienne au XIXᵉ siècle*. Québec: Presses de l'Université Laval, 1965. 160 pp.

Hamelin, Jean, Jacques Letarte, et Marcel Hamelin, *Les Élections dans la province de Québec*. Québec: Presses de l'Université Laval, 1960. 230 pp.

Hamelin, Jean, et Marcel Hamelin, *Les Moeurs électorales dans le Québec*. Montréal: Éd. du Jour, 1962. 124 pp.

Knowles, Stanley, *Le Nouveau Parti*. Montréal: Éd. du Jour, 1961. 158 pp.

Kostakeff, Yordan, *Qu'est-ce que le Crédit Social?* Montréal: Éd. du Jour, 1962. 128 pp.

Laporte, Pierre, *Le Vrai Visage de Duplessis.* Montréal: Éd. de l'Homme, 1960. 140 pp.

Lesage, Jean, *Lesage s'engage.* Montréal: Éd. de l'Homme, 1959. 128 pp.

Nadeau, Jean-Marie, *Carnets politiques.* Montréal: Éd. Parti-Pris, 1966. 174 pp.

Pickersgill, J. W., *Le Parti Libéral.* Montréal: Éd. du Jour, 1963. 124 pp.

Quinn, Herbert, *The Union Nationale: a Study in Quebec Nationalism.* Toronto: University of Toronto Press, 1963. 260 pp.

Renaud, Charles, *L'Imprévisible Monsieur Houde.* Montréal: Éd. de l'Homme, 1964. 160 pp.

Richer, Léopold, *Nos Chefs à Ottawa.* Montréal: Lévesque, 1935. 183 pp.

————, *Notre Problème politique.* Montréal: Éd. de l'Action canadienne-française, 1938. 154 pp.

Roberts, Leslie, *Le Chef.* Montréal: Éd. du Jour, 1963. 195 pp.

Rumilly, Robert, *L'Autonomie provinciale.* Montréal: Éd. de l'Arbre, 1948. 302 pp.

Savary, Charlotte, *Le Député.* Montréal: Éd. du Jour, 1961. 218 pp.

Sévigny, Pierre, *Le Grand Jeu de la politique.* Montréal: Éd. du Jour, 1965. 352 pp.

Vac, Bertrand, *Saint-Pépin.* Montréal: Cercle du Livre de France, 1955. 272 pp.

Constitution

Arès, Richard, *Dossier sur le Pacte confédératif de 1867.* Montréal: Éd. Bellarmin, 1966. 264 pp.

Bissonnette, Bernard, *Essai sur la constitution du Canada.* Montréal: Éd. du Jour, 1963. 199 pp.

Bonenfant, Jean-Charles, *Les Institutions politiques canadiennes.* Québec: Presses de l'Université Laval, 1954. 204 pp.

Cauchon, Joseph, *L'Union des provinces de l'Amérique britannique du Nord.* Québec: Côté, 1865. 152 pp.

Crêpeau, C., et B. MacPherson, *L'Avenir du fédéralisme canadien / The Future of Canadian Federalism.* Montréal: Presses de l'Université de Montréal / Toronto: University of Toronto Press, 1965. 190 pp.

Decelles, Alfred-Duclos, *Les Constitutions du Canada.* Montréal: Beauchemin, 1918. 77 pp.

Faribault, Marcel, et Robert M. Fowler, *Dix pour un – le pari confédératif.* Montréal: Presses de l'Université de Montréal, 1965. 165 pp.

Gérin-Lajoie, Paul, *Constitutional Amendment in Canada.* Toronto: University of Toronto Press, 1950. 340 pp.

Groulx, Chanoine Lionel-Adolphe, *Les Canadiens français et la Confédération.* Montréal: L'Action française, 1927. 142 pp.

———, *La Confédération canadienne.* Montréal: Le Devoir, 1918. 265 pp.

———, *L'Indépendance du Canada.* Montréal: L'Action nationale, 1949. 175 pp.

———, *Nos Luttes constitutionnelles.* Montréal: Le Devoir, 1916. 102 pp.

Johnson, Daniel, *Égalité ou indépendance.* Montréal: Éd. Renaissance, 1965. 125 pp.

Lamontagne, Maurice, *Le Fédéralisme canadien.* Québec: Presses de l'Université Laval, 1954. 300 pp.

Ollivier, Maurice, *L'Avenir constitutionnel du Canada.* Montréal: Lévesque, 1935. 182 pp.

Nationalisme

Angers, François-Albert, *Essai sur la centralisation.* Montréal: Beauchemin, 1960. 331 pp.

Arès, Richard, *Notre Question nationale.* Montréal: L'Action nationale, 1945-7. 3 vols.

Barbeau, Raymond, *J'ai choisi l'Indépendance.* Montréal: Éd. de l'Homme, 1961. 128 pp.

———, *Le Québec est-il une colonie?* Montréal: Éd. de l'Homme, 1962. 160 pp.

Barbeau, Victor. *Pour nous grandir.* Montréal: Le Devoir, 1937. 242 pp.

Chaput, Marcel, *J'ai choisi de me battre.* Montréal: Club du Livre du Québec, 1965. 160 pp.

———, *Pourquoi je suis séparatiste.* Montréal: Éd. du Jour, 1961. 156 pp.

Cook, Ramsay, *Canada and the French-Canadian Question.* Toronto: Macmillan, 1966. 219 pp.

Dagenais, André, *Révolution au Québec.* Montréal: Renaud-Bray, 1966. 107 pp.

D'Allemagne, André, *Le Colonialisme au Québec.* Montréal: Renaud-Bray, 1966. 190 pp.

Desbarats, Peter, *The State of Quebec.* Toronto: McClelland & Stewart, 1965. 205 pp.

Harvey, Jean-Charles, *Pourquoi je suis anti-séparatiste.* Montréal: Éd. de l'Homme, 1962. 128 pp.

Morin, Wilfrid. *L'Indépendance au Québec.* Québec: l'Alliance laurentienne, 1960. 250 pp.

Myers, Hughe Bingham, *The Quebec Revolution*. Montreal: Harvest House, 1963. 109 pp.

Paré, Gérard, *Au-delà du séparatisme*. Montréal: Éd. du Jour, 1966. 132 pp.

Rassemblement pour l'indépendance nationale, *Programme politique*. Montréal: R.I.N., 1965. 75 pp.

Savoie, Claude, *La Véritable Histoire du F.L.Q.* Montréal: Éd. du Jour, 1963. 120 pp.

Scott, Frank, and Michael Oliver, *Quebec States Her Case*. Toronto: Macmillan, 1964. 165 pp.

Sloan, Thomas, *Quebec, the Not-So-Quiet Revolution*. Toronto: Ryerson, 1965. 133 pp.

Survivance

Bastien, Hermas, *Le Bilinguisme au Canada*. Montréal: Éd. de l'Action canadienne- française, 1938. 206 pp.

Brouillette, Benoît, *La Pénétration du continent américain par les Canadiens français, 1763-1846*. Montréal: Granger, 1939. 242 pp.

Brunet, Michel, *Canadians et Canadiens*. Montréal: Fides, 1960. 173 pp.

———, *La Présence anglaise et les Canadiens*. Montréal: Beauchemin, 1964. 292 pp.

Chaput-Rolland, Solange, et Gwethalyn Graham, *Chers Ennemis*. Montréal: Éd. du Jour, 1963. 126 pp.

Faucher de St-Maurice, Narcisse, *Resterons-nous français?* Québec: Belleau, 1890. 115 pp.

Lévesque, Albert, *La Nation canadienne-française*. Montréal: Lévesque, 1934. 172 pp.

Montpetit, Édouard, *Au service de la tradition française*. Montréal: Action française, 1920. 248 pp.

Nevers, Edmond de, *L'Avenir du peuple canadien-français*. Paris: Jouve, 1896. 441 pp.

Roy, Monseigneur Camille, *Pour conserver notre héritage français*. Montréal: Beauchemin, 1937. 186 pp.

Turcotte, Edmond, *Réflexions sur l'avenir des Canadiens français*. Montréal: Valiquette, 1942. 166 pp.

Bibliographie générale

Beaulieu, André, et Jean Hamelin, *Les Journaux du Québec de 1764 à 1964*. Québec: Presses de l'Université Laval, 1966. 334 pp.

Blanchard, Raoul, *Le Canada français*. Paris: Fayard, 1960. 316 pp.

Bovey, Wilfrid, *Canadien: études sur les Canadiens français*. Montréal: Lévesque, 1935. 321 pp.

——, *Les Canadiens français d'aujourd'hui*. Montréal: Éd. A.C.F., 1940. 417 pp.

Boyer, Raymond, *Les Crimes et les châtiments au Canada français*. Montréal: Cercle du Livre de France, 1966. 512 pp.

Bruchési, Jean, *A History of Canada*. Toronto: Clarke Irwin, 1950. 338 pp.

Chapais, Thomas, *Cours d'histoire du Canada*. Montréal: Valiquette, 1944. 8 vols.

Club Fleur-de-lys, *L'État du Québec*. Montréal: Éd. de l'Homme, 1965. 96 pp.

Dansereau, Pierre, *Contradictions et biculture*. Montréal: Éd. du Jour, 1964. 116 pp.

De Corte, Marcel, *J'aime le Canada français*. Québec, Presses de l'Université Laval, 1960. 77 pp.

Dumont, Fernand, et Yves Martin, *Situation de la recherche sur le Canada français*. Québec: Presses de l'Université Laval, 1962. 296 pp.

Eccles, William J., *Frontenac*. Montréal: Éd. H. M. H., 1963. 183 pp.

Falardeau, Jean-Charles, éditeur, *Essais sur le Québec contemporain / Essays on Contemporary Quebec*. Québec: Presses de l'Université Laval, 1953. 260 pp.

——, *L'Essor des sciences sociales au Canada français*. Québec: Éd. du Ministère des Affaires culturelles, 1964. 68 pp.

Faribault, Marcel, *Le Canada français d'aujourd'hui*. Montréal: Trust Général du Canada, 1962. 31 pp.

Fauteux, Aegidius, *Patriotes de 1837-1838*. Montréal: Éd. des Dix, 1950. 433 pp.

Francis, Claude, *L'Évolution de la civilisation canadienne d'après les témoins*. Québec: Éd. du Pélican, 1963. 2 vols.

Frégault, Guy, Marcel Trudel, et Michel Brunet, *Histoire du Canada par les textes*. Montréal: Fides, 1963. 2 vols.

Gaillard de Champris, Henri, *Images du Canada français*. Paris: Éd. de Flore, 1947. 286 pp.

Garigue, Philippe, *Études sur le Canada français*. Montréal: Faculté des Sciences sociales, Université de Montréal, 1958. 110 pp.

Garneau, François-Xavier, *Histoire du Canada depuis sa découverte jusqu'à nos jours*. Montréal: Éd. de l'Arbre, 1946. 9 vols.

Gordon, Walter, *Le Canada à l'heure du choix*. Montréal: Éd. H.M.H., 1966. 128 pp.

Groulx, Chanoine Lionel-Adolphe, *Les Chemins de l'avenir*. Montréal: Fides, 1964. 161 pp.

———, *Notre Grande Aventure*. Montréal: Fides, 1958. 299 pp.

Hertel, François, *Cent Ans d'injustice*. Montréal: Éd. du Jour, 1967. 95 pp.

Lanctot, Gustave, *Le Canada d'hier et d'aujourd'hui*. Montréal: Lévesque, 1934. 295 pp.

La Pierre, Laurier L., *French Canadian Thinkers of the Nineteenth and Twentieth Centuries*. Montreal: McGill University Press, 1966. 117 pp.

Laurendeau, André, *La Crise de la conscription*. Montréal: Éd. du Jour, 1962. 157 pp.

Le Moyne, Jean, *Convergences*. Montréal: Éd. H.M.H., 1961. 324 pp.

Marie-Victorin, Frère, *Récits laurentiens*. Montréal: Éd. F.E.C., 1964. 217 pp.

Ouellet, Cyrias, *La Vie des sciences au Canada français*. Québec: Éd. du Ministère des Affaires culturelles, 1964. 92 pp.

Rumilly, Robert, *Histoire de la province de Québec*. Montréal: Différents éditeurs, 1941-66. 36 vols.

Ryerson, Stanley B., *French Canada: A Study in Canadian Democracy*. Toronto: Progress Book, 1944. 237 pp.

Sulte, Benjamin, *Histoire des Canadiens français, 1608-1880*. Montréal: Wilson, 1884. 8 vols.

Sylvestre, Guy, *Structures sociales du Canada français*. Québec: Presses de l'Université Laval, 1966. 120 pp.

Tessier, Monseigneur Albert, *Québec-Canada*. Québec: Éd. du Pélican, 1958. 320 pp.

Vadeboncoeur, Pierre, *La Ligne du risque*. Montréal: Éd. H.M.H., 1963. 286 pp.

Vattier, Georges, *Essai sur la mentalité canadienne-francaise*. Paris: Champion, 1928. 284 pp.

Wade, Mason, *Les Canadiens français de 1760 à nos jours*. Montréal:

Cercle du Livre de France, 1963. 2 vols.
————, et Jean-Charles Falardeau, *La Dualité canadienne – Canadian Dualism.* Québec: Presses de l'Université Laval, 1960. 427 pp.

Périodiques

L'Action nationale. Montréal: Ligue d'Action Nationale, 1917. 10 numéros par année.
Actualité. Montréal: Éd. Bellarmin, 1965. Mensuel.
Actualité économique. Montréal: Hautes Études Commerciales, 1925. Trimestriel.
Les Cahiers de Sainte Marie. Montréal: Éd. de Ste Marie, 1966. Trimestriel.
Cahiers de géographie du Québec. Québec: Institut de Géographie, Université Laval, 1956. Irrégulier.
Cité libre. Montréal: Éd. Cité Libre, 1951. Irrégulier.
Collège et famille, Montréal: Éd. Collège de la Compagnie de Jésus, 1944. Bimestriel.
Culture. Québec: Association de recherches sur les sciences religieuses et profanes au Canada, 1940. Trimestriel.
Culture vivante. Québec: Ministère des Affaires culturelles, 1965. Trimestriel.
Écrits du Canada français. Montréal: Éd. H.M.H., 1954. Annuel.
Études françaises. Montréal: Presses de l'Université de Montréal, 1965. Trimestriel.
Lectures. Montréal: Éd. Fides, 1960. Bimestriel.
Liberté. Montréal: Éd. Liberté, 1959. Bimestriel.
Le Magazine Maclean. Montréal: Éd. Maclean-Hunter, 1961. Mensuel.
Maintenant. Montréal: Éd. Pères Dominicains, 1961. Mensuel.
Recherches sociographiques. Québec: Presses de l'Université Laval, 1960. Trimestriel.
Relations. Montréal: Éd. Bellarmin, 1941. Mensuel.
Revue de géographie. Montréal: Dépt. de géographie, Université de Montréal, 1947. Semestriel.
Revue de l'Université d'Ottawa. Ottawa: Université d'Ottawa, 1931. Trimestriel.
Revue de l'Université Laval. Québec: Presses de l'Université Laval, 1946. Mensuel.
Revue d'histoire de l'Amérique française. Montréal: Société d'histoire de l'Amérique française, 1947. Trimestriel.
Revue Parti Pris. Montréal: Éd. Parti Pris, 1963. Mensuel.
Sept Jours. Montréal: Publ. Sept Jours Inc., 1966. Hebdomadaire.
Théâtre vivant. Montréal: Éd. Wilson et Rinehart, 1966. Mensuel.
Vie des arts. Montréal: Société des Arts. 1956. Bimestriel.
Vient de paraître. Montréal: Éd. Association des Éditeurs canadiens, 1964. Bimestriel.

Vocabulaire

Words that are Canadian in origin or in usage are marked with
an asterisk.
The English translations given are those that best render the
meanings in the contexts from which they are taken. They are
not always the general meanings.

ABBREVIATIONS:

adj.	adjective	*int.*	interjection
adv.	adverb	*m.*	masculine
colloq.	colloquial	*pl.*	plural
f.	feminine	*prep.*	preposition

A

abaissement, *m.* humiliation, fall
abandon, *m.* neglect
abattre, (s'), to crash
abîme, *m.* abyss
abords de la ville, *m. pl.* outskirts of the city
abri, *m.* shelter, covering; **à l'—du besoin,** safe from want
abstinence, *f.* privation, fast, renunciation
acabit, *m.* quality, nature
accent, *m.* stress
accentuer, (s'), to stress, increase, emphasize
accolade virile, *f.* manly hug
accommoder, (s'), to adapt oneself
accord, (d'), *int. colloq.* O.K., agreed
accorder, to blend, adjust, tune
accorder, (s'), to agree, be in harmony, concur
acculturation, *f.* the process of adapting to a culture
acharner, (s'), to persist
acquérir, to acquire, gain, win
adieux, (faire des), to say goodbye
adultérer, to weaken, dilute, adulterate
affadir, (s'), to become insipid, lose flavour
affaisser, (s'), to sink down
affectif, *adj.* emotional, affecting, sentimental
affiné, *adj.* refined, polished, cultivated
affirmer, to assert
affoler, to drive crazy
affrontement, *m.* confrontation
agacer, to irritate
agglutination, *f.* adherence, clinging
agir, to act
agrément, *m.* pleasure
agripper, (s'y), to grab, grip, cling to (something)
ahuri, *adj.* bewildered

aïeul, *m.* (*pl.* **aïeux**) grandfather, ancestor
aigu, (*f.* **aiguë**) *adj.* sharp, acute
aisément, *adv.* easily, with facility, naturally
aléatoire, *adj.* uncertain, risky
alène, *f.* awl
alerter, to warn
aliéné, *adj.* estranged, lost, alienated
alimenter, to support, sustain
aller, to go
alliage, *m.* blend, alloy
allié, *m.* ally
allure, *f.* manner, way, course, appearance
aloi, *m.* degree of fineness; **de bon —,** of a good sort
altérer, to modify
ambiance, *f.* atmosphere
amener, to bring
amenuiser, to lessen, reduce, thin
amollissant, *adj.* mollifying, softening
ampleur, *f.* extent, scope
amorcer, to start
amortir, to abate, deaden, soften
amusette, *f.* trifle, plaything
analogue, *adj.* analogous, like, similar
ancrer, to establish, fix, settle
angoissé, *adj.* anguished, worried, apprehensive
anthologie, *f.* collection of selected texts
apanage, *m.* attribute, perquisite
apertement, *adv.* manifestly, openly
appât, *m.* lure, hope, enticement
appel, (manquer à l'), to be absent
apport, *m.* contribution
apporter, to bring, bear
appuyer, to support
araignée, (toile d'), *f.* spider's web
arc, *m.* bow
argot, *m.* slang
armature, *f.* trussing, framework
arme, *f.* weapon

arrache-pied, (d'), *adv.* incessantly, uninterruptedly
arracher, to extract
arranger, (s'), to accommodate oneself
arrêt, *m.* halt
as, *m.* ace, one who excels
ascendant, *m.* domination, controlling influence
assaillir, to assail, besiege, plague
asservir, to conquer, master
âtre, *m.* fire-place, hearth
aube, *f.* dawn
aumônier, *m.* chaplain
autel, *m.* altar
autochtone, *adj.* indigenous, native
avaler, to gulp, swallow
avantage, *m.* advantage, gain, benefit
avant-goût, *m.* foretaste
averti, *adj.* informed
aveugle, *adj.* blind
avide, *adj.* eager
aviron, *m.* oar
avironner, to row
aviser, to advise
avoir, to have; — **envie de,** to want, have a fancy for
axer, to centre

B

baisser, to lower, drop
baldaquin, *m.* canopy
balustre, *f.* baluster, railing (in a church)
baratte, *f.* churn
bariolé, *adj.* motley, many-coloured
barrer, to obstruct, bar (the way)
basculer, to rock, swing, tip (up)
*****bazou,** *m.* jalopy
bergère, *f.* easy-chair
besoin, (à l'abri du), safe from want
bien particulier, *m.* own good
bigarré, *adj.* variegated, checkered, speckled

bizarrerie, *f.* oddity, strangeness, singularity
blague, *f.* hoax, trick
bois, (travail sur), *m.* woodworking
boiterie, *f.* lameness, limping
boîteux, *adj.* limping, rickety, unsteady
*****bombe,** *f.* kettle
bouffonnerie, *f.* foolishness, clowning
bouge, *m.* low, vulgar place
bouger, to move
bouillie, *f.* gruel; **être comme de la —** to have no backbone, to be useless
bouillon de culture, *m.* cultural outburst
bourru, *adj.* surly, rough; — **dehors,** rough exterior
bousculer, to jostle
bousiller, to bungle, botch
bousilleur, *m.* bungler, waster
*****brosse, (prendre une),** to go on a binge, get drunk
brouhaha, *m.* uproar, splutter
brouillard, *m.* fog, mist, haze
bruire, to rustle, make a noise
brûlant, *adj.* fiery, touchy, ticklish, risky
*****bûcher à blanc,** to cut away entirely, strip clean
but, (dans ce), *adv.* to this end

C

cabotin, *m.* bad actor, low comedian
caché, *adj.* hidden, secluded
cachet, *m.* mark, character, style
cadres, *m. pl.* key personnel
caducité, *f.* decrepitude, ruinous state
café-concert, *m.* night club
cahotique, *adj.* jolting, jerky, jittery
calèche, *f.* calèche (a light four-wheeled carriage)

campagnard, *m.* rustic, country person

cantique, *m.* hymn

cantonner, (se), to limit, confine oneself

***capot,** *m. colloq.* coat; — **de chat,** raccoon coat

caqueter, to prattle, gossip

***carcajou,** *m.* glutton, wolverine, carcajou

carène, *f.* bottom, hull

carguer, to haul up

cas, (faire grand), to think a great deal (of)

castor, *m.* beaver

catalyseur, *m.* catalyst

***ceinture fléchée,** *f.* long knitted sash worn by the early Canadian settlers

cercueil, *m.* coffin, tomb, grave

certes, *adv.* certainly, sure

chair, *f.* flesh

chanoine, *m.* canon

chantage, *m.* blackmail

chantier, *m.* timberyard, *lumber camp

charabia, *m.* jargon, broken French, gibberish

chargé, *adj.* loaded

charroyeur, *m.* carter

charrue, *f.* plough

chasse-gardée, *f. colloq.* private preserve

chaume, (toit de), *m.* thatched roof

chef de file, *m.* leader

chef-d'oeuvre, *m.* masterpiece

chenet, *m.* andiron

chère, (faire bonne), to live well

chevaucher, to overlap

chevillé, *adj.* tenacious, pegged

chicaner, to dispute, quarrel

chimère, *f.* illusion, fiction

choc, *m.* shock, commotion

chômeur, *m.* unemployed worker

cinéaste, *m.* movie producer

***cinq-demiard,** *m*. early Canadian jug containing about 50 ounces, or five half-pints

citadin, *m.* townsman, city-dweller

civet de lièvre, *m.* jugged hare

civiliser, to civilize

clameur, *f.* clamour

clignant de l'oeil, *m.* with a twinkling eye

cligner de l'oeil, to cock one's eye, wink

clignotant, *m.* automobile signal, flasher

clignotant, *adj.* flashing

cocasserie, *f.* drollness

colon, *m.* settler

commenter, to discuss

commissure, *f.* junction, juncture

compénétration, *f.* interrelation, permeation

complaire, (se), to please oneself

confesse, *f.* confession

confier, to entrust

conter fleurette, to flirt, say sweet nothings

contingent, *m.* number, quota, share

continu (*f.* continue), *adj.* continuous

contourné, *adj.* shaped; **mal —,** twisted, distorted

contraindre, to compel

contrecarrer, to thwart

contrefort, *m.* spur, ridge, buttress; *pl.* foothills

contre-temps, (à), *adv.* inopportunely

contrevent, *m.* shutter

controversé, *adj.* disputed, debated, controversial

copain, *m.* (*f.* **copine),** chum, pal, crony

corniche, *f.* cornice

côtoyer, to keep close to, coast along

couchant, (soleil), *m.* sunset

croisée des routes, *f.* crossroads

coudes, (se sentir les), to be very near, be in close attendance

***cour à bois,** *f.* lumberyard

***coureur des bois,** *m.* early Canadian fur-trader

couru, (être), to be sought after,

be popular, be in great demand
cramponner, (se), to cling
craquer, to break, crack
crémaillère, *f.* pot-hook
crier à pleine tête, to cry out
loudly, yell
crieur aux encans, *m.* auctioneer
critère, *m.* criterion, standard,
norm
croissance, *f.* growth
croulant, *m.* decrepit old man;
colloq. has-been
crucial, *adj.* decisive, determin-
ing
cuite, (prendre une), to go on a
drinking-spree
culminer, to culminate
culture, *f.* cultivation, farming;
figurative, education, culture

D

dada, *m.* fad
davantage, *adv.* more
débarrasser, to get rid of
déborder, to overflow
débouché, *m.* opening, prospect,
outlet
déceler, to uncover, find out, dis-
close
décerner, to bestow, award
déchu, *adj.* fallen, decadent,
degraded
décollage, *m.* start, take-off
découler, to flow, proceed,
spring from
dédain, *m.* disdain
défi, *m.* challenge
défoulement, *m.* relaxation, relief
défrayer, to defray, be the sub-
ject of
défricher, to clear
dégager, to release, disentangle,
disengage
délirant, *adj.* excited, delirious,
frenzied
demeure, (à), *adv.* permanently,
for good

départager, to decide between,
settle between, separate, part
dépasser, to leave behind, sur-
pass
dépeuplées, (forêts), *f. pl.* thinned
out, cleared, forests
dépité, *adj.* spiteful, malevolent
désaccordé, *adj.* disunited
désacraliser, to debunk
désemparé, *adj.* disabled, impotent, unbalanced
desservir, to handicap
déteindre, to lose colour;
figurative, to influence, have re-
percussions
dévaler, to rush down grade,
tumble down
devenir, *m.* development, evolu-
tion, growth
dévirilisé, *adj.* emasculated,
weakened
dévoluer, to devolve, fall upon
discipline, *f.* field of study, discipline
disparition, *f.* disappearance
doublé, *adj.* lined
doué, *adj.* gifted, endowed
douillet (f. douillette), *adj.* soft,
tender
drap, (gros), *m.* coarse cloth
*****drave,** *f.* log drive (floating logs
down river)
droguet, *m.* drugget (a coarse
woollen cloth)
droits pleins, *m. pl.* full rights
durer, to last, hold out, endure

E

eau-de-vie, *f.* brandy, alcohol,
spirits
ébranler, to shake
écarlate, *adj.* scarlet
ecclésiale, *adj.* ecclesiastical
échéance (à brève), at an early
date
échelle du monde, (à l'), in con-
formity with world standards
échelon, *m.* degree, rank, grade

échoppe de sellier, *f.* saddler's shop

éclosion, *f.* production, disclosure, revelation

écot, (payer son), *m.* to pay one's share

écraser, to crush

écueil, *m.* reef, rock

éducation permanente, *f.* continuous learning

édulcorer, to soften; *figurative,* to gloss over

éduquer, to educate

effacer, to erase, eliminate

efficace, *adj.* efficient

effluve, *f.* emanation, flow

effondrer, (s'), to collapse

efforcer, (s'), to try hard

effriter, (s'), to disintegrate

élan, *m.* start, flight, impulse

élément, *m.* component

élever, to raise, bring up

éloge, *m.* praise

éloigné, *adj.* distant, remote

élu (f. élue), *adj.* elected, selected

élucubration gratuite, *f.* unwarranted nocturnal study or meditation

emblée, (d'), *adv.* at the very first, straight away

embusqué, *adj.* stationed in ambush

émerveiller, (s'), to marvel

émission, *f.* broadcast

emmagasiné, *adj.* stored

émouvoir, to touch, move

empressement, *m.* eagerness, rush

encan, *m.* auction; **crieur d'—,** auctioneer

enceinte, *f.* enclosure

encombrer, to crowd, encumber

endimanché, *adj.* all dressed up in one's Sunday best

engagement, *m.* participation, assignment

engager dans, (s'), to undertake, enter into

enlever, to take away

enliser, (s'), to sink, be sucked down

enorgueillir, (s'), to pride oneself, be proud of, become elated

enquête, *f.* inquiry, examination

enraciné, *adj.* rooted, implanted

enrichissant, *adj.* enriching

entente, *f.* agreement

entêtement, *m.* obstinacy, doggedness, tenacity

entourer, to surround

entrave, *f.* hindrance, restraint, obstacle

entrepreneur, *m.* contractor

envergure, *f.* scope, spread, range

envie de, (avoir), to want, have a fancy for

environs, *m. pl.* vicinity, surroundings

envoûté, *adj.* spellbound

épanouissement, *m.* flowering, ripening

épargne, *f.* saving

épars, *adj.* dishevelled, scattered, sparse

épierrer, to remove stones

épouser, to follow closely, espouse, marry

épreuve, *f.* trial, test

éprouver, to encounter, meet, undergo, sustain, suffer

épuiser, to exhaust

éraillé, *adj.* husky, scratchy; **timbre —,** husky sound

esclaffer, (s'), to shake with laughter, guffaw

esseulé, *adj.* lonesome, all alone

essor culturel, *m.* cultural impetus

essoufflé, *adj.* out of breath

étape, *f.* step, stage, degree, phase

étayer, to support

étiolement, *m.* weakness, emaciation

étiquette, *f.* label, tag

étouffant, *adj.* stifling, stuffy, suffocating

évaluer, to evaluate, appraise

évasement, *m.* widening

éventuel acheteur, *m.* casual buyer

évoluer, to develop, evolve
exhumer, to dig up, unearth, bring to light
exprès, *adv.* on purpose
*exprès, (*f.* expresse), *adj.* special delivery
express, *m.* express (train)

F

face à face, facing one another
fâcheux, *adj.* annoying
façonner, to fashion, mould
fade, *adj.* insipid
faille, *f.* fault, flaw
faire, to do, make; — des adieux, to say good-bye; — des gorges chaudes, to scoff, gloat; — grand cas, to think a great deal of; — le guet, to be on the lookout; — le point, to state the case; — pâlir de jalousie, to provoke jealousy; — relâche, to close temporarily
faîte, *m.* top, summit
falloir, to be necessary; s'en —, to be wanting, be lacking
fané, *adj.* faded, withered
faner, (se), to wilt
fatras, *m.* jumble, confusion
faubourg, *m.* outlying part (of a town), suburb
fausser, to falsify, distort
faute, *f.* mistake, error
faux (*f.* fausse), *adj.* erroneous, false
favoriser, to prefer, favour
fer, *m.* iron; — forgé, wrought iron; — martelé, hammered iron
festin, *m.* feast, banquet
fier, (se), to trust, rely
filer, to slip away, run along
fille d'honneur, *f.* maid of honour
flâneur, *m.* idler
fléau, *m.* scourge, plague
flèche, *f.* arrow
flécher, to arrow; ceinture fléchée,

f. long knitted sash worn by early Canadian settlers
floraison, *f.* blooming, blossoming
florissant, *adj.* prosperous, thriving, flourishing
flotteur de cages, *m.* raftsman
fomentateur, *m.* fomenter
forger, (se), to create, make, frame
fougueux, *adj.* ardent, impetuous, spirited
fournil, *m.* bakehouse
foyer, *m.* home, hearth, centre; — rayonnant, radiant, glowing centre
freluquet, *m. colloq.* whippersnapper
fringale, *f. colloq.* hunger-pang
front, *m.* forehead; de —, simultaneously
fruste, *adj.* plain, rough
funérailles, *f. pl.* funeral, interment
fusil, *m.* rifle, musket

G

gages, (toucher des), to earn wages
gageure, *f.* wager
gaine de maroquin, *f.* moroccoleather sheath
galimatias, *m.* gibberish, garble
garantir, to guarantee; — de, to protect from
garce, *f.* wench
gars, *m.* fellow
gascon, *m.* a native of Gascony, formerly a province in southwestern France
gauchiste, *m.* liberal, left-winger
glauques, *adj.* glaucous, seagreen
godiveau, *m.* forcemeat pie
goinfre, *m.* glutton
gorges chaudes, (faire des), to scoff, gloat
gouffre, *m.* abyss, bottomless pit

graffiti, *m.* graffiti (rough drawings or inscriptions scratched on walls, etc.)
grain, (veiller au), to look out for trouble
gratte-ciel, *m.* skyscraper
graviter, to gravitate
gré de, (au), at the mercy of
guenille, *f.* rag, tatter
guérir, (se), to be cured
guet, (faire le), to be on the lookout, watch
guilde, *f.* guild, co-operative, association
guimauve, *f.* marshmallow

H

habitant, *m. colloq.* farmer,* French settler (in Canada)
haleine, (longue), *f.* stretched-out enterprise, long-term affair
hantise, *f.* obsession, haunting memory
hardiesse, *f.* boldness, daring
hélice, *f.* propeller
hériter, to inherit
hermétisme, *m.* closeness, secrecy, profundity
heurter, (se), to run against, jostle
hiératique, (pièce), *f.* sacred or traditional object
homme-orchestre, *m. colloq.* one-man band, man of concerted and diversified talents
houille blanche, *f.* electricity
humanisme, *m.* humanism (way of life centred on human interests or values)
hymen, *m.* marriage

I

imprégner, to infiltrate, penetrate, permeate
inconscience, *f.* unconsciousness
inconvénient, *m.* drawback, obstacle, inconvenience
indienne rouge, *f.* red calico or cotton
indigène, *adj.* native, indigenous
indivis, *adj.* undivided, joint
ineptie, *f.* ineptitude
innombrable, *adj.* countless, innumerable
inoubliable, *adj.* unforgettable
inquiétude, *f.* anxiety, concern
insérer, to wedge, insert
instar, (à l'), in imitation
instrument, *m.* aid, tool
intempestif, *adj.* untimely, inopportune
interroger, (s'), to examine, question (oneself)
irrécusable, *adj.* undeniable, irrefutable
irrémédiable, *adj.* irrecoverable, irretrievable
ivresse, *f.* rapture, intoxication

J

jaillir, to spring up, burst forth
jalon, *m.* landmark
jalousie, (faire pâlir de), to provoke jealousy
juridiquement, *adv.* legally, according to the law
juron, *m.* curse, swear-word, oath

L

lacune, *f.* blank, omission, gap
laïque, *adj.* lay, secular
légère, (à la), *adv.* lightly
leurrer, (se), to delude oneself
lien, *m.* tie, bond
lier, to fasten, bind; — **connaissance,** to become acquainted
limier, *m.* detective, sleuth
lit de plume, *m.* feather-bed
loisir, *m.* leisure
loque humaine, *f.* ragamuffin
lot, (le gros), *m.* the highest stake, prize, jackpot

luciole, *f.* fire-fly
lunettes, *f. pl.* spectacles

muni de, (être), to be possessed, provided with

M

*maître-draveur, *m.* master logger
maîtrise, *f.* control, mastery; — **de soi,** self-control
mal, (pas), *adv.* a good many, quite a few, not at all bad
maladresse, *f.* awkwardness
malaisément, *adv.* uneasily
manchette, *f.* newspaper head-line
manquer à l'appel, to be absent
manquer d'être, to be nearly, barely miss being
maréchalerie, *f.* blacksmith's forge
marée, *f.* tide, current, flow
marge, *f.* margin; **en — de,** at the edge of, beyond
maringouin, *m.* mosquito
maroquin, (gaine de), *f.* morocco-leather sheath
martelé, *adj.* hammered, beaten
matin, (au petit), early in the morning
mécène, *m.* benefactor, protector, patron
mécontent, *adj.* displeased, discontented
mégère, *f.* shrew, vixen
mendiant, *m.* beggar
menu, *adj.* small
mesure, (à), *adv.* gradually
mets, *m.* dish, food
mettre en relief, to make conspicuous
microsillon, *m.* long-playing record
milieu, *m.* environment, society, circle
misogyne, *adj.* misogynous
mondovision, *f.* world-wide television
mouler, to mould
mourant, *m.* dying person
muer, to cast away, shed

N

nanti, *adj.* provided, supplied
navrant, *adj.* heart-rending, distressing
nimbé, *adj.* haloed
normand, *m.* a native of Normandy, formerly a province in northern France
norme, *f.* standard, norm
notamment, *adv.* notably
noyau, *m.* core, nucleus, kernel

O

obole, *f.* ancient Greek silver coin; *colloq.,* bit, farthing
occasion, (d'), *adj.* second-hand
occuper de, (s'), to take care of, keep busy with
oeuvre, (grosse), *f.* important work, outer structure
orée, *f.* border
ouvré, *adj.* worked, wrought

P

paillasse, *f.* straw mattress
panser, to bandage, dress (a wound)
parachever, to finish, carry through
parer, (se), to parade oneself
particulier (*f.* particulière) *adj.* particular, special, private; **leur bien —,** their own good
*partouse, *f.* house-party
patent, *adj.* obvious, evident
pécore, *f.* blockhead, fool
peine, *f.* sorrow; **à —,** hardly; **valoir la —,** worth while
pêle-mêle, *adv.* confusedly, pell-mell

pétroglyphe, *f.* rock carving
phoque ocellé, *m.* ocellate seal
piétinement, *m.* treading, stamping
pieu, *m.* post, stake
placard-annonce, *m.* advertising poster
plaquette, *f.* booklet, brochure
*****poêle,** *m.* cooking-stove
point, (faire le), to state the case
polémiste, *m.* polemist
port d'attache, *m.* home base
porte-parole, *m.* spokesman, mouthpiece, interpreter
portée, *f.* range, scope
*****portrait,** *m.* photo, snapshot, picture
pouffer de rire, to burst out laughing
poupon, *m.* baby
poutre, *f.* beam
préconiser, to praise, recommend
prédicateur, *m.* preacher
presse, (le temps), it is pressing, urgent
pressentir, to have a presentiment, have a foreboding
priser, to take snuff
prises avec, (aux), struggling for, at grips with
proue, *f.* prow
public, (le grand), *m.* the masses, the public at large
puîné, (fils), *m.* younger son

Q

quai, *m.* platform
quasi, *adv.* almost, nearly
quémander, to beg

R

rabattre, (se), to fall back, limit oneself
*****rang,** *m.* rural district, subdivision

ranimer, to enliven, stir up
*****rapailler,** to pick up at random
rassembler ses esprits, to collect one's thoughts, gather one's wits
ravaler, to lower, debase, degrade
rayonner, to radiate, diffuse, spread
rebiffer, (se), to resist, kick (against)
redevenir, to become again
refléter, to reproduce, imitate, reflect
refouler, to drive, force (back)
régistre, *m.* register, range, scale, record
regorger, to be glutted
relâche, *m.* rest, respite; **sans —,** constantly; **faire —,** to close temporarily
rempart, *m.* bulwark, wall, rampart
remporter, to win, gain, obtain
renier, to deny, disclaim, renounce
rentier, *m.* stockholder, person living on private or unearned income
répugner, to repulse; **— à quelqu'un,** to be repugnant to someone
réseau, *m.* network, net
résoudre, to solve
retardataire, *adj.* backward, behind time, laggard
revivifier, to revive, regenerate
ride, *f.* wrinkle, ripple, line
river, to fasten, secure, rivet
roide (old spelling of **raide**), *adj.* stiff, rigid, tense
romancier, *m.* novelist
ronflant, *adj.* bombastic
roturier, *m.* commoner, plebeian
rouet, *m.* spinning-wheel
rouspéteur, *m. colloq.* grouch, griper, protester
ruminer, to ponder, muse

S

saignée, *f.* blood-letting; *figurative,* drain

saintongeois, *m.* a native of Saintonge, formerly a province in western France

*****sauvage,** *m.* Indian

*****sauvagesse,** *f.* squaw

sauvegarde, *f.* defence, safeguard

savant, *m.* scientist, scholar

savoir, to know; **autant que je sache,** to the best of my knowledge, as far as I know

scander, to scan, scrutinize

scrutin, *m.* ballot, vote

seau, *m.* pail, bucket

secouer, to rouse, shake, jolt

seigneurie du goût, aristocratic taste

sentir, to feel, to have the look of; **— le terroir,** to smack of the soil

serre, (fleur de), greenhouse flower

seuil, *m.* threshold

sidéré, *adj.* dazed, dumbfounded

siroter, to sip

sobriquet, *m.* nickname

soleil couchant, *m.* sunset

solfège, *m.* solfeggio (sol-fa exercise for the voice)

sommeiller, to sleep, lie dormant

souche, *f.* stock (of a vine); *colloq.,* descent, ancestry, lineage

souci, *m.* worry, care, anxiety

*****souffleux,** *adj.* panting

squelettique, *adj.* skeletal, bony

stade, *m.* degree, phase, period

statufier, to represent in a statue

suffisance, *f.* sufficiency

sursaut, (en), *adv.* with a start

susciter, to create, produce, stir up

syndicale, *adj.* (labour or trade) union

T

tabatière, *f.* snuff-box

tâche, *f.* task

tapageur, *adj.* noisy, loud

tapecu(l), *m.* jolting carriage

téméraire, *adj.* rash, bold

temporel, *adj.* temporal, worldly, secular

terrer, (se), to burrow, entrench oneself; **— en soi-même,** to retreat into oneself

terroir, *m.* soil; **sentir le —,** to smack of the soil

tête, (crier à pleine), to cry out loudly, to yell

têtu, *adj.* stubborn, obstinate

tévé, (appareil de), *m.* television set

timbre éraillé, *m.* husky sound

tissage, *m.* weaving

toile d'araignée, *f.* spider's web

torchon, *m.* rag, dish-cloth

tourrelle, *f.* turret

*****tourtière,** *f.* meat pie

trafiquant, *m.* trader, trafficker

train, *m.* train; **à fond de —,** at top speed; **en — de,** in the process of

trait, *m.* trait, characteristic

travail, *m.* work; **— sur bois,** woodworking

trépider, to bustle

tricher, to cheat

trier, to sort

trimer, *colloq.* to work hard, drudge, slave

trompeur, *adj.* deceptive, deceitful

tronqué, *adj.* truncated, mutilated

U

ubiquité, *f.* ubiquity, omnipresence

unisson, *m.* harmony, agreement, unanimity

universel, *adj.* universal, worldwide, all-embracing

V

vacarme, *m.* hubbub, uproar, tumult

valoriser, to increase or stabilize the usefulness or value of a commodity

vantardise, *f.* boastfulness, vaunting

veiller au grain, to look out for trouble

velléité, *f.* slight desire, inclination

verbe, *m.* verb, tone of voice, speech

version, *f.* interpretation, version

vinaigrette, *f.* a salad-dressing made with vinegar

viser, to aim at, look at; *colloq.* to speak of

vociférer, to cry out, yell, shout

voie, *f.* way, course, means; **la — royale,** the royal road

voile, *f.* sail

volée, *f.* flight, volley; **— de bourdons,** peal of bells

voler de ses propres ailes, *colloq.* to act on one's own

voyageur, *m.* traveller, explorer

*****voyageur,** *m.* early Canadian boatman employed in transporting goods and people between trading-posts

voyer, (grand), *m.* head surveyor

vue, (largeur de), *f.* open-mindedness, vision, far-sightedness

W

*****whisky blanc,** *m.* pure alcohol